신재생에너지(태양광 풍력 연료전지)관련

기술동향분석 및 시장전망과 기업종합분석

저자 비피기술거래 비피제이기술거래

(주)비티타임즈

<뉴딜정책으로 주목받는 신재생에너지>

1

서론

1. 서론[1)2)]

폭염, 태풍, 폭우 등의 이상기후 현상이 반복적으로 나타나면서 많은 사람들이 '기후위기'로 인한 피해를 우려하고 있다. 유럽 연합은 기후위기 극복을 위해 2050년 탄소중립을 목표로 여러 가지 정책을 실행중이며, 온실가스 배출량이 가장 많은 중국 또한 최근 2060년 탄소중립을 선언했다. 우리 정부도 '그린 뉴딜' 정책 발표를 통해 저탄소 친환경 경제로의 도약을 위한 전략을 제시했으며, 국회에서 통과된 '기후위기 비상대응 촉구 결의안'에는 2050년 온실가스 순배출제로 목표가 포함됐다.

이러한 세계적 상황에 비추어보면 기후위기를 극복하기 위한 에너지 전환과 이를 통한 새로운 경제 시스템 도입은 '글로벌 스탠다드'라고 해도 과언이 아니다. 특히 재생가능한 에너지의 확대는 에너지를 스마트하게 절약하는 방법과 함께 탄소중립을 실현하기 위한 중요한 에너지 전환 방안 중 하나이다. 2018년에 발표된 IPCC 보고서는 기후위기를 극복하기 위해 2050년 전력량의 70~85%를 재생에너지로 공급해야한다고 밝히고 있다. 또한 전기차, 제로에너지 빌딩, 그린수소 등 에너지 전환을 위한 새로운 대안들이 모두 재생에너지를 사용한다는 것을 고려하면 재생에너지 확대의 필요성은 더욱 더 강조된다.[3)] 신재생에너지는 그 자체로 높은 부가가치를 지니고 있는 분야이다. 즉, 환경 문제뿐만 아니라 일자리 창출 및 자원고갈에도 대비할 수 있는 이른바 지속가능 한 성장의 필수 요소인 것이다.

신재생에너지란 기존의 화석연료를 변환시켜 이용하거나 햇빛·물·지열 ·강수·생물유기체 등을 포함하여 재생 가능한 에너지를 변환시켜 이용하는 에너지를 뜻한다. 석탄, 석유, 원자력 및 천연가스 등과 같은 화석연료가 아닌 태양에너지, 바이오매스, 풍력, 소수력, 연료전지, 석탄의 액화, 가스화, 해양에너지, 폐기물에너지 및 기타로 구분되고 있다. 또한 이외에도 지열, 수소, 석탄에 의한 물질을 혼합한 유동성 연료도 이에 포함된다. 그러나 실질적인 신재생에너지란, 넓은 의미로는 석유를 대체하는 에너지원으로 좁은 의미로는 신·재생에너지원을 나타낸다. 우리나라는 미래에 사용될 신재생에너지로 석유, 석탄, 원자력, 천연가스 등 화석연료가 아닌 에너지로 11개 분야를 지정하였고(신재생에너지개발 및 이용·보급촉진법 제 2조) 세분하여 보면 아래와 같다.

---

1) 한국 전력공사 홈페이지
2) 녹색에너지연구원 홈페이지
3) 그린 뉴딜을 위한 태양광 혁신기술 개발, 에너지신문, 2020.10.06

신에너지	연료전지, 수소, 석탄액화 · 가스화 및 중질잔사유 가스화
재생에너지	태양광, 태양열, 바이오, 풍력, 수력, 해양, 폐기물, 지열

갈수록 인구가 증가하고 산업이 발달하면서 화석 연료에 대한 수요가 늘고 있어, 자원의 고갈과 함께 국제 가격이 상승하는 등의 문제들은 전세계적인 관심사로 부상하게 되었다. 더불어 화석 연료가 지구 온난화를 일으키는 원인으로 인식되면서 그 사용량이 많은 국가에게는 불이익을 주는 등 화석 연료의 사용을 줄이려는 움직임이 활발해지고 있다. 이에 대한 해결방안으로 신재생에너지가 대두되는데, 신재생에너지는 화석연료 사용에 의한 CO2 발생이 거의 없는 화경친화형 청정에너지이며, 태양, 바람 등을 활용하여 무한 재생이 가능한 비고갈성에너지이기 때문이다. 즉, 화석연료의 고갈로 인한 자원확보 경쟁 및 고유가의 지속 등으로 에너지 공급방식의 다양화가 필요한 현시점에서 신재생에너지산업은 IT, BT, NT 산업과 더불어 차세대 산업으로 시장규모가 급격히 팽창하고 있는 미래 산업이다. 또한 최근들어 기후변화협약 등 환경규제에 대응하기 위한 청정에너지 비중이 확대되고 있는 추세이다.

전문가들은 1890~1900년 산업화 이전을 기준으로 지구의 평균 기온 약 2℃ 상승이 지구온난화에 따른 막대한 피해를 초래할 극적 전환점으로 보고 있다. 또한 2015년 지구 기온이 1℃를 넘어서면서 2015년 12월 파리에서 지구 온난화 방지대책을 위한 신기후변화체제[4]의 합의가 이루어진 바 있다. 합의안에 따르면 산업화 이전 대비 지구의 평균 기온상승을 1.5℃로 제한하기 위한 노력을 추구하며, 195개 당사국은 세계 자발적 온실가스 감축안을 5년마다 제출하기로 합의하였다. 단순히 합의에 그칠 수 있다는 우려도 있으나, 이를 통해 전 세계가 온실가스의 심각성에 대해 공감하고 온실가스 감축에 대한 노력이 가속화될 전망이다. 실제로 지구의 평균기온 상승을 2℃ 이내로 억제하려면 화석연료 의존에서 벗어나, 효율적 기술과 재생에너지 확대를 기반으로 저탄소 에너지 체제로의 전환이 필요하다. 이에 우리나라는 물론 전세계 많은 나라들이 기후재앙을 피하기 위해 공감대를 형성하고 있는데, 현재 선진 각국에서 활발히 기술 개발이 진행되어 실용화 단계에 접어든 신재생에너지로는 태양에너지, 풍력에너지가 주종을 이루며, 바이오매스, 지열, 파력, 조력 등을 이용한 신재생에너지 개발이 활발히 진행되고 있다. 특히, 전 세계적으로 태양광은 상대적으로 우수한 경제성과 응용성, 확장성 등에 힘입어 기존 전통에너지를 대체하는 주력 재생에너지 자원으로 자리매김하고 있다.

4) 2020년 만료 예정인 교토의정서를 대체, 2020년 이후의 기후변화 대응을 담은 기후변화협약

여기에 미국에선 조 바이든 민주당 후보의 대통령 당선이 확정된 데 따른 미국의 파리기후협약 복귀와 함께 유럽연합(EU)의 환경규제가 강화되는 만큼, 국내외 친환경과 재생에너지 산업의 확대가 기대된다. 때문에 앞으로 바이든 행정부의 정책이 신재생에너지 산업에 어떤 영향을 미칠 것인지 업계는 촉각을 세우고 있다. 구체적으로 바이든은 2050년까지 미국 경제를 탄소 제로로 바꾸겠다고 천명하였고, 이를 위해서 총 5조 달러의 천문학적 친환경 투자를 예고한 바 있다. 이처럼 '친환경발전'이 세계적인 정책 키워드로 부상하면서, 앞으로 태양광은 주요 에너지원 역할을 할 것으로 예상된다.

특히 태양광 발전은 무한정, 무공해의 태양 에너지를 직접 전기에너지로 변환시키는 기술을 말하는데, 최근에는 태양광이 미래 전력생산의 핵심이 될 것이라는 전망이 지배적이다. 실제로 2016년 세계 신규 발전용량 면에서 태양광이 풍력을 앞질렀다. 태양광 신규용량이 75GW 급증한 반면, 풍력은 55GW 증가하는데 그쳤다. 2017년에는 격차가 더 벌어져 태양광의 신규용량은 98GW를, 풍력은 52GW를 기록했다. 누적 설비용량을 보면 증가속도의 차이는 더욱 뚜렷해진다. 태양광이 재생에너지 발전을 주도하게 된 이유 중 하나는 공간 제약 없이 설치할 수 있다는 점이다. 태양광은 지붕, 주차장, 유휴지, 수면, 사막 등 햇빛이 닿는 곳이라면 그 규모에 상관없이 발전설비의 설치가 가능하다. 수력, 풍력, 지열, 해양에너지 등 다른 재생에너지 발전기술이 가진 입지 조건 및 기술적 제약과 비교하면 상당히 자유로운 편이다. 설비의 설치 기간도 짧은 편에 속해, 평지의 경우에는 수주 만에 MW급 설비 설치를 완료할 수 있다.

태양광이 미래 발전부문을 주도할 것이라는 사실은 우리나라도 예외가 아니다. 정부는 에너지전환 정책의 한 축으로 2030년까지 재생에너지 발전량 비중을 20%로 높이는 <재생에너지 3020> 정책을 추진 중이다. 여기에는 2030년까지 태양광 30.8GW를 신규 보급하는 내용도 포함됐다.

| <재생에너지 3020> 정책

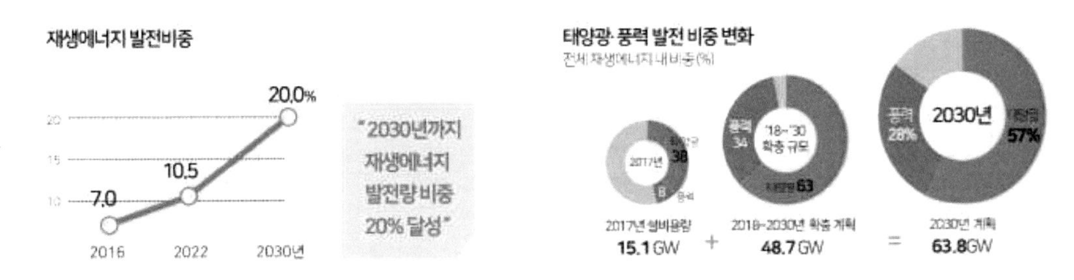

그림 2 산업통상지원부, 에너지공단 신재생에너지센터

또한, 풍력에너지산업은 정부의 "제4차 신재생에너지 기본계획"의 발전 목표에 따른 핵심육성 산업 중 하나로, 태양광, 분야와 수소·연료전지산업과 함께 정부의 신·재생에너지 전체 R&D 예산의 약 70% 이상을 차지하고 있다. 2020년 12월 발표한 '제9차 전력수급기본계획'에 따르면, 정부는 2034년까지 신재생에너지 발전 비중을 40%대까지 높인다고 밝힌 바 있는데, 이에따라 태양광에 가려 큰 주목을 받지 못했던 풍력(특히 해상풍력) 발전이 주목을 받고 있다. 태양광만으로는 신재생에너지 발전 비중을 높이기 어려워서다. 실제로 풍력 발전은 긍정적인 요인이 많다. 먼저 풍력 발전의 균등화발전비용(LCOE)이 낮아지고 있다. 분석 기관에 따라 차이가 있지만, 대략 2025년이면 해상풍력 발전의 LCOE가 현재 태양광 발전 LCOE(1MWh당 50달러 이하)와 비슷한 수준(1MWh당 60달러 내외)으로 떨어질 가능성이 높다. 한편에선 '이미 태양광 발전 LCOE와 비슷한 50달러 수준을 밑돈다'는 주장도 나온다. 영국의 금융 싱크탱크인 카본트래커 이니셔티브는 지난 2020년 4월 풍력 발전 단가가 5년 내에 LNG 발전 단가보다 저렴해질 것이라는 분석을 내놓기도 했다.

국내 풍력 발전 시장의 성장이 예상되는 것도 이런 이유에서다. 국제에너지기구(IEA)는 세계 해상풍력 시장 규모가 2040년까지 매년 13%씩 성장할 것으로 전망했다. 선진국들이 탄소배출량 줄이기에 적극적이기 때문인데, 국내 시장 분위기도 이를 따라갈 가능성이 매우 높다.[5] 민간에서도 전라북도 지방자치단체의 주도로 새만금방조제에 총 3,600억 규모의 해상풍력단지 조성이 임박해 있다. 이에 따라 풍력발전에서 생산된 전력을 수용하고 연계할만한 기반을 구축하는데 정부의 역할이 중요해졌다. 100% 민간자본으로 이루어져 파리협약에서 높은 목표치를 제시한 정부가 적극적으로 연계해야 할 필요가 있어 귀추가 주목되는 사업이다. 이 밖에도 전국 곳곳에서 풍력 및 신재생에너지 발전 사업이 진행되고 있다. 아직 업계는 전체적으로

5) 풍력발전 빛과 그림자, 시장 바람만큼 바람 거세려나, 더스쿠프, 2020.06.05

신재생에너지를 활용한 발전 비중은 낮은 수준에 머물러 있으나, 점차 발전 효율을 높여 신재생에너지를 활용한 전기를 보급하는데 많은 노력을 하고 있다. 또한, 벌써 세계시장에서 경쟁할만한 경쟁력을 갖춘 업체도 있다.

마지막으로, 수소에너지는 화석에너지 체제의 한계를 극복하고 지구 온난화 문제를 해결하기 위한 대체 에너지원인 태양광, 풍력, 수력, 지열, 조력보다 에너지 밀도가 높다. 특히 수소는 전기에너지를 이용하여 물로부터 얻을 수 있으며, 연소할 시 다시 물로 되돌아가는 차세대 미래 청정 연료의 특성이 있어 주요 산업의 에너지원으로 각광받고 있다.

이에 본서에서는 정부의 '한국판 뉴딜정책'으로 주목받는 신재생에너지 산업, 특히 태양광과 풍력, 수소연료전지 산업을 중심으로 산업들의 현황과 앞으로 전망을 살펴보고자 한다.

2

뉴딜정책

2. 뉴딜정책

가. '한국판 뉴딜'정책[6)]

1930년대 미국의 대공황 극복을 위해 프랭클린 루즈벨트 대통령이 추진했던 '뉴딜(New Deal)정책'처럼, 정부도 '한국판 뉴딜' 정책을 추진하며 포스트코로나 시대에 효과적으로 대응하고 세계적 흐름에서 앞서나가겠다고 밝혔다. '한국판 뉴딜'정책이란, 코로나19로 인해 최악의 경기침체와 일자리 충격 등에 직면한 상황에서, 위기를 극복하고 코로나 이후 글로벌 경제를 선도하기 위해 마련된 국가발전전략이다.

2020년 4월, 문재인 대통령은 5차 비상경제회의에서 포스트 코로나 시대의 혁신성장을 위한 대규모 국가 프로젝트로서 '한국판 뉴딜'을 처음 언급하였으며, 5월 홍남기 부총리겸 기획재정부장관 주재 '제2차 비상경제 중앙대책본부 회의'에서 3대 프로젝트와 10대 중점 추진과제를 담아 그 추진방향을 발표했다. 이후 한국판 뉴딜 추진 전담조직(TF) 구성, 분야별 전문가 간담회, 민간제안 수렴 등을 거쳐 7월, 제7차 비상경제회의 겸 한국판 뉴딜 국민보고대회를 통해 추진계획이 발표됐다. 문재인 대통령은 국민보고대회 기조연설에서 "한국판 뉴딜은 선도국가로 도약하는 '대한민국 대전환' 선언"이라며, "추격형 경제에서 선도형 경제로, 탄소의존 경제에서 저탄소 경제로, 불평등 사회에서 포용 사회로" 대한민국을 근본적으로 바꿔 "대한민국 새로운 100년을 설계"하는 것이라고 강조했다.

한국판 뉴딜은 튼튼한 고용 안전망과 사람투자를 기반으로 하여 디지털(digital) 뉴딜과 그린(green) 뉴딜 두 개의 축으로 추진한다. 2025년까지 총160조 원(국비 114.1조 원)을 투입해 총190.1만 개 일자리를 만든다는 목표다.

6) 한국판뉴딜, 대한민국 정책브리핑

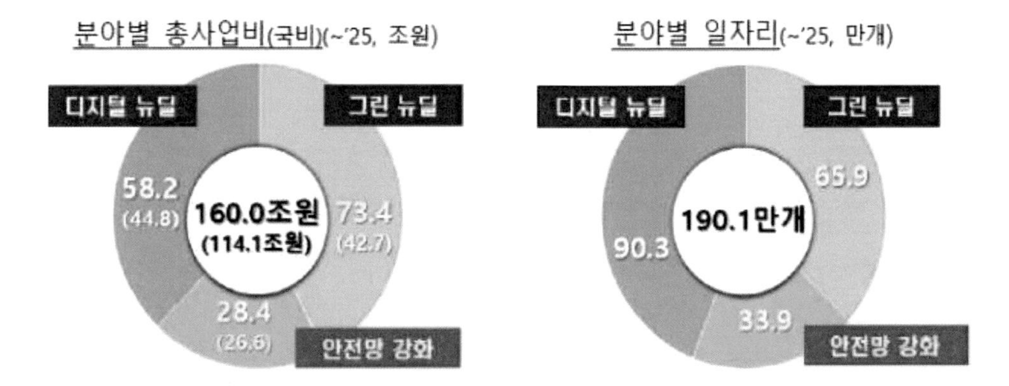

(출처=한국판 뉴딜 종합계획)

한국판 뉴딜의 구조와 추진체계

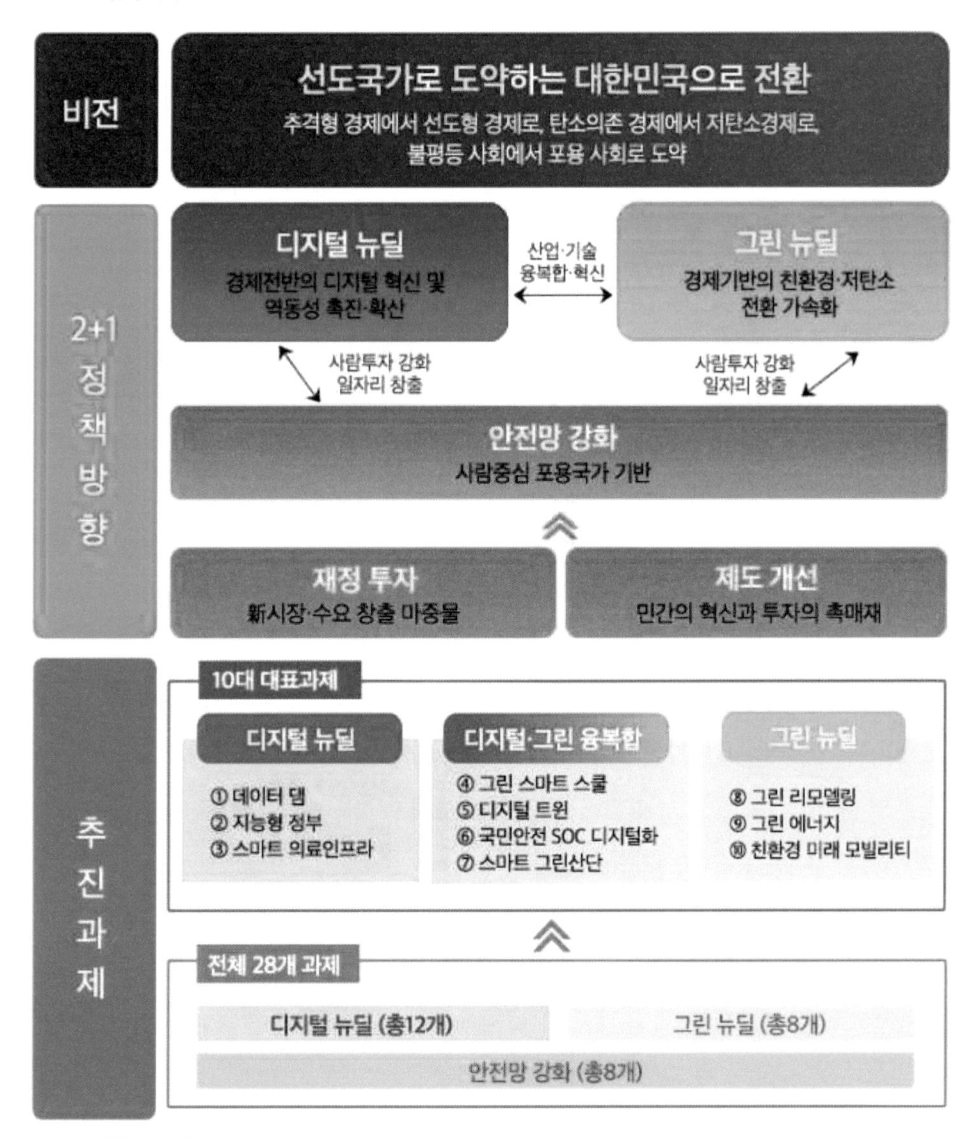

(출처=한국판 뉴딜 종합계획)

나. 디지털 뉴딜[7]

온라인 소비, 원격근무 등 비대면화가 확산되고 디지털 전환이 가속화 되는 등 경제사회 구조의 전환으로 '디지털 역량'의 중요성이 더욱 높아졌으며, 비대면 비즈니스가 유망 산업으로 부각되고 있다. 이러한 상황 속에서 디지털 뉴딜정책은 전 산업의 디지털 혁신을 위해 D.N.A.(Data-Network-AI) 생태계를 강화하고, 교육인프라의 디지털 전환, 비대면 산업 육성, 교통·수자원·도시·물류 등 기반시설의 디지털화를 추진한다.

D·N·A(Data, Network, AI) 생태계 강화	국민생활과 밀접한 분야의 데이터 구축·개방·활용
	1·2·3차 전(全)산업 5세대이동통신(5G)·인공지능(AI) 융합 확산
	5세대이동통신(5G)·인공지능 기반 지능형 정부
	케이-사이버(K-Cyber) 방역체계 구축
교육인프라 디지털 전환	모든 초중고에 디지털 기반 교육 인프라 조성
	전국 대학·직업훈련기관 온라인 교육 강화
비대면 산업 육성	스마트 의료 및 돌봄 인프라 구축
	중소기업 원격근무 확산
	소상공인 온라인 비즈니스 지원
사회간접자본(SOC) 디지털화	4대 분야 핵심 인프라 디지털 관리체계 구축
	도시·산업단지의 공간 디지털 혁신
	스마트 물류체계 구축

다. 그린뉴딜

코로나19를 계기로 기후변화 대응 및 저탄소 사회 전환이 더욱 시급해졌다. 해외 주요국들은 글로벌 기후변화 대응, 에너지 안보, 친환경산업 육성 등의 차원에서 저탄소 경제·사회로 이행중이나, 국내 온실가스 배출은 계속 증가하고, 탄소 중심 산업생태계가 유지되고 있다. 경제·사회의 구조의 전환 필요성이 높아짐에 따라 정부는 "탄소중립(Net-zero)"사회를 지향점으로 그린뉴딜을 추진한다. 그린뉴딜 추진을 통해 2030년 온실가스 감축목표, 재생에너지 3020계획 등을 차질 없이 이행한다는 목표다.

도시·공간 등 생활환경을 녹색으로 전환하고 저탄소·분산형 에너지를 확산하며 전환과정에서 소외받을 수 있는 계층과 영역은 보호한다. 혁신적 녹색산업 기반을 마련하여 저탄소 산업생태계를 구축한다.

---

7) 대한민국 대전환 한국뉴딜 홈페이지

도시·공간·생활 인프라 녹색전환	국민생활과 밀접한 공공시설 제로에너지화
	국토·해양·도시의 녹색 생태계 회복
	깨끗하고 안전한 물 관리체계 구축
저탄소·분산형 에너지 확산	에너지관리 효율화 지능형 스마트 그리드 구축
	신재생에너지 확산기반 구축 및 공정한 전환 지원
	전기차·수소차 등 그린 모빌리티 보급 확대
녹색산업 혁신 생태계 구축	녹색 선도 유망기업 육성 및 저탄소·녹색산단 조성
	연구개발(R&D)·금융 등 녹색혁신 기반 조성

각 과제들의 구체적인 수행계획들은 다음과 같다.

1) 도시·공간·생활 인프라 녹색전환

인간과 자연이 공존하는 미래 사회를 구현하기 위해 녹색 친화적인 국민의 일상생활 환경을 조성하는 것을 목표로 한다. 2025년까지 총사업비 30조1천억 원을 투자하여 일자리 38만7천 개를 창출하고자 한다.

가) 국민생활과 밀접한 공공시설 제로에너지화

-그린 리모델링 : 공공 건물에 신재생에너지 설비·고성능 단열재 등을 사용하여 친환경 에너지 고효율 건물 신축·리모델링

-그린스마트 스쿨 : 친환경·디지털 교육환경을 조성하기 위해 태양광·친환경 단열재 설치 및 전체교실 와이파이(WiFi) 구축

나) 국토·해양·도시의 녹색 생태계 회복

-스마트 그린도시 : 도시 기후·환경 문제에 대한 종합진단을 통해환경·정보통신기술(ICT) 기술기반맞춤형 환경개선 지원

-도시숲 : 미세먼지 저감 등을 위해 미세먼지 차단 숲, 생활밀착형 숲, 자녀안심 그린숲 등 도심녹지 조성

-생태계 복원 : 자연 생태계 기능 회복을 위해 국립공원 16개소·도시공간 훼손지역 25개소·갯벌 4.5㎢ 복원

다) 깨끗하고 안전한 물 관리체계 구축

-스마트 상수도 : 전국 광역상수도·지방상수도 대상 인공지능·정보통신기술(ICT) 기반의 수돗물 공급 전 과정 스마트 관리체계 구축

-스마트 하수도 : 지능형 하수처리장 및 스마트 관망 관리를 통한 도시침수·악취관리

시범사업 추진
-먹는물 관리 : 수질개선 누수방지 등을 위해 12개 광역상수도 정수장 고도화 및 노후상수도 개량

2) 저탄소·분산형 에너지 확산

지속 가능한 신재생에너지를 사회 전반으로 확산하는 미래 에너지 패러다임 전환 시대 준비를 목표로 한다. 2025년까지 총사업비 35조8천억 원을 투자하여 일자리 20만 9천 개를 창출하고자 한다.

가) 에너지관리 효율화 지능형 스마트 그리드 구축

-스마트 전력망 : 전력수요 분산 및 에너지 절감을 위해 아파트 500만호 대상 지능형 전력계량기 보급
-친환경 분산에너지 : 전국 42개 도서지역 디젤엔진 발전기의 오염물질 배출량 감축을 위해 친환경 발전시스템 구축
-전선 지중화 : 학교 주변 통학로 등 지원 필요성이 높은 지역의 전선·통신선 공동지중화 추진

나) 신재생에너지 확산기반 구축 및 공정한 전환 지원

-풍력 : 대규모 해상풍력단지 입지발굴을 위해 최대 13개 권역의 풍황 계측·타당성 조사 지원 및 배후·실증단지 단계적 구축
-태양광 : 주민참여형 이익공유사업 도입, 농촌·산단 융자지원 확대, 주택·상가 등 자가용 신재생설비 설치비 지원(20만 가구)
-공정전환 : 석탄발전 등 사업축소가 예상되는 위기지역 대상 신재생에너지 업종전환 지원

다) 전기차·수소차 등 그린 모빌리티 보급 확대

-전기차 : 승용 버스 화물 등 전기자동차 113만대(누적) 보급, 충전 인프라 확충
-수소차 : 승용 버스 화물 등 수소차 20만대(누적) 보급·충전 인프라 450대 설치 및 수소 생산기지 등 수소 유통기반 구축
-노후차량 : 노후경유차의 엘피지(LPG)·전기 차 전환 및 조기 폐차 지원

3) 녹색산업 혁신 생태계 구축

기후변화와 환경위기에 대응해 전략적으로 도전할 녹색산업 발굴 및 지원 인프라 확충으로 혁신 여건 조성을 목표로 한다. 2025년까지 총사업비 7조6천억 원을 투자하여 일자리 6만3천 개를 창출하고자 한다.

가) 녹색 선도 유망기업 육성 및 저탄소·녹색산단 조성

-녹색기업 : 환경·에너지 분야 123개 중소기업 대상 전주기(R&D·실증·사업화) 지원 및 그린스타트업 타운 1개소 조성

-녹색산업 : 5대 선도 분야의 기술개발·실증, 생산·판매 등 지원 기능을 융합한 지역 거점 「녹색 융합 클러스터」 구축

-스마트그린 산단 : 에너지 발전·소비를 실시간 모니터링·제어하는 마이크로그리드 기반 스마트 에너지 플랫폼 조성

-친환경 제조공정 : 스마트 생태공장·클린팩토리 구축 및 소규모 사업장 대상 미세먼지 방지설비 지원

나) 연구개발(R&D)·금융 등 녹색혁신 기반 조성

-온실가스 감축 : 대규모 이산화탄소 포집·저장·활용 기술 통합실증·상용화 기반 구축, 이산화탄소로 화학원료 등 유용물질 생산 기술개발 지원

-미세먼지 대응 : 동북아 협력을 통한 지역 맞춤형 통합관리기술, 미세먼지 사각지대 관리 기술 등 개발 추진

-자원순환 촉진 : 노후 전력기자재, 특수차 엔진·배기장치 등 재제조 기술, 희소금속 회수·활용 기술 개발

-녹색금융 : 기업의 환경오염 방지 투자 등을 위한 융자 1.9조원 및 녹색기업 육성을 위해 2,150억 원 규모의 민관 합동펀드 조성

이와 같은 정부의 ‘그린 뉴딜’ 정책으로 인해, 신재생 에너지 확대와 수소경제 개발에 대한 정책 방향성 유지가 확인되고 있으며, 이에 따라 태양광과 풍력 발전의 확대, 수소 인프라 확대 등의 움직임이 일어나고 있다.

3

뉴딜정책으로 주목받는 신재생에너지

3. 뉴딜정책으로 주목받는 신재생에너지

가. 태양광에너지

태양광 에너지는 태양광 발전 시스템을 이용하여 빛 에너지를 모아 전기로 바꾸는 것으로,태양광 발전(太陽光發電, photovoltaics, PV)은 햇빛을 직류 전기로 바꾸어 전력을 생산하는 발전 방법이다. 이 태양광 발전 시스템은 몸에 나쁜 공해를 만들지 않고, 연료도 필요 없으며 소리도 나지 않아 조용하며, 또한 쉽게 설치 할 수 있어 오랫동안 사용 할 수 있다.

태양광 발전은 여러개의 태양 전지들이 붙어있는 태양광 패널을 이용한다. 태양광 발전의 기본 원리는 반도체 pn 접합으로 구성된 태양전지(solar cell)에 태양광이 조사되면 光(광) 에너지에 의한 전자-양공 쌍이 생겨나고, 전자와 양공이 이동하여 n층과 p층을 가로질러 전류가 흐르게 되는 광기전력 효과(photovoltaic effect)에 의해 기전력이 발생하여 외부에 접속된 부하에 전류가 흐르게 된다. 이러한 태양 전지는 필요한 단위 용량으로 직·병렬 연결하여 기후에 견디고 단단한 재료와 구조의 만들어진 태양전지 모듈(solar cell module)로 상품화 된다.

태양광발전 시스템 구성도

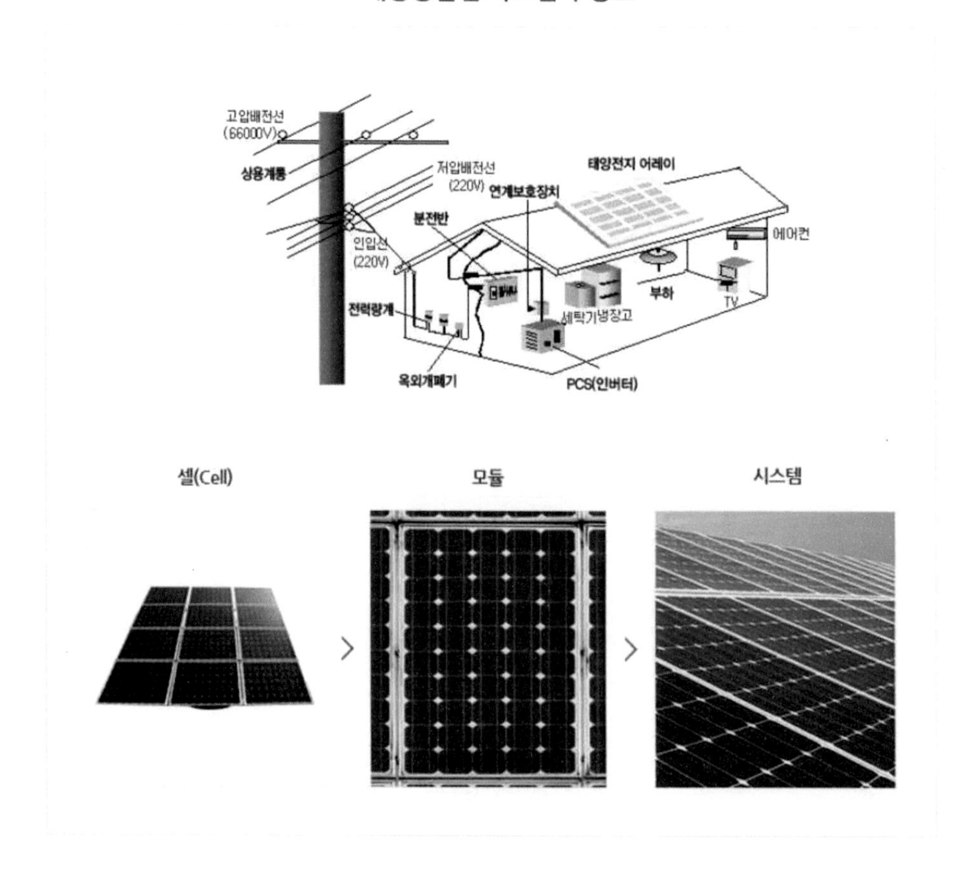

다시말해, 태양광 발전은 반도체(semiconductor)로 만들어진 태양전지(photovoltaic cell)에 빛에너지(광자)가 투입되면 전자의 이동이 일어나서 전류가 흐르면서 전기가 발생하는 원리를 이용한다. 태양전지는 하나의 크기가 대략 10*10 제곱 센티미터(cm2)로 빛을 받으면 0.6V의 전압이 생기고, 최대 1.5와트(W)의 전기 용량을 갖게 된다.[8] 이처럼 태양광 발전은 햇빛을 받으면 광전효과에 의해 전기를 발생하는 태양전지를 이용한 발전방식으로, 태양의 빛에너지를 변환시켜 전기를 생산하는 발전기술이다. 특히 우리나라의 태양광 에너지 기술 수준은 선진국의 89% 수준으로 평가받고 있어 세계적으로도 기술력을 인정받고 있다. [9]

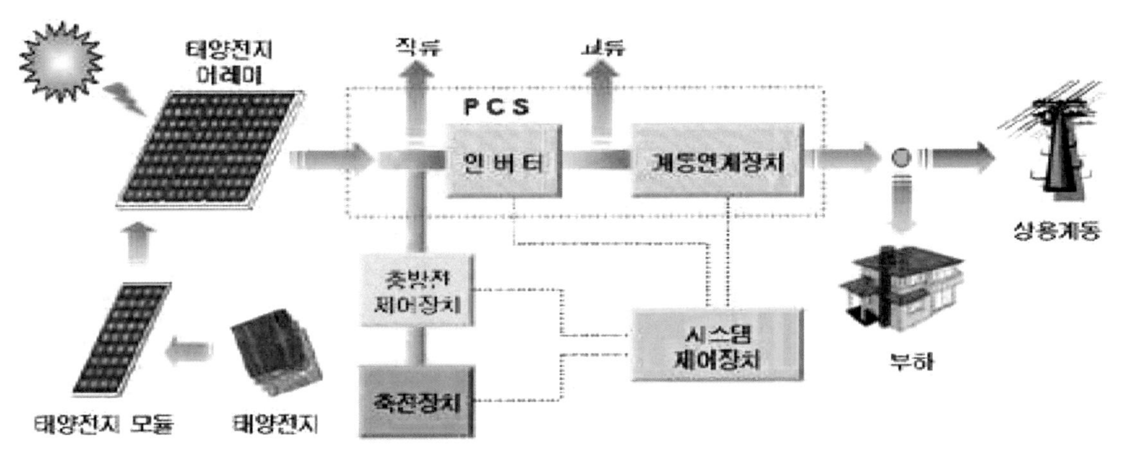

그림 2 태양광 발전 시스템

태양광 발전량은 1년마다 80 배씩 증가하였으며, 2002년 이래로 매년 평균 48%의 성장을 하였고, 에너지 기술 분야에서 가장 빠르게 성장하고 있는 분야이다. 설치는 지상 또는 건물일체형 태양광 발전(Building Integrated Photovoltaic 또는 BIPV)으로 알려진 건물의 지붕이나 벽면이다.

8) 신재생에너지 기술 및 시장분석, BP출판
9) 출처 : 지식경제부 2007 신.재생에너지R&D전략 2030(환경부, 지자체 기후변화대응 업무안내서에서 재인용

1) 태양광 발전 시스템의 분류[10)]

하이브리드 시스템	풍력발전, 디젤발전 등 타 에너지원에 의한 발전방식과 결합된 방식
계통연계형	한전계통선이 들어오는 지역의 주택, 빌딩, 대규모 발전시스템에 이용
독립형 시스템	등대, 중계소, 인공위성, 도서, 산간, 벽지 등에 사용

2) 태양광 발전시스템의 구성기기[11)]

가) 태양전지

<태양에너지가 입사되어 전류를 생성시키는 곳>

태양전지는 빛에너지를 전기에너지로 바꾸어 주는 장치이다. 기본단위는 셀(cell)이며, 셀은 반도체의 일종이다. 태양전지 하나로는 전압이 낮아 여러 장을 직렬로 연결하여 모듈로 만들어 사용한다. 태양전지 모듈은 여러 장의 셀을 모아 일정한 틀에 고정하여 직렬로 연결한 것을 말한다. 이런 태양전지 모듈을 직병렬로 여러 개 연결하여 사용 용도에 맞게 설치한 것을 태양전지 어레이라고 한다. 간단하게 정리해보면, 태양전지 셀에서 모듈이 되고 이것이 마지막으로 어레이가 되어 하나의 태양광판이 되는 것이다.

태양전지는 태양에너지를 전기에너지로 변환할 목적으로 제작된 광전지로서, 금속과 반도체의 접촉면 또는 반도체의 pn접합에 빛을 조사(照射)하면 광전효과에 의해 광기전력이 일어나는 것을 이용한다. 금속과 반도체의 접촉을 이용한 것으로는 셀렌 광전지, 아황산 구리 광전지가 있고, 반도체 pn접합을 사용한 것으로는 태양전지로 이용되고 있는 실리콘 광전지가 있다.

나) 접속함

<모듈에서 발생된 직류(DC)전력을 모아 인버터로 전달하는 기기>

접속함은 태양전지 모듈을 통해 생산된 전력을 모아 인버터로 전달하는 과정을 담당한다.

10) 한국에너지공단 신재생에너지센터 홈페이지
11) 태양광발전시스템의 구성요소, 블로거_소통하는태양광, 2016.11.22

다) 인버터(inverter)

<태양전지에서 생산된 직류전기(DC)를 교류전기(AC)로 바꾸는 기기>

인버터는 태양광발전 시스템의 필수 요소로 주택용 태양광발전에서부터 대규모 태양광발전에 이르기까지 광범위하게 사용되고 있다. 일반적으로 인버터는 가전기기를 사용할 수 있도록 태양전지의 직류 출력을 사용 전압과 주파수의 교류로 바꾸어 주는 역할을 한다. 그림자, 먼지효과 등으로 발전 손실을 최소화하는 인버터의 사용이 필수적이다.

라) 축전지(battery)

<낮에 생산된 전기를 밤에 사용할 수 있도록 전기를 저장하는 기기>

축전지는 독립형 태양광발전 시스템의 필수적인 부분으로 일조시간에 태양전지에 의해 충전된 전력을 비가 오거나 밤이 되어, 발전을 하지 못하게 된 경우 부하에 전력을 공급하는 역할을 하는 장치이다.

마) 모니터링 시스템

<시스템의 상태를 파악하고 고장 및 이상을 진단하는 기기>

태양광발전 시설이 전기 생산을 원활하게 하고 있는지 실시간으로 상태를 감시하는 관리시스템으로 태양광발전 시설이 잘 운영되고 있는지, 발전 설비의 고장은 발생하지 않았는지, 발전량은 얼마나 되는지를 실시간으로 확인 할 수 있는 매우 편리한 감시 프로그램이다.[12)]

3) 발전원리[13)]

태양광 발전의 시작은 햇빛을 전기 에너지로 바꾸는 것이다. '태양전지'가 바로 그 역할을 하게 되는데, 태양전지는 직접 태양 빛을 받고 전기로 변환하기 때문에 가장 중요한 역할을 맡고 있다. 태양전지는 재료에 따라 '결정질 실리콘 태양전지'와 '화합물 태양전지'로 분류할 수 있으며, 현재 태양광 산업에서는 대부분 결정질 실리콘 태양전지를 사용하고 있다. 결정질 실리콘 태양전지는 'P형 반도체와 N형 반도체', '전극' 등으로 구성되어 있다. P형 반도체와 N형 반도체는 태양 에너지를 전기에너지로 바꾸는 역할을 하는데, 전극은 P형 반도체와 N형 반도체가 만들어낸 전기에너

12) 인피니티에너지 주식회사 홈페이지

13) [신재생 에너지] 태양이 전기로 만들어지기까지, 태양광 발전의 원리는?, 한국에너지공단 블로그, 2018.01.02

지를 이동시킨다. 전극이 없다면 전기에너지가 저장되지 않고 그대로 발열하기 때문에 전극의 역할이 굉장히 중요하다.

이러한 태양전지가 전기에너지를 만들어내는 원리는 다음과 같다.
① 결정질 실리콘 태양전지는 전기적 성질이 다른 N형 반도체와 P형 반도체를 접합시킨 구조로 만들어져있다. 두 반도체의 경계부분을 PN접합이라고 하는데, PN접합에 의해 태양광 전지는 전계(電界, 전기장)가 만들어진다.
② 태양전지에 햇빛을 비추면 전자(-)와 정공(+)이 만들어진다. 만들어진 전자와 정공은 자유롭게 돌아다니며, 전력도 만들지 않는다.
③ 반도체 내부를 자유로이 이동하다가 PN접합에 의해 생긴 전계에 들어오면 전자(-)는 N형 반도체에, 정공(+)은 P형 반도체에 달라붙는다. 이때 P형 반도체와 N형 반도체 표면에 전극을 형성하여 전자를 외부 회로로 흐르게 하면 전류가 만들어진다.

그러나 이렇게 만들어진 전기에너지의 전류량이 매우 적기 때문에 우리가 사용할 만큼 에너지를 얻기 위해 태양전지를 모아 태양광 발전 모듈을 만든다. 이와 같이 모듈을 통해 얻은 전기 에너지는 일반 가정 등에서 사용할 수 있게 태양광 발전 시스템에 보내며, 시스템은 에너지저장장치와 결합하여 낮에 얻은 태양 에너지를 저장하고 태양이 없는 저녁이나 발전량이 적은 흐린 날에도 사용할 수 있게 하기도 한다. 또한 인버터를 활용하여 직류 형태의 전기(태양광 발전 모듈에서 만들어진 전기는 직류이다)를 가정 등에서 사용할 수 있는 교류 형태로 변환시킨다.

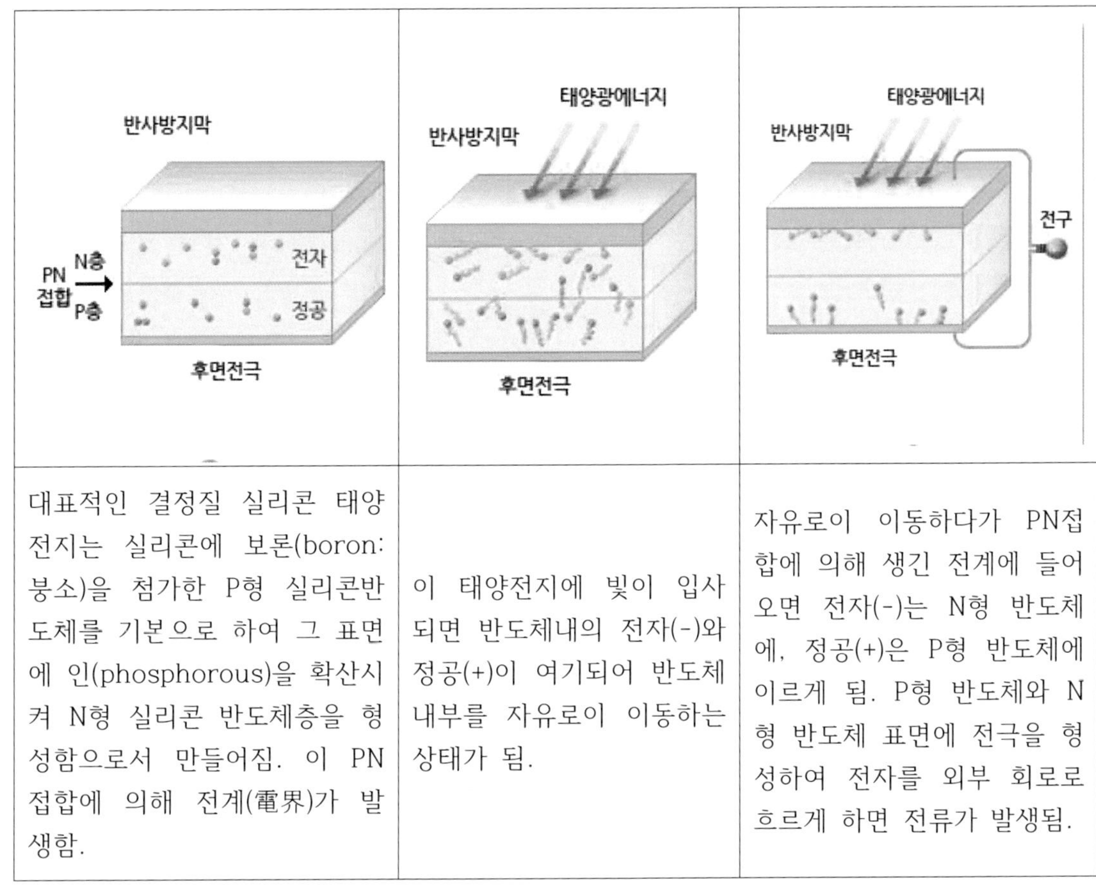

대표적인 결정질 실리콘 태양전지는 실리콘에 보론(boron: 붕소)을 첨가한 P형 실리콘반도체를 기본으로 하여 그 표면에 인(phosphorous)을 확산시켜 N형 실리콘 반도체층을 형성함으로서 만들어짐. 이 PN 접합에 의해 전계(電界)가 발생함.	이 태양전지에 빛이 입사되면 반도체내의 전자(-)와 정공(+)이 여기되어 반도체 내부를 자유로이 이동하는 상태가 됨.	자유로이 이동하다가 PN접합에 의해 생긴 전계에 들어오면 전자(-)는 N형 반도체에, 정공(+)은 P형 반도체에 이르게 됨. P형 반도체와 N형 반도체 표면에 전극을 형성하여 전자를 외부 회로로 흐르게 하면 전류가 발생됨.

표 5 PN접합에 의한 태양광 발전의 원리

4) 장단점

장점	단점
- 에너지원이 청정·무제한	- 전력생산량이 지역별 일사량에 의존
- 필요한 장소에서 필요량 발전 가능	- 에너지밀도가 낮아 큰 설치면적 필요
- 유지보수가 용이, 무인화 가능	- 설치장소가 한정적, 시스템비용이 고가
- 긴 수명(20년 이상)	- 초기 투자비용과 발전단가가 높음

표 6 태양광 장단점

나. 풍력에너지[14)15)16)]

풍력 발전(Wind Power Generation)이란 발전은 바람이 가진 운동에너지를 이용하여 전기에너지를 생산하는 시스템으로, 자연 바람을 이용해서 풍차를 돌리고 풍차의 기계적 에너지를 발전기를 통해 전기적 에너지로 바꿔서 전기를 얻는 기술이다. 풍력 발전은 자연의 바람을 이용하기 때문에 청정 무공해 에너지로 현재까지 개발된 신재생 에너지 중 가장 경제성이 높은 기술로 평가받고 있다. 특히 우리나라는 바람이 많이 부는 산이나 해안선이 길은 바다가 있어, 풍력발전 설치 시 많은 전기를 생산 할 수 있는 유리한 조건을 가지고 있다.

1) 풍력발전의 원리

풍력발전의 원리는 블레이드가 회전하면서 발생하는 기계에너지를 발전기를 통해 전기에너지로 변환하는 것이다. 먼저 풍차날개에서 바람의 운동에너지를 기계적 회전력으로 변환 후, 입력된 에너지를 동력전달장치에서 증폭시긴다. 이어 발전기에서 기계적 회전력을 전기에너지로 변환하고, 전력변환장치(inverter)에서 직류전기(DC)를 교류전기(AC)로 변환시켜주면, 최종적으로 전력선 및 수용가로 전력공급이 가능해진다.

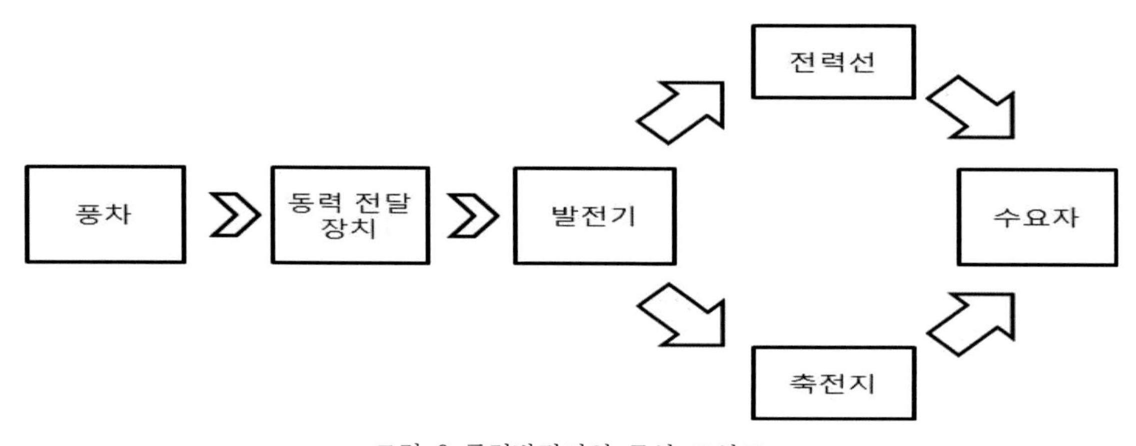

그림 3 풍력발전기의 구성 모식도

17)

14) 한국에너지공단 신재생에너지센터 홈페이지
15) 한국수력원자력 공식 블로그
16) 한국풍력산업협회 홈페이지
17) 출처 : 소영일, 김성준 '그린 비즈니스'

그렇다면 풍력 발전기는 왜 날개를 돌리는 것일까? 그 이유는 풍향에 위로 잡아당기는 힘, 즉 수직의 양력이 발생하기 때문이다. 바람이 불 때 날개의 윗면에 흐르는 공기가 밑면보다 더 빨리 움직이기 때문에 날개 윗면의 압력이 아랫면보다 낮아지면서 바로 이 양력이 발생하게 되며, 또한 날개의 바람에 대한 각도가 점점 커지면 날개의 양력도 증가하게 된다. 그런데 풍력발전기에는 양력뿐만 아니라 풍향과 같은 방향으로 발생하는 항력이라 불리는 힘도 작용하게 되는데, 이 항력은 보통 운동 방향에 닿는 면적이 커질수록 증가하게 된다. 양력은 풍력발전기의 하중을 증가시키는 요인이 되기 때문에, 회전날개를 개발할 때는 앞선 양력을 최대한으로, 항력을 최소한으로 하는 것이 가장 중요한 목표가 된다. 한편, 풍력 발전에서는 일부러 일부 에너지를 흘려보내기도 하는데, 풍력 발전기가 받는 충격을 최소화하기 위해서 설계 범위 이상의 바람 에너지는 흘려버리는 것이다.

2) 풍력발전의 구성 및 구조

풍력발전 시스템의 구체적인 구성 및 구조는 다음과 같다.

기계장치부	바람으로부터 회전력을 생산하는 Blade(회전날개), Shaft(회전축)를 포함한 Rotor(회전자), 이를 적정 속도로 변환하는 증속기(Gearbox)와 기동·제동 및 운용 효율성 향상을 위한 Brake, Pitching & Yawing System등의 제어장치로 구성
전기장치부	발전기 및 기타 안정된 전력을 공급토록하는 전력안정화 장치로 구성
제어장치부	풍력발전기가 무인 운전이 가능토록 설정, 운전하는 Control System 및 Yawing & Pitching Controller와 원격지 제어 및 지상에서 시스템 상태 판별을 가능케하는 Monitoring System으로 구성
Pitch Control	날개의 경사각(pitch) 조절로 출력을 능동적 제어
Stall(失速) Control	한계풍속 이상이 되었을 때 양력이 회전날개에 작용하지 못하도록 날개의 공기역학적 형상에 의한 제어

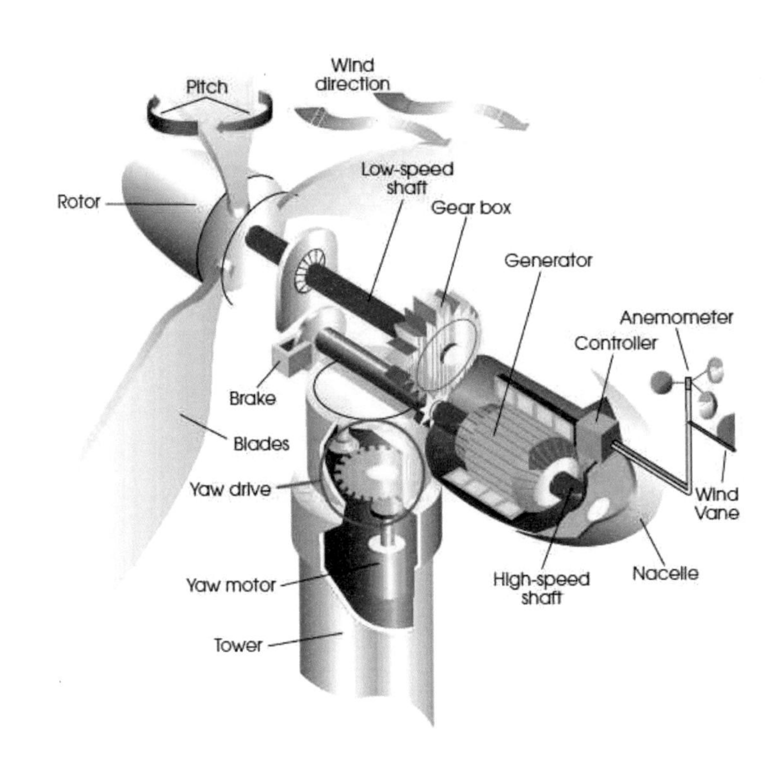

타워(Tower)	풍력발전기를 지지해주는 구조물
블레이드(Blade)	바람에너지를 회전운동에너지로 변환
허브(Hub)시스템	주축과 블레이드를 연결
회전축(Shaft) 주축(Main shaft)	블레이드의 회전운동에너지를 증속기 또는 발전기에 전달
증속기(Gearbox)	주축의 저속회전을 발전용 고속회전으로 변환
발전기(Generator)	증속기로부터 전달받은 기계에너지를 전기에너지로 전환
요잉시스템(Yawing System)	블레이드를 바람방향에 맞추기 위하여 나셀 회전
피치시스템 (Pitch system)	풍속에 따라 블레이드 각도 조절
브레이크(Brake)	제동장치
Control System	풍력발전기가 무인 운전이 가능하도록 설정, 운영
Monitoring System	원격지 제어 및 지상에서 시스템상태 판별

3) 풍력발전기의 분류[18)]

가) 회전축방향에 따른 분류

(1) 수평축 풍력발전기(HAWT : Horizontal Axis Wind Turbine)

수평축 풍력발전기는 개에서 개까지의 날개를 가진 다양한 종류가 있지만 현재 발전용으로 가장 많이 이용되고 있는 것은 개의 날개를 가진 프로펠러 형이다. 수평축 발전기는 구조가 간단하고 설치가 용이하며 에너지 변환효율이 우수하다는 장점은 있지만 날개 전면을 바람 방향에 맞추기 위해서는 나셀을 360도 회전시켜줄 수 있는 요잉(Yawing)장치가 필요하며, 증속기(Gear box)와 발전기 등을 포함하는 무거운 나셀(Nacelle)이 타워 상부에 설치되어 점검 정비가 어렵다는 단점이 있다.

- 프로펠라형
- 회전축이 바람이 불어오는 방향인 지면과 평행하게 설치되는 풍력발전기
- 블레이드 전면을 바람 방향에 맞추기 위해 나셀을 360° 회전시키는 요잉(Yawing)장치가 필요
- 수평축은 간단한 구조로 이루어져 있어 설치하기 편리하나 바람의 방향에 영향을 받음

18) 풍력발전개요, 금풍에너지(주), 2010.10.18

- 주로 중대형급 이상은 수평축을 사용하고, 100㎾급 이하 소형은 수직축도 사용됨

(2) 수직축 풍력발전기(VAWT)

수직축 풍력발전기에는 원호 형 날개 2-3개를 수직축에 붙인 다리우스(Darrieus type)형과 2-4개의 수직 대칭익형 날개를 붙인 자이로밀(Gyromill type)형, 그리고 반원통형의 날개를 마주보게 한 사보니우스(Savonius type)형 등이 있다. 수직축 풍력발전기는 바람의 방향에 영향을 받지 않아 요잉장치가 필요 없으며 사막이나 평원에는 적합하지만 소재가 비싸고 수평축에 비해 효율이 떨어지는 단점이 있다.

- 다리우스형, 사보니우스형
- 회전축이 바람이 불어오는 방향인 지면과 수직으로 설치되는 풍력발전기
- 바람의 방향에 영향을 받지 않아 요잉(Yawing)장치가 불필요함
- 수직축은 바람의 방향과 관계가 없어 사막이나 평원에 많이 설치하여 이용이 가능하지만 소재가 비싸고 수평축 풍차에 비해 효율이 떨어지는 단점이 있음

나) 증속기 유무에 따른 분류[19]

풍력발전기 날개에 직결되어 회전되는 주 축(Main shaft)과 발전기 사이에 설치되어 발전기 측의 회전속도를 증가시켜 주는 장치를 증속기(Gear box) 라고 하는데, 력발전기에는 증속기를 포함하는 증속기형 풍력발전기와 증속기가 없이 발전기로 직결되는 직결형(gearlesstype) 풍력발전기가 있다.

(1) Geared형

Geared형 풍력발전기는 초기 풍력터빈의 개발 단계부터 적용된 기술적 접근방법이었으며, 그동안 기술적인 발전을 거듭하면서 오늘에 이르렀고 아직도 시장의 80~90% 이상이 이 형식으로 되어 있다. 최근에는 증속비를 높여 발전기의 크기를 감소시키는 기술과 증속기형의 문제점인 진동 소음 및 하중의 불균등한 분배 등의 문제점을 해소하기 위한 기술의 개발이 활발히 이루어지고 있다.

- 회전자 → 기어증속장치 → 유도발전기 → 한전계통
- 기어드형 풍력발전시스템은 간접구동식으로 풍력터빈의 조기 개발 단계부터 적용되어 지금까지 발전되어 왔으며, 관련 시장의 대부분이 이 형식을 취함

19) 풍력발전, 바람이 전기를 만든다.블로거_굿가이, 2012.10.23

- 정속운전 유도형 발전기를 사용하는 발전시스템이며, 높은 정격회전수에 맞추기 위한 회전자의 회전속도를 증속하는 기어장치(증속기)가 장착되어 있음.

(2) Gearless형

Gearless형 풍력발전기는 풍력터빈용 발전기(generator)의 기술이 향상되면서 증속기가 없는 형태로 개발된 것이다. 기어박스가 없기 때문에 구조가 단순하고 기계적인 응력이 감소되며, 기계적 소음도 낮다 또한 운전 유지비용이 적게 소요되며 가동(availability)도 높다는 장점이 있다. 그러나 회전속도가 느려 다극발전기를 사용해야 하기 때문에 발전기의 크기와 무게가 증가되고 가격도 비싸진다. 또한 로터와 발전기가 가까이 있어 나셀의 무게중심이 한쪽으로 쏠릴 수 있어 이를 해소하는데 타워와 기초비용이 증가되는 단점이 있다. 그러나 최근에는 관련 기술의 발달로 이러한 단점이 상당부분 해소된 혁신적인 시스템이 개발되고 있다.

- 회전자 → 동기발전기 → 인버터 → 한전계통
- 기어리스형은 가변속 운전동기형 발전기기를 사용하는 시스템이며, 중속기어 장치가 없어 회전자와 발전기가 직결되는 형태
- 발전효율이 높으나 가격이 비싸고 크기가 큰 단점이 있음

4) 풍력발전의 분류[20]

구분	육상풍력	해상풍력
개념	- 육지에 풍력발전단지를 건설하여 발전 - 내륙 지역에 풍력 발전 설비를 건설하여 발전하는 것으로, 건설이 용이하고 경제성이 높다는 장점이 있지만 입지 조건이 좋은 지역은 이미 포화상태이고, 민원 발생, 풍력 효율 저하, 대형화의 제약 등 제약 요인이 많아 점차 해상 풍력으로 이동하는 추세	- 바다에 풍력발전단지를 건설하여 발전 - 바다를 포함하여 호수, 폐쇄된 해안 지역 등 풍력 단지를 건설하여 발전하는 것으로, 전통적인 바닥 고정형 풍력 발전기나 부유식 풍력 터빈 기술이 적용될 수 있고, 넓은 부지 확보가 가능하며 민원이 적어 풍력단지의 대형화가 가능
특징	- 바람을 이용하여 환경오염 및 고갈염려가 없음 - MW당 약 5,000㎡의 면적이 소요되며, 발전단지 내 기타 면적은 목축, 농업 등 타용도로 이용 가능 - 산지에 조성되는 진입 및 관리도로는 산림 관리를 위한 임도로 활용 가능 - 일부 단지는 관광자원화를 통해 지역경제 활성화가 이루어지고 있음	- 해상풍력의 기초구조물 설치 방식에 따라 고정식/부유식으로 구분 - 육상풍력 대비 높은 입지제약에서 자유롭고, 대형화로 높은 이용률 확보 가능 - 해상풍력 기초구조물의 인공어초 역할이 가능하여 어족자원 확대 - 해상 발전소 주변 지역 수산업(바다목장, 양식장 등) 개발 가능 - 해양레저, 관광단지 개발 및 육성을 통해 지역경제 활성화 가능
사진		

20) 한국풍력산업협회 홈페이지

5) 풍력발전의 장단점[21)]

장점	단점
• 자원이 풍부하고 재생 가능한 에너지원으로서 이점을 가지고 있다. • 공해물질 배출이 없어 청정, 환경친화적 특성을 지닌다. • 풍력단지의 관광자원화가 가능하다. 비용면에서도 현재 외국은 발전 단가가 4~5€/kWh로 핵발전 단가와 비슷한 수준이며, 핵발전의 폐기물 처리비용을 고려한다면 보다 경제적이고 친환경적인 에너지라고 할 수 있다.	• 에너지 밀도가 낮아 바람이 없으면 발전을 할 수가 없으므로 특별한 지점에만 설치할 수 있다. • 바람이 불 때만 발전을 할 수가 있으므로 지속적 발전이 곤란하여 저장장치의 설치가 필요하다. 현재 기존의 발전시설이나 태양광발전 등과 병행하여 사용하는 것으로 문제를 보완하고 있다. • 가장 큰 단점으로 지적되었던 소음발생 문제는 최근에는 풍력발전기가 대형화되면서 소음문제를 다소 해결했다.

다. 수소연료전지

1) 수소의 특성

가) 수소의 물성

수소(hydrogen)는 주기율표에서 원자 번호가 1인 첫 번째 원소이며 원소 기호는 H이다. 우주에서는 질량 기준으로 약 75%, 원자 개수로는 90%를 차지하는 가장 풍부한 원소이기도 하다. 수소는 가장 가벼운 원소여서 지구 대기권에는 극소량이 존재하고, 지각권에서는 대부분 물 분자나 석유, 가스 등 탄화수소, 생명체의 구성 물질 등과 같은 유기화합물 상태로 존재하며, 지구 표면에서는 산소와 규소에 이어 세 번째로 많은 원소이다.

수소의 주요 동위원소로는 지구에서 발견되는 수소의 99.98%를 차지하는 프로튬(protium, ^{1}H)외에, 중수소(deuterium, ^{2}H 또는 D)와 삼중수소(tritium, ^{3}H 또는 T)

21) 지식백과

가 있다. 프로튬의 핵은 양성자 1개로 이루어져 있고 중수소의 핵은 양성자 1개와 중성자 1개, 삼중수소의 핵은 양성자 1개와 중성자 2개로 구성되어 있다. 중수소가 많이 포함된 물을 중수(D_2O:Deuterium Oxide)라고 부르며 핵 반응로에서 중성자 감속재와 냉각재로 사용된다. 프로튬과 중수소는 안정된 동위원소이나 삼중수소는 불안정한 핵 구조를 가지는 방사성 동위원소이다. 삼중수소는 중수소와 높은 온도와 압력하에서 핵융합을 일으켜 중성자와 헬륨으로 변하며, 이 과정에서 발생하는 질량손실이 에너지로 변환되는데, 이때 발생하는 에너지 양이 매우 커서 미래의 에너지원으로 주목받고 있기도 하다.

우리가 말하는 이른바 "수소에너지"의 수소는 원자가 아닌 수소 분자를 일컫는다. 수소분자(이하 "수소"는 수소 분자를 지칭함)는 수소 원자 2개가 결합하여 이루어진 물질로서 통상적인 환경에서 무색·무미·무취의 기체로 존재한다. 수소의 끓는점은 영하 253℃로 매우 낮으며 이때 액체수소는 극저온 유체로서 부피 기준으로 기체 수소의 1/800 수준이기 때문에 수송 효율성이 높다. 액체 상태의 수소가 피부에 직접 접촉하면 동상에 걸릴 수 있으나 일반인이 직접 접촉하게 되는 경우는 매우 드물다. 또한 수소는 공기와 혼합되었을 때 폭발과 함께 화재를 동반할 수 있다. 그러나 수소는 공기보다 14배 가벼운 기체이기 때문에 공기 중에 누출 시 매우 빠르게 확산되며, 점화 온도(약 500℃)가 높아 자연 발화 사례가 극히 드물다.

특성	LPG	천연가스	수소
분자식	C_3H_8/C_4H_{10}	CH_4	H_2
분자량(g/mol)	44g/58g	16g	2g
상대비중(공기=1)	1.5~2	0.55	0.0689
폭발(연소) 범위	1.8~9.5%	5~15%	4~75%
끓는점	-42.1℃/-0.5℃	-162℃	-252.6℃
누출 시 특성	체류	위로 확산	위로 확산(大)
폭발 위험도	높음	조금 낮음	낮음

자료: 수소융합얼라이언스추진단(2020)

[그림 21] 연료가스의 물리적·화학적 특성

나) 에너지 운반체로서의 특성

비록 수소가 우주에서 가장 풍부한 원소이나 우리가 자연에서 직접 추출하여 에너지원으로서 활용하기에 용이한 형태로 부존되어 있지는 않다. 대신에 다양한 에너지원(화석연료, 재생에너지)과 기술(열화학적 변환, 전기화학적 변환, 생물학적 변환)을 적용하여 생산할 수 있고 수송용, 가정용, 발전용, 산업용 등 여러 용도에 활용할 수 있기 때문에 에너지 운반체(energy carrier)[22]로서 저장, 운반이 가능한 수소의 활용성은 결코 작지 않다. 특히 저장하기 쉽다는 것은 우리가 가장 흔히 사용하는 에너지 운반체인 전기와 비교하였을 때 수소가 갖는 매우 큰 장점이다. 게다가 수소의 원료인 물은 지구상에 풍부하게 존재하고 수소를 연소시키거나 산소와 반응시켜도 극소량의 질소와 물만 생성되어 환경오염을 일으키지 않는다. 이러한 장점 때문에 수소 에너지는 기존의 화석 연료를 대체하는 미래의 청정 에너지 중 하나로 주목받고 있다.

수소에너지는 직접 연소, 수소저장합금에 의한 2차 전지, 수소화반응에 의한 히트펌프 등을 통하여 이용될 수 있으나 현재 가장 일반적인 것은발전설비 등에 탑재되는 연료전지(fuel cell), 수소전기차(FCEV: Fuel Cell Electric Vehicle)이다. 수소 연료전지는 수소 연료와 산화제인 산소를 전기화학적으로 반응시켜 전기 에너지를 생산하는 장치로, 물을 전기분해하여 수소와 산소를 만드는 과정의 역반응을 통해 전기와 열을 생산한다. 연료가 공급되는 한 재충전 없이 계속해서 전기를 생산할 수 있고 소음이 적으며, 발전 과정에서 발생되는 열은 급탕 및 난방용으로 이용한다. 연료전지는 열에너지를 전기 에너지로 변환하는 보통의 발전 방식에 비해 간단하며 효율적이지만 활용에 있어 연료인 수소의 제어가 상대적으로 어렵고 다른 발전연료에 비해 보관비용이 높다. 연료전지와 달리 수소를 직접 태워서 에너지를 얻는 것도 당연히 가능하다. 현재 수소 연소 기술은 발전, 산업용 측면에서 주로 연구되고 있다.

22) ISO 13600에 따르면 에너지 운반체(energy carrier)는 스프링, 압축공기, 전기 등 에너지를 생산하지 않고, 단순히 다른 시스템에 의해 채워진 에너지를 담고 있는 물질 또는 현상으로 정의함.

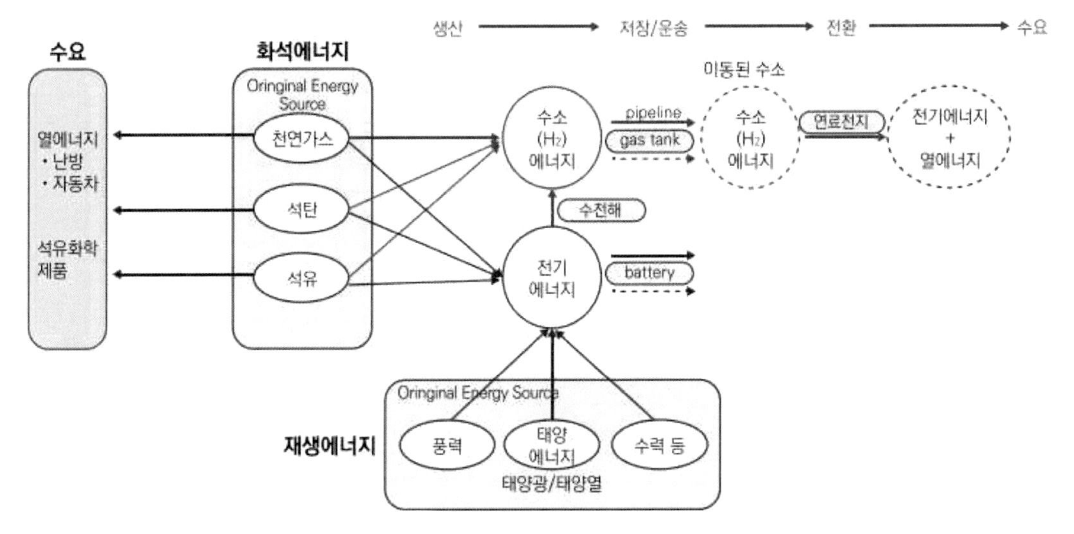

자료: 정기대(2019)

[그림 22] 수소에너지의 위치

2) 수소의 생산, 저장·운송, 이용[23]

가) 수소의 생산

수소는 공기 중에 약 0.01%가 함유된 무색, 무취의 가연성 가스로 비등점이 -252.5℃이며, 비중은 1기압 25℃에서 0.0695이고 확산속도는 1.8km/sec이다. 수소는 연소할 때 공해물질 방출이 전혀 없는 청정에너지이며, 생산을 위한 원료의 고갈 우려가 없다. 또한 에너지 밀도가 높고, 이용 기술의 실용화 가능성이 높은 에너지이기 때문에 글로벌리 관심이 높은 상황이다.

수소가스 제조 기술은 천연가스, 석탄, 바이오매스의 분자구조에 포함되어 있는 수소를 열분해, 전기분해, 광분해 등에 의해 분리시키는 방법이 있다. 현재 상용화되고 있는 공업용 수소생산은 주로 탄화수소의 수증기 메탄 개질법이나 물 전기분해법 등으로 이루어지고 있다.

23) 수소차! 뼛속까지 파헤치기, BNK 투자증권, 2019.03.06

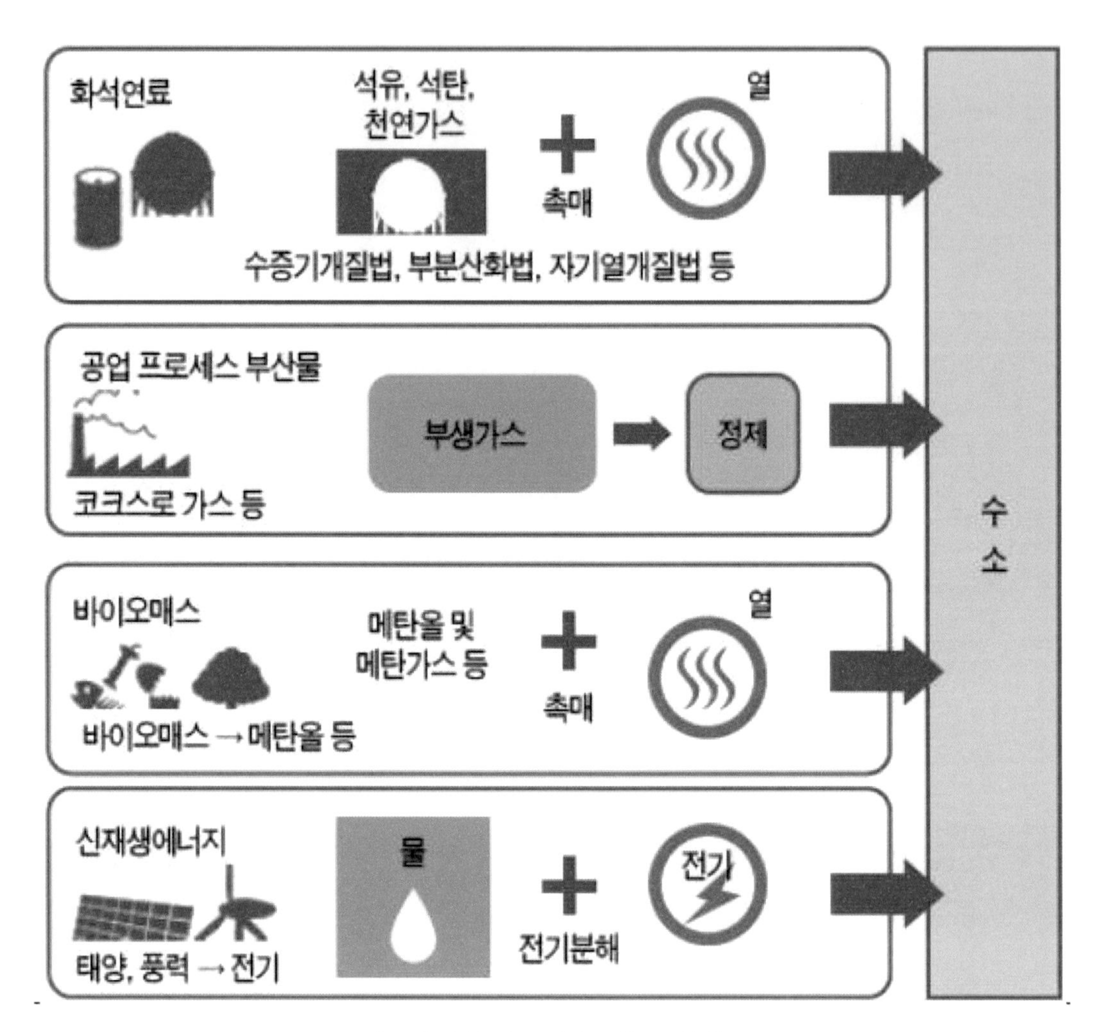

[그림 23] 수소가스 제조 방법

(1) 화석연료 열분해

화석연료를 열분해하여 수소가스를 제조하는 방법은 크게 천연가스 개질법과 석탄가스화로 구분할 수 있다. 우선, 천연가스 개질법에 대해 살펴보자. 세계적으로 거의 절반의 수소 생산은 천연가스가 원료이며, 미국의 경우 95%의 수소는 수증기 메탄 개질법으로 생산하고 있다. 반면 우리나라에서는 대부분의 수소 생산은 나프타를 열분해하여 얻고 있다. 우리나라는 전국 천연가스 공급 배관망의 인프라 구축이 잘 이루어진 실정이며 천연가스 소비국으로 앞으로 공급이 더욱 증대될 것이다.

천연가스 개질법은 다시 수증기 메탄 개질법과 부분산화 방식으로 구분된다.

수증기 메탄 개질법은 수소 생산에서 가장 저렴한 방법이며, 세계 총 수소 생산의 거의 절반을 이 방법으로 제조하고 있다. 이는 천연가스의 주성분인 메탄(CH4), 프로판(C3H8)등을 촉매를 통해 고온 (700~1,000도), 고압 (3~25 Bar)의 수증기와 반응해 수소를 제조하는 기술이다.

$$CH_4 + H_2O \rightarrow CO + 3\ H_2$$

$$CO + H_2O \rightarrow CO_2 + H_2$$

[그림 24] 수증기 메탄 개질법
화학식

$$CH_4 + 1/2\ O_2 \rightarrow CO + 2H_2$$

[그림 25] 부분산화 방식 화학식

화학식들의 반응을 보면 높은 흡열반응임을 알 수 있다. 따라서 수증기 개질에서는 높은 온도에서 촉매를 첨가하여 반응을 촉진시킨다. 이 반응에서 볼 수 있듯이 수소는 메탄과 물 모두에서 분리되어 생산되기 때문에 높은 수소 생산 수율이 가능하다. 연간 수소 생산 100,000톤 규모의 큰 수증기 개질기 하나로 약 100만 대의 연료전지 자동차에 공급할 수 있다. 현재는 다양한 수소/탄소 비를 갖는 원료를 처리할 수 있는 수증기 개질공정이 전 세계적으로 약 400여기가 보급되어 있다.

다만, 온실가스 발생량을 가솔린 자동차와 비교하면 60% 정도로 가솔린보다는 적지만 상당량의 CO2가 발생한다. 또한 설비 자본 및 운영비 저감, 효율성 증진을 위해 공정 개선 및 시스템 디자인 개발, 촉매 개발 등이 필요하다.

부분산화 기술은 탄화수소가 산화되는데 필요한 산소양을 제한하여 반응시킴으로서 수소를 생산해내는 방법이다. 천연가스와 적은 양의 산소와의 반응으로 이루어지며, 수소와 일산화탄소가 주요 산물이다.
메탄의 부분 산화 반응은 산소가 소요될 때까지의 메탄가스의 빠른 연소와 이에 뒤따른 수소와 일산화탄소가 생성되는 비교적 느린 반응으로 이루어진다. 이 반응은 특정한 환경에서는 스스로 유지되고, 최소의 에너지 비용으로 높은 수준의 변환을 일으킬 수 있는 장점이 있다. 그러나 반응온도에 따라 차이는 있으나, 수소와 CO 외에

CO2, C, H2O 등이 1,200℃까지 소량으로 나온다. 공기를 산소원으로 사용할 때는 NOx가 배출되는 단점도 있다.

수소 제조방법	CH_4 및 첨가물	반응온도 (℃)	수율 (%)	발생가스	특징	비고
스팀 개질법	CH_4/H_2O	800~900	75	수소, CO_2, CO	공정이 복잡함	가장 많이 상용중임
부분산화법	CH_4/O_2 (공기)	1,100~1,200	-	CO, CO_2, soot, H_2O, NOx	공해발생	에너지효율 높음

[그림 26] 천연가스 개질에 의한 수소제조방법의 비교

석탄가스화 방식은 산소, 수증기와 함께 석탄에 열을 가하여 일산화탄소, 이산화탄소, 수소가 혼합된 가스를 생성시키고 이중에서 수소를 막(membrane)을 통해 분리하거나, 흡착기를 통해 포집하는 방법이다. 이는 대규모 집중식 수소 제조에 가장 적합한 기술로서 제조과정에서 이산화탄소를 분리 포집할 수 있어 탄소저감에 유리하고, 설계에 따라 전력생산도 가능하다. 하지만 이산화탄소를 포집할 탄소 포집 기술과, 이를 저장 및 처리할 기술이 뒷받침되지 않으면 이를 다시 배출시켜야 하므로, 관련 기술 연구가 시급하다.

$$CH_{0.8} + H_2O + O_2 \rightarrow CO_2 + CO + 3H_2$$

[그림 27] 석탄가스화 기술 화학식

(2) 물 전기분해

물 전기분해를 통한 수소가스 제조 기술은 다시 Alkaline(알카라인), PEM(전해법), Solid oxide(고체산화물) electrolysis로 구분할 수 있다. 우선, Alkaline electrolysis는 KOH(수산화칼륨)나 NaOH(수산화나트륨)이 녹아 있는 알칼리 수용액에서 음극(cathode)에서 생성된 수산화 이온(OH−)이 분리막을 통과해서 양극(Anode)으로 이동해 수소를 생산하는 방식이다. 이는 생산효율이 높고 수명도 상당히 길어 일부 이미 상업화하여 생산하고 있는 방식이다.

그러나 막이 불완전하여 수산화 이온이 양극으로 이동하기도 전에 반응해 버리는 문제를 해결하지 못하고 있다. 또한 액체 전해질을 이용하기 때문에 전기저항이 높아 전력손실이 생긴다. 또한 생산가능 수소압력이 30bar정도로 한정되며 2.4V에서 0.2~0.45A/cm2 정도의 전류만 줄 수 있다.

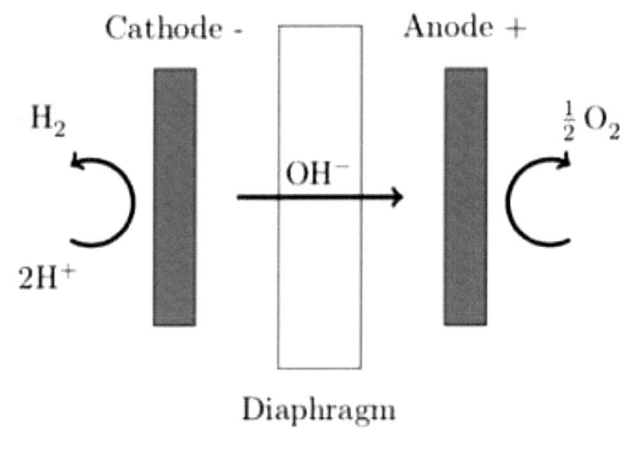

$$\textbf{Cathode}\quad 2H_2O^+ + 2e^- \longrightarrow H_2 + 2OH^-$$

$$\textbf{Anode}\quad 2OH^- \longrightarrow \tfrac{1}{2}O_2 + H_2O + 2e^-$$

$$\textbf{Sum}\quad H_2O \longrightarrow \tfrac{1}{2}O_2 + H_2$$

[그림 28] Alkaline electrolysis 원리 및 화학식

PEM(Polymer electrolyte membrane)이란 수전해에 사용되는 촉매를 의미한다. 따라서 PEM electrolysis 기술은 고분자 전해질막을 이용하여 얇은 구조의 전해질층 형성이 가능해서 수소이온의 전도도를 개선한 것이다. 생산가능 수소압력은 200bar 정도이며, Alkaline electrolysis보다 장치 크기가 10배 정도 줄어들 수 있다. 하지만 막의 두께를 조절하지 못했을 때 오히려 수소이온 전도도가 낮아지고 높은 압력 조건에서 잘 작동하지 못하기 때문에 이를 견딜 수 있는 재료를 사용하게 되면 비용이 상승하게 된다.

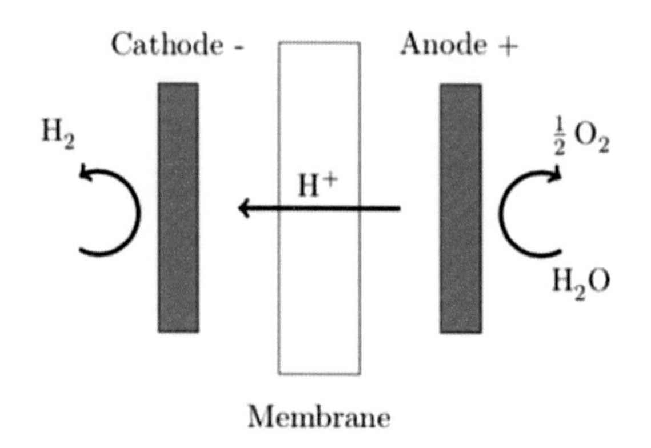

Cathode $2H^+ + 2e^- \longrightarrow H_2$

Anode $H_2O \longrightarrow \frac{1}{2}O_2 + H^+ + 2e^-$

Sum $H_2O \longrightarrow \frac{1}{2}O_2 + H_2$

[그림 29] PEM electrolysis 원리 및 화학식

Solid oxide electrolysis 기술은 아직 개발단계에 있다. 이는 고온의 수증기를 음극에 주입해 수소와 산소 이온으로 분해시키고, 이중 산소 이온은 고체산화물(solid oxide)를 통과해 산소가 생성되는데, 이때 음극에서 발생한 수소를 정제하는 방식이다. 생산효율이 높고, 높은 압력에도 잘 작동하며, 귀금속이 없어도 되는 시스템이라는 장점이 있지만 고체산화물의 내구성, 생산단가 측면에서 아직 시장성이 없다. 하지만 물을 전기분해하는 시스템 중에서는 장기적으로 전망이 밝은 편이다. 현재, 물질이동을 막기위한 연구와 열에 안정적인 세라믹 소재를 만드는 연구가 진행 중이다.

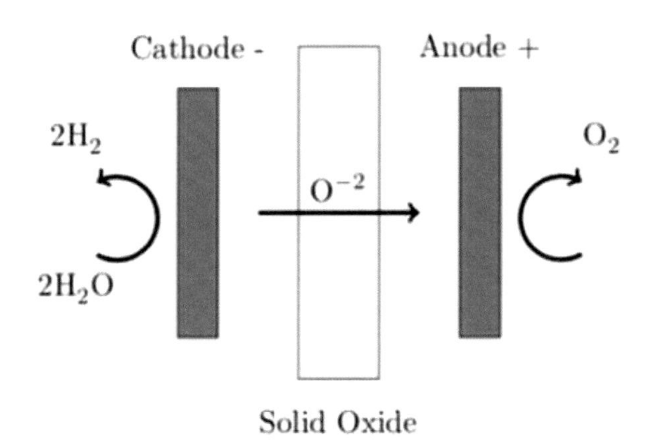

$$\textbf{Cathode} \quad H_2O + 2e^- \longrightarrow H_2 + O^{2-}$$

$$\textbf{Anode} \quad O^{2-} \longrightarrow \tfrac{1}{2}O_2 + 2e^-$$

$$\textbf{Sum} \quad H_2O \longrightarrow \tfrac{1}{2}O_2 + H_2$$

[그림 30] Solid oxide electrolysis 원리 및 화학식

이외에도 바이오매스(농작물, 농공업 잔여 유기물 등)를 분해해 수소를 얻거나 고온에서 물을 분해시킨다거나 하는 방법들이 고려되고 있으나 아직 장기적 관점에서도 전망이 밝지 않은 상황이다.

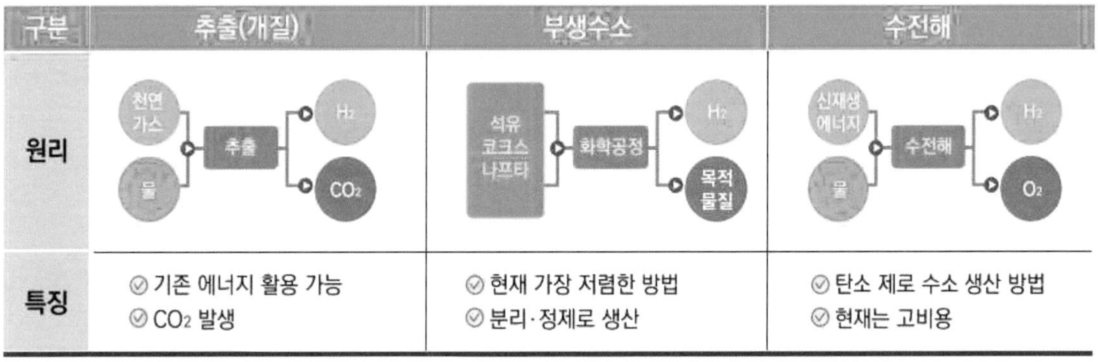

구분	추출(개질)	부생수소	수전해
원리	천연가스, 물 → 추출 → H_2, CO_2	석유/코크스/나프타 → 화학공정 → H_2, 목적물질	신재생에너지, 물 → 수전해 → H_2, O_2
특징	기존 에너지 활용 가능 CO_2 발생	현재 가장 저렴한 방법 분리·정제로 생산	탄소 제로 수소 생산 방법 현재는 고비용

자료: 수소융합얼라이언스추진단(2020)

[그림 31] 수소 생산방식별 원리 및 특징

국내에서는 수소 생산 기술 연구가 최근 들어 활발해지고 있으나 핵심 원천기술 확보와 상용화 실증에 있어 여전히 세계 최고 수준과 격차가 있다.

천연가스 추출수소 생산의 국내 기술력은 초기 단계의 소형 추출기 생산 정도의 수준이며 생산과정에서 발생하는 이산화탄소를 포집·저장(CCS: Carbon Capture and Storage)하는 기술에 대한 연구도 아직 실증단계에 머무르고 있다. 수전해 기술의 경우 재생에너지 발전 설비와 수전해 설비를 직접 결합하는 방식은 국내 연구가 아직 사용화 단계에 이르지 못하고 있다. 장기적으로 이러한 재생에너지 연계 대규모 수전해 방식(P2G: Power to Gas)이 중요해질 것으로 보이나 국내 기업의 기술 경쟁력은 선진국의 60~70% 수준에 불과한 것으로 알려져 있다.

최근에 수소가 각광받는 이유가 화석연료 대체를 통한 온실가스 배출 감소 효과 때문이므로 생산 과정에서의 온실가스 배출 수준에 따라 수소를 구분하는 경우가 늘고 있다. 만약 화석연료 등을 원료로 사용함으로써 수소 생산 시 다량 발생되는 온실가스를 지금과 같이 그대로 대기중에 배출한다면 그레이(gray) 수소라고 불린다. 그레이 수소의 대척점에는 재생에너지 위주의 전기[24]로 물을 전기분해하여 생산되는 그린(green)수소가 존재한다. 그린 수소 중심의 수소경제가 우리가 추구하는 궁극적인 목표이나 이를 위해 화석에너지를 전력 생산에서 완전히 퇴출시키기까지는 상당한 시간이 소요될 것이다. 따라서 당분간은 수소 수요의 대부분을 화석연료나 바이오매스로 생산한 추출수소로 충당하되 배출되는 CCS 설비를 갖추는 방식이 대안으로 제시되고 있다. 이렇게 생산된 수소는 블루(blue) 수소라고 불리며 그린 수소로 이행해가는 과정에서 중요한 역할을 하게 될 것이다.

나) 수소의 저장 및 운송

수소는 같은 무게에서는 가장 에너지 밀도가 높은 에너지이지만, 같은 부피에서는 가장 에너지 밀도가 낮은 에너지이다. 따라서 운송 및 저장이 매우 어려운 에너지라고 할 수 있다. 특히, 운송비용은 수소 에너지 가격의 30~40%를 차지할 정도로 크며, 이는 수소 단가가 높게 유지되고 있는 원인 중 하나이다.

수소의 운송은 크게 기체 운송과 액체 운송으로 나눌 수 있고, 기체 운송에는 튜브트레일러 운송과 배관 운송이 있으며, 액체 운송은 다시 액화 운송과 액상 운송으로 나누어진다. 아직은 대량의 수소를 필요로 하지 않는 국내에서의 수소 운송은 근거리에는 저압배관 방식, 중·장거리에는 고압 튜브트레일러로 운송하는 방법이 주로 이용되고 있다.

24) 재생에너지만으로 생산된 수소를 그린 수소로 정의한다면 화석연료 발전 설비가 포함된 일반적인 전력망에 맞물려 생산된 수전해 수소는 그린 수소에서 제외된다. 따라서 수전해에 사요된 전기의 온실가스 배출량이 일정 수준 이하이면 그린 수소로 인정하는 방식이 일반적이다.

운송 상태		운송 방식	적합한 운송 조건
기체 운송		배관	• 소규모, 단거리 수요처에 연속 공급할 경우 • 대규모, 장거리 수요처에 연속 공급할 경우
		튜브 트레일러	• 중·소 규모, 중·장거리 수요처에 간헐적으로 공급할 경우
액체 운송	액화	탱크로리	• 액화 제조 및 저장 시설과 연계될 경우 • 중·대 규모, 중·장거리 수요처에 공급할 경우 • 액화 시 소요되는 전력에 의한 온실가스 배출량 증가에 대한 고려 필요
	액상	탱크로리	• 액상물질(암모니아, 액상유기화합물 등) 제조시설과 연계될 경우 • 중·대 규모, 중·장거리 수요처에 공급할 경우

자료: 유영돈(2019)

[그림 32] 수소 운송 방식

수소는 고압 기체 수소, 액체 수소, 화학적 저장, 수소저장합금 등 다양한 방식으로 저장이 가능한데 이는 운송 방법과 밀접하게 연관되어 있다. 현재 가장 보편적인 저장 방법은 고압의 기체 상태로 저장하는 것으로서 높은 압력을 견딜 수 있는 저장용기에 보관된다. 그러나 이러한 방식은 원거리 대량 운송, 특히 해외 생산 수소를 선박을 통해 운송하는 경우 적절치 않으므로 다른 저장 방식들이 시도되고 있다.

액화수소는 수소를 극저온(대기압 기준 영하 253℃ 이하)에서 액체로 만들어 부피를 기체 수소의 약 1/800까지 줄인 것이다. 이렇게 되면 동일 압력에서 기체 수소 대비 80배의 체적 에너지 밀도를 갖게 되므로 저장과 운송에 매우 유리하다. 또한 액화 수소는 대기압에서 저장이 가능하고 고압 기체 수소에 비해 폭발 위험성이 낮으며, 다른 공정이 필요 없이 단순 기화만으로 즉시 활용이 가능하다는 장점이 있다. 그러나 액화 과정에서 다량의 에너지가 소비된다는 문제점도 고려되어야 한다.

수소운송방법	H_2 (kg)
튜브 트레일러 용량범위	106~295
일반적인 튜브트레일러 용량	165
액화수소 탱크로리 용량 범위	2,363~4,253
일반적인 액화수소 탱크로리 용량	2,836

[표 11] 수소 운송방법에 따른 용량

($/kg)	액화수소	파이프라인	튜브 트레일러
생산 비용	2.21	1.00	1.30
이송 비용	0.18	2.94	2.09
총 비용	3.66	5.00	4.39

[표 12] 수소 운송 방법에 따른 비용

결국 운송 및 저장 효율을 높이려면 수소의 부피를 줄여야 한다. 이를 위해 압축 또는 냉각이 필요하기 때문에, 고압 압축이나 초저온 냉동을 할 수 있는 추가 시설과 특수 운송수단이 필요하다. 따라서 기존의 수소 저장 및 운송방식은 압축방식으로 수소를 압축시켜 파이프라인이나 튜브트레일러를 이용해 운반해왔다. 그러나 앞서 언급했듯이 압축에 필요한 여러 에너지 비용들이 추가되는 단점이 있다.

이에 최근 관심받고 있는 액화수소 기술을 더 개발하여 운송비를 절감하는 것이 수소 단가를 낮추는데 관건이다. 따라서 생산단가가 매우 저렴한 부생수소가 전체 판매량의 절반을 차지하는 국내 환경에서 운송비를 절감하기 위해서는 부생수소가 발생하는 산지, 수소 제조 시설, 최종 소비지를 유기적으로 배치하여 운송거리를 줄이고 저장량을 최소화하는 시스템을 구축해야 한다.

형태		특징
기존	압축방식	• 가장 일반적인 운송방식 • 압축에 필요한 높은 에어지 비용이 단점
최근	액화수소 방식	• 수소를 -253도씨로 액화, 체적은 1/800로 감소 • 육상 및 해상(선박) 운송방식으로 활용 • 압축방식 대비 12배 정도의 수송 효율 • 액화효율향상과 보일오프가스 저감이 향후 과제
	P2G(메탄화) 방식	• 수소의 대량 주입 및 운송 가능 • CO2 의 재활용을 통한 배출량 삭감 효과 • 기존 가스 인프라 활용 • 메탄화에 필요한 에너지 손실이 단점
	유기 하이드라이드 (MCH) 방식	• 톨루엔을 수소와 반응, 메틸시클로헥산의 형태로 저장 및 수송 • 사용장소에서 탈수소 반응을 통해 수소를 추출 • 압축방식 대비 8배 정도의 운송 효율 • 상온, 상압에서의 운송 가능 및 취급 용이 • 소형 탈수소장치의 실용화 필요

[표 13] 수소 저장 및 운송 방식

한편 재료를 기반으로 하는 화학적 수소저장도 실용적 대안으로 떠오르고 있다. 액상저장·운송의 경우 화합물을 사용하여 수소를 저장하고, 상온·상압에서 운송 후, 필요 시 저장된 수소를 추출하여 사용하는 방식이다. 대표적인 액상 수소저장 관련 화합물은 암모니아[25], 메틸사이클로핵세인(MCH, Methylcyclohexane)[26]으로 대표되는 액상 유기 수소 운반체(LOHC: Liquid Organic Hydrogen Carrier)[27]가 있다. 이 방식에서 운반된 수소를 사용하기 위해 화합물에서 분리할 때의 화학 반응에 있어 많은 에너지를 필요로 한다.

수소저장합금은 수소를 잘 흡수하는 금속에 냉각과 가압으로 수소를 흡수시켜 만든 금속수소화합물을 말하며, 가열과 감압을 하면 수소를 방출하여 원래의 상태로 복원하는 성질을 갖고 있다. 수소저장합금을 사용하면 가스 상태 저장보다 부피가 1/3 ~ 1/5로 줄어들고 폭발의 위험없이 고순도 높은 수소를 얻을 수 있다. 그러나 합금 자

25) 암모니아를 수소 운반체로 이용하는 기술로서 밀도가 수소 대비 두 배 높은 수준이며, 끓는 점이 약 영하 33℃로 액화에 필요한 에너지가 낮고 액화(25℃, 8bar)가 용이하므로 저압용기에 저장이 가능하여 현재의 암모니아 저장 및 이송 인프라를 사용할 수 있는 경제적 기술임.
26) MCH 기술은 기체수소의 1/500 수준의 에너지밀도를 유지하여 상온·상압에서 액상으로 장기저장이 가능하며, 선박 및 탱크 등 기존 수송·하역 인프라 활용이 가능하다.
27) MCH 외에도 N-methyl carbazole, Dibenzyl-toluene의 수소화된 화합물이 있음.

체가 비싸고 합금이 열화되어 저장 횟수에 제한도 있다.

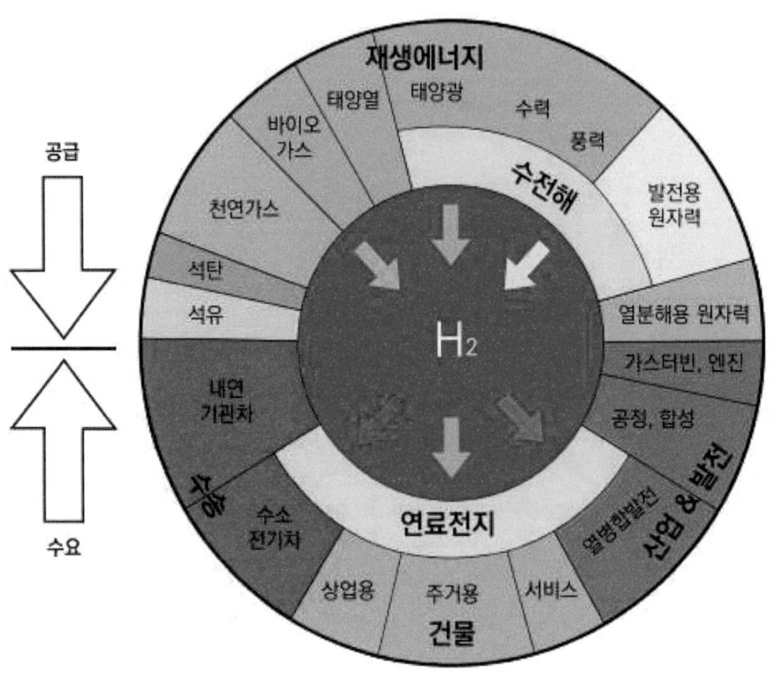

자료: 유석현(2019)

[그림 33] 수소의 생산방식과 이용 분야

다) 수소의 이용

수소의 용도는 매우 다양하다. 수소는 암모니아, 염산, 메탄올 등의 합성에 대량으로 사용되며, 정유공장의 중질유 분해시설 및 탈황시설에도 투입된다. 그 외에도 기름(지방)의 경화, 액체연료의 제조, 금속의 절단 및 용접, 백금, 석영의 세공 등 다양한 용도가 있다. 또한 액체 수소는 끓는 점이 아주 낮기 때문에 냉각재로 사용되기도 한다.

그러나 최근에 논의되고 있는 수소의 이용 분야는 수송, 발전, 산업 등 훨씬 넓은 범위에서 다양한 방식을 포괄하고 있다. 수송 부문은 수소의 활용 잠재력이 가장 큰 분야로서 수소경제의 성공 여부는 수소차에 달려 있다고 해도 과언이 아니다. 주택이나 상업용 건물에 필요한 열과 전기는 가정용·건물용 연료전지를 통해 공급 가능하지만, 부생수소 생산 인근지역이나 천연가스 공급망이 있는 지역에서는 기존 인프라 활용 시 그레이 수소의 경제성이 높기 때문에 천연가스 개질 수소와 부생수소 등 그레이 수소가 주로 사용된다. 발전부문에서 수소는 산업이나 가정에 필요한 전기와 열을 동시에 생산할 수 있다는 점이 주목되고 있다.

수소는 연료전지를 통한 분산형 발전과 열병합 발전, 기존의 천연가스 연료를 수소로 대체한 수소 가스터빈 및 수소엔진 발전, 재생에너지의 잉여전력을 장기간 보존하여 재생에너지의 간헐성과 경직성을 보완하는 에너지 저장장치(ESS: Energy Storage System)의 일종으로 활용된다.

3) 수소연료전지란[28)]

연료전지는 수소와 산소의 전기화학 반응을 통해 공해 없이 전기를 생산하는 친환경적인 신재생에너지원이다. 양극에 주입된 수소가 수소 이온과 전자로 분리되고 음극에서 주입된 공기로부터 산소이온과 전자가 분리된다. 이때 분리된 전자의 이동으로 전기가 발생하게 되고 수소와 산소가 만나 물이 생성되면서 열을 발생시킨다. 전기발전효율은 30~40%, 열효율은 40% 이상으로 총 70~80%의 효율을 가지고 있는 기술이다 [29)]

28) 수소산업 수소경제의 새벽, 현대차증권, 2020.03.10
29) 연료전지의 이해, 한국에너지공단

특히 연료전지를 통해 발전하면 기존 화력발전 대비 온실가스의 주범인 이산화탄소 배출을 약 40% 감소시키고 에너지 사용량은 약 26% 절감하는 효과를 거둘 수 있다. 부생물로 물과 열이 발생될 수도 있다. 기존 발전기는 연료의 연소과정을 통해서 전기를 생산하지만, 연료전지는 비 연소 과정인 전기화학 반응을 통해 유해가스 배출이 거의 없이 전기를 생산한다. 기존 터빈 방식 발전기는 연료, 열에너지, 운동에너지, 전기의 변환과정이 필요하여 발전효율이 30~35% 수준. 반면 연료전지는 에너지 변환과정이 필요 없어 전기효율이 최대 60%에 육박한다. 또한, 배터리와 다른 점은 배터리는 전기를 저장하여 사용하지만, 연료전지는 전기화학적 반응을 통해 지속적으로 전기를 생산하는 발전 기기이다.

연료전지 스택, 연료변환장치, 주변기기 (BOP: Balance of plant) 및 제어기술을 포함하는 통합기술이다.

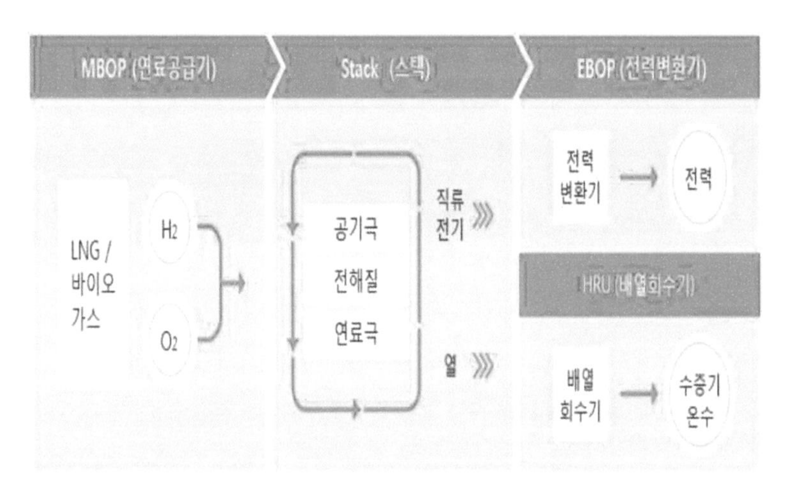

[그림 34] 연료전지 발전원리

연료전지의 핵심 원료인 수소의 생산 기술은 크게 1)수전해 기술, 2)탄화수소개질, 3)원자력수소 제조 3가지로 나누어 진다. 한국에서는 주로 LNG를 연료로 사용하는 탄화수소개질 방법으로 수소를 공급한다. 개질된 수소가스가 연료극 쪽으로 공급되면, 수소는 연료극의 촉매층에서 수소이온(H+)과 전자(e-)로 산화되며, 공기극 에서는 공급된 산소와 전해질을 통해 이동한 수소이온과 외부 도선을 통해 이동한 전자가 결합하여 물을 생성시키는 산소 환원 반응이 일어난다. 이 과정에서 전자의 외부 흐름이 전류를 형성하여 전기를 발생시킨다. 연료전지는 용도에 따라 1) 건물용, 2) 수송용, 3) 발전용, 4) 휴대용 등으로 구분된다.

연료전지는 1) 열 손실 등을 감안하더라도 발전 효율이 높고(35~60% 이상), 2) 이산화탄소, 질소산화물(NOx), 황산화물(SOx) 등의 배출이 거의 없는 무공해 에너지 시스템이며, 3) 모듈 형태로 제작이 가능해 발전규모 조절이 쉽고, 설치장소 제약이 상대적으로 적다. 연료전지는 신재생발전시스템 시장에서 태양광, 풍력 등과 경쟁하고 있다. 태양광과 풍력의 발전효율이 25~30%인데 반해 연료전지는 전기와 열을 합쳐 70% 이상으로 고효율발전이 가능하다. 또한, 단위 전력 생산 당 설치면적이 매우 작아 입지조건의 구애를 거의 받지 않는다는 점도 태양광과 풍력보다 장점이다. [30]

4) 수소연료전지의 원리와 구성[31]

수소연료전지의 기본원리는 전기를 이용해 물을 수소와 산소로 분해하는 것을 역으로 이용하여 수소와 산소에서 전기에너지를 얻는 것이다. 연료인 수소를 연료극(anode, -극)에 주입하면, 산화반응에 의해 수소(H_2)는 수소이온(H^+)과 전자(e^-)fh 나뉘게 된다. 전자는 외부회로를 통해 공기극(cathode, -극)으로 이동하고, 수소 이온은 전해질막을 통해 공기극으로 이동하여 전류를 흐르게한다. 또 양극에서는 전자와 결합한 산소가 수소 이온과 반응하여 물을 발생시킨다.

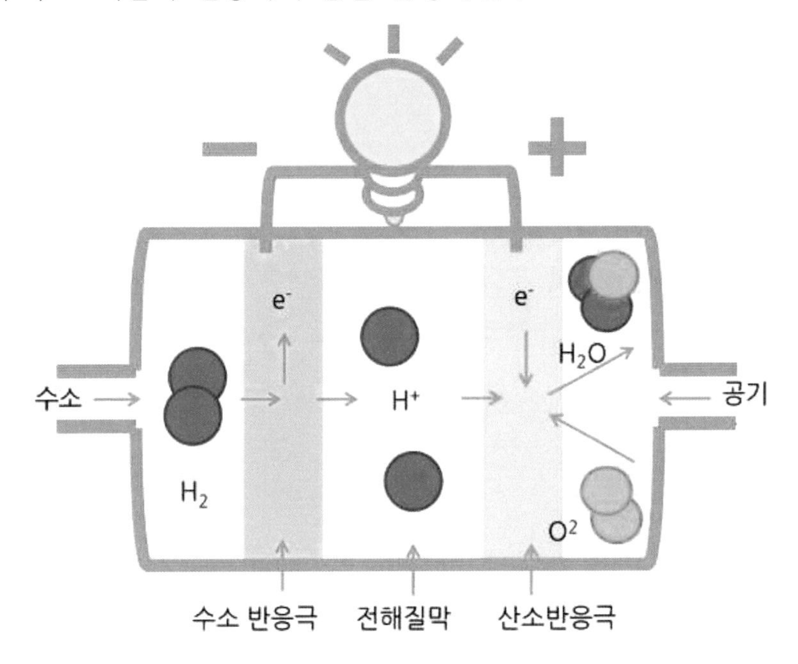

[그림 35] 연료전지의 기본 원리

30) 연료전지, 2014, 메리츠종금증권 리서치센터
31) 수소산업 수소경제의 새벽, 현대차증권, 2020.03.10

연료전지의 본체인 스택(stack)은 연료전지의 가장 기본단위라고 할 수 있는 단위 셀(Unit Cell)을 적층한 것이다. 셀의 구조는 일반적으로 연료극에서 발생한 수소이온을 공기극까지 이동시키는 역할과 연료가 공기와 직접 섞이지 않도록 격막 역할을 하는 전해질(Membrane)을 중심으로 전극(연료극, 공기극)이 양쪽에 위치한다. 전극은 연료와 산소가 전자를 주고받을 수 있도록 돕는 역할을 한다. 전해질막과 전극을 접합한 것을 막-전극 접합체(MEA, Membrane Electrode Assembly)라고 부른다. 고분자전해질막(PEMFC)등을 비롯한 저온형 연료전지 시스템과 같이 비교적 저온에서 작동되는 경우는 전극과 연료의 반응을 활성화할 필요가 있어, 촉매를 전극에 담지한다. 가스확산층(GDL, Gas Diffusion Layer)은 분리판을 통해 공급된 연료와 산소를 MEA로 전달하고, 발생된 물을 배출하는 역할을 한다.

단위 셀 외의 구성은 다음과 같다. 분리판(Seperator)은 외부로부터 연료를 공급하거나, 내부 열 관리, 셀을 적층하여 구성할 때 연료극과 공기극의 격리 등의 역할을 수행한다. 가스켓(Gasket)은 가스 누출 및 연료 섞임 방지 역할을 한다.

주변적 기기(BOP, Balance of plant)는 본체인 스택을 제외한 나머지를 뜻한다. BOP는 크게 연료공급기인 M-BOP(Mechanical Balance of Plant)와 전력변환기인 E-BOP(Electrical Balance of Plant)로 구성된다. M-BOP는 기존 화학 물질이나 화석 연료에서 생성한 수소, 산소를 스택에 공급하는 역할을 한다. E-BOP는 전류변환기로 스택에서 발생된 직류전기를 교류전기로 변환하여 수요처에 공급하는 역할을 한다.

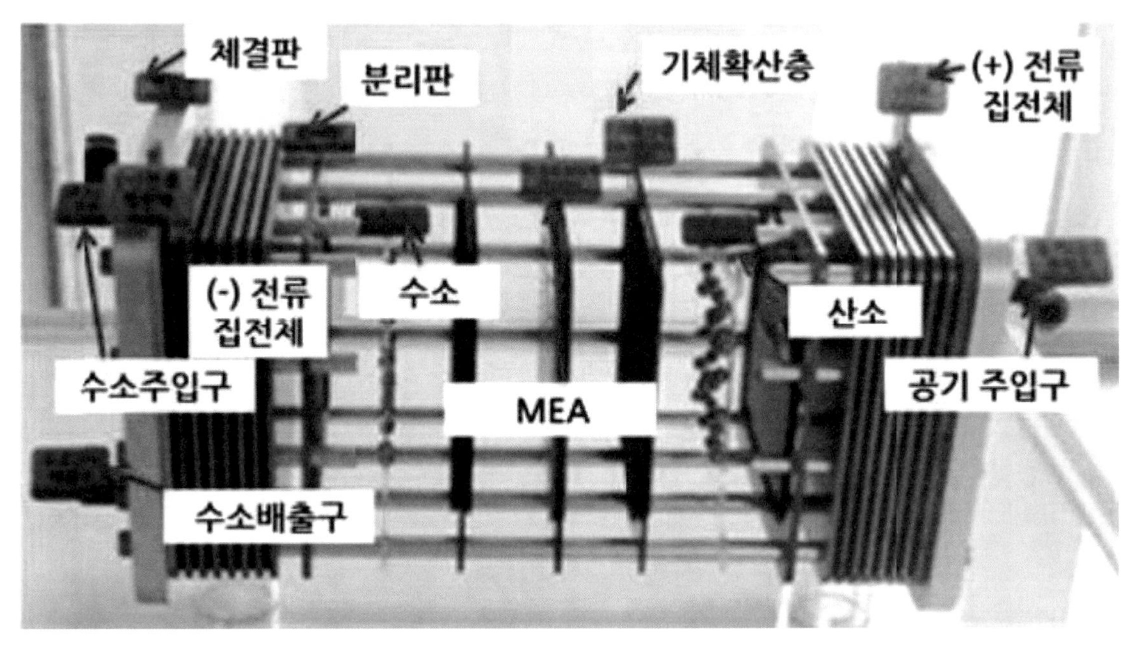

[그림 36] 연료전지 스택 내부 모형

셀 구성요소	역할	적층시
전해질	연료와 공기사이의 격막 역할	스택
전극	연료와 산소가 전자를 주고 받을 수 있도록 돕는 역할	
촉매	전극과 연료의 산화/환원반응 활성화	
가스확산층	공급된 연료(수소/산소 등)를 MEA 로 전달하고, 발생된 물을 배출하는 역할	
분리판	연료 공급, 내부 열 관리, 셀 적층시 연료극과 공기극의 격리 등의 역할	
가스켓	가스 누출 및 연료 섞임 방지 역할	

자료: 현대차증권

[그림 37] 연료전지 구성요소

가) 전해질

연료전지에 사용되는 전해질의 종류에 따라 5가지(알칼리 연료전지(AFC), 인산형 연료전지(PAFC), 용융탄산염 연료전지(MCFC), 고체 산화물 연료전지(SOFC), 고분자 전해질 연료전지(PEMFC), 직접 메탄올 연료전지(DMFC))로 구분되는 것이 가장 일반적이다.

① 고분자전해질 연료전지(PEMFC, Polymer Electrolyte Membrane Fuel Cell)의 전해질

PEMFC에서 고분자전해질막은 Dupont사에 의해 제작된 퍼플루오로 술폰산(PFSA, Perfluorocarbon Sulfonic Acid) 수지가 주로 사용되고 있다. 시장점유율은 약 70%이다. 막은 산화 반응으로 발생하는 화학적 열화로 인하여 내구성이 감소하게 된다. 하지만 퍼플루오로 술폰산 수지는 불소원자의 주변을 탄소원자가 감싸고 있어 화학적으로 안정된 구조를 갖는다. 이 막은 술포닉플루오라이드 비닐에테르 단량체와 테트라플루오로에틸렌과의 공중합[32]에 의해 만들어진 수지를 필름형태로 압출 가공한 후 가수분해[33]시켜 제조한다.

PEMFC의 고분자 전해질막은 액체 상태의 물이 존재하는 환경에서 높은 이온 전도성을 유지할 수 있다. 하지만 건조현상이 발생하게 되는 고온에서는 이온 전도성를 유지할 수 없어 연료 전지의 성능이 감소한다. 이로 인해 PEMFC는 상온에서 80℃까지의 온도에서 동작이 가능하다는 점과, 높은 전류밀도를 갖고, 소형화 및 경량화가 가능하여 차량용 등의 이동 전원으로 적합하다고 평가받는다.

② 알칼리형 연료전지(AFC, Alkaline Fuel Cell)의 전해질

AFC는 PEMFC와 다르게 액체 형태의 전해질이 사용된다. 1960년대 우주선에 전력과 물을 공급하기 위해 우주용으로 개발된 연료전지로, 현재 주로 사용되는 것은 이온 전도성이 우수한 수산화칼륨이다. 알칼리 전해질은 산성전해질에 비해 큰 기전력과 전류밀도를 얻을 수 있다. 이렇게 비교적 단순하게 고출력을 얻을 수 있다는 장점 때문에 순산소와 순수소를 이용한 우주용, 잠수함 등의 특수용에 많이 적용되고 있다.

또한 알칼리 분위기에서는 저가의 전이 금속들이 귀금속인 백금과 비슷한 활성을 보여, 원가에 큰 비중을 차지하는 전극 촉매인 백금의 사용량을 절감하는 효과를 낳을

32) 2개 이상의 단위 분자를 포개어 합친 것
33) 원래 하나였던 큰 분자가 물과 반응하여 몇 개의 이온이나 분자로 분해되는 현상

수 있다. 하지만 전해질이 공기 중의 이산화탄소와 반응하게 되면 결정형 탄산염을 형성하고 그것이 +극에 석출되어 연료전지의 가동성을 방해한다는 단점을 갖고 있다.

③ 인산형 연료전지(PAFC, Phosphoric Acid Fuel Cell)의 전해질

인산은 저렴하고 풍부하게 존재하며, 이산화탄소에 의한 성능 저하가 없다. 따라서 이산화탄소를 포함한 연료나 공기를 산화제로 이용하는 지상에서 사용하기 적합하다는 특징이 있다. 하지만 AFC의 전해액과 달리 다른 물질을 부식시키는 성질이 강하다는 단점이 있고, 저온에서는 점도가 높고 이온 전도성이 낮기 때문에 인산의 녹는점인 42.35 ℃를 넘겨야 하기에 고온(170℃~230℃)에서 이용해야 효율이 좋다는 제약사항이 있다.

④ 고체산화물형 연료전지의(SOFC, Solid Oxide Fuel Cell) 전해질

다음과 같은 조건을 충족하는 세라믹(고체산화물)이 SOFC의 전해질로 사용된다. 1)산소를 함유하고, 산소이온전도를 발생할 것, 2)실용적인 온도범위 내에서 양호한 이온전도도가 얻어질 것, 3)전자전도성이 없을 것이 그 조건이다. 전해질이 고체이기에 전해질의 분산이 없고 전압에 대한 설계와 운전제어가 비교적 용이하다는 것이 장점이지만, 세라믹 재료가 부서지기 쉬운 재질이기에 이를 고려해 기기가 설계되어야 한다.

⑤ 용융탄산염형 연료전지의(MCFC, Molten Carbonate Fuel Cell) 전해질

MCFC는 탄산리튬과 탄산칼륨의 혼합인 액체 전해질을 이용한다. 이들 탄산염의 녹는점은 각각 단독으로 700~900℃로 높지만, 혼합시 400~500℃로 내려간다. 전지반응에는 600~700℃가 필요한데, 고온에서 작동하기 위해서 개선해야 할 필요가 있다. 가동정지나 출력억제 등 운전면에서도 유연성이 저하된다. 하지만 탄화수소계 연료에서 개질반응에 의해 연료를 공급할 경우에는 변성반응도 불필요하며 개질반응 뿐 아니라 반응열로 전지배열을 그대로 이용할 수 있어 효율적이다.

분류	고체고분자형(PEFC)	알칼리형(AFC)	인산형(PAFC)	고체산화물형(SOFC)	용융탄산염(MCFC)
전해질	고분자이온교환막 $-CF_2$, $-SO_2H$ (고체)	수산화칼륨수용액 KOH (액체)	인산 H_2PO_4 (액체)	안정화 지르코니아 Zr_2O (고체)	탄산염 Li_2CO_3, K_2CO_3 (액체)
이동이온	H^+ (양이온이동형)	OH^- (음이온이동형)	H^+ (양이온이동형)	O^{2-} (음이온이동형)	CO_3^{2-} (음이온이동형)
작동온도	약 80℃ (촉매필요)	상온~200℃ (촉매필요)	약 200℃ (촉매필요)	약 1000℃ (촉매불필요)	약 650℃ (촉매 불필요)
반응가스	H_2 (CO 10ppm 이하)	순H_2만	H_2 (CO 1% 이하)	H_2, CO	H_2, CO
배열이동	급탕만	-	증기에 의한 흡수식 냉동기 이용가능	복합 사이클화 가능	복합 사이클화 가능
특징	- 가동 비교적 빠름 - 고출력밀도 - 유지비용이 용이 - CO피독 받기 쉬움 - 물관리를 요함	- 전해질이 CO_2로 열화되지 않기 때문에 지상에서는 거의 이용되지 않음 - 고효율로 저비용 - 부식성이 약하고 재료 선택 폭이 넓음	- 개발이 가장 진전되어 실적이 많다 - 전해질의 소실이 있음	- 고출력밀도 - 내부개질이 가능 - 유리보수 용이 - 기동정지에 장시간을 요함 - 장기성능과 승강온도 사이클에 대한 불안이 있음	- 내부개질이 가능 - CO_2 농축 응용가능 - 전해질의 소실 있음 - CO_2 리사이클 필요 - 가동정지에 장시간이 필요 - 니켈 단락(短絡의 우려가 있음
수요처	- 대형발전용 - 선박용	- 가정용 열병합발전 - 자동차 동력원	- 우주발사체 전원용	- 미래 석탄가스화발전 및 복합발전전기사업용 등의 대규모 발전 - 중소사업소 설비 - 이동체용전원	- 일반적인 건축자재 - 상업 및 산업 열병합 발전용

자료: 수소연료전지핸드북, 현대차증권

[그림 38] 전해질에 따른 연료전지의 분류와 특징

나) 촉매

촉매는 전극에서 산화, 환원반응을 촉진하는 역할을 한다. 연료극에서는 H2를 수소 이온과 전자로 분리하는 산화반응을 돕고, 공기극에서는 O2를 O원자로 쪼갠 뒤 음극에서 나온 전자와 반응하도록 돕는다.

① PEMFC 촉매

PEMFC의 주 촉매는 백금이다. 고분자전해질막의 경우 높은 온도에서 건조현상이 발생하는데, 그렇게 되면 이온 전도성이 크게 저하되는 특징이 있다. 백금은 전도성이 좋기 때문에 비교적 낮은 온도에서 전기화학반응이 용이하다. 단점으로는 비싼 가격 때문에, 연료전지의 제조원가를 높이는 원인이 된다. 최근엔 원가절감을 목적으로 다양한 기술이 개발중이다. 그 예로 카본 담지 백금 촉매가 있는데, 백금을 3~5nm의 나노 입자를 가공하여 탄소에 담지 시켜 이용률을 극대화하고 있다. 촉매층은 백금을 담지힌 가본 블랙에 결착기능과 발수성을 갖춘 PTFE(폴리테트라 플루오르에틸렌)과 고체고분자막과 같은 성분의 물질을 혼합하여 형성한다.

② AFC의 촉매

PEMFC와 마찬가지로 저온에서 운전되기에 백금이 주로 사용된다. 하지만 그러나 PEMFC와는 다르게 최근 상대적으로 가격 경쟁력이 있는 다양한 전이금속과 전이금속산화물 촉매들이 염기성 조건에서 안정된 성능을 보여주는 것이 알려짐에 따라 AFC에서 다양한 촉매들에 대한 특성 및 성능에 대한 연구가 다시 활발히 진행이 되고 있다.

③ PAFC의 촉매

백금이나 백금 혼합물을 사용한다. 촉매층은 탄소기판상 촉매가루와 PTFE 가루를 결착시켜 구성한다.

④ SOFC의 촉매

고체산화물형 연료전지의 가장 독특한 특성은 운전 온도가 약 1000℃ 로써 높다는 것이다. 이 온도에서는 수소와 일산화탄소의 전기 화학적 산화반응이 일어나고 촉매 없이 연료가 개질된다.

⑤ MCFC의 촉매

운전 온도는 약 650℃로써 촉매가 불필요하지만, 전기전도성 제고를 위해 촉매 사용

시 비귀금속 촉매인 니켈 사용이 가능하다.

다) 가스확산층, 분리판, 가스캣

① 가스확산층

가스확산층은 전극에 연료 및 공기를 공급해주고 생성된 전기를 모집하는 역할을 수행하며 보통 100 ~ 300㎛ 정도의 두께를 가지는 다공성 탄소지나 탄소섬유로 만든다. 가스확산층은 촉매로의 가스의 이동을 원활하게 해주는 동시에 수분관리에 필요하다. 가스확산층은 전해질에 적당한 수분이 존재하도록 하고 고분자전해질막의 높은 이온 전도성을 유지하게 한다. 다만, 방수제를 처리하여 공기극의 과도한 수분이 존재하는 것을 막아야한다.

② 분리판

셀을 적층하여 구성할 경우 각각의 셀의 연료극과 공기극의 활물질이 접촉될 수 있는데, 분리판이 이를 격리하는 역할을 한다. 유로(Fluid flow channel)를 통해 반응가스를 공급하는 역할을 하고, 전기전도, 반응에서 생성된 물을 배출하고, 내부의 열을 관리하는 역할도 한다. 또한 분리판은 MEA 양쪽에 붙어 있으면서 연료와 산소를 공급해주는 역할과 전류를 수집하는 역할도 수행한다. 분리판에는 기체가 흐르는 유로가 성형되어 있고 가벼워야하며 강도가 충분하고 가스가 누수를 막고 전기전도도가 높아야 한다.

유로 채널의 깊이와 폭 그리고 패턴은 기체의 유동을 원활하게 하는데 중요하다. 유로채널은 전해질으로의 물의 공급은 물론 공기극에서의 물을 제거하는데 중요하다. 연료극에서 발생한 전류를 가스확산층을 통해 전류를 집전하는 역할도 수행한다. 분리판이 더해지면 이제 단위전지가 이뤄진다.

소재는 크게 알루미늄 및 합금, 티타늄(금속소개 분리판), 흑연소재 분리판 등이 있다. 금속 소재 분리판은 전기 및 열적 전도성이 우수하고 충분한 기계적 강도를 유지할 수 있으므로 분리판의 두께를 0.1nm까지 줄일 수 있어 가격적인 면에서 유리하다. 그러나 금속 분리판은 내식성에 결함을 갖고 있기 때문에 내식성이 강한 금속인 스테인리스가 사용된다. 흑연소재를 이용한 분리판은 전기 전도성과 내식성이 탁월하나, 기계적 물성(강도)이 낮고 기체 투과율이 높은 단점이 있다. 또 이를 보완하기 위해서 분리판이 두꺼워야하고, 스택의 부피와 중량이 증가해야한다는 단점도 있다.

③ 가스켓

가스켓은 가스가 누출되는 것을 방지하는 것과 공기와 연료가 섞이는 것을 방지하는 역할을 한다. 연료전지는 가스의 공급을 통하여 전기를 발생시키는 장치이므로 상당히 높은 수준의 밀봉기술을 요구한다. 수소와 공기 및 냉각수가 정해진 경로를 따라서만 흐르며 절대로 서로 섞이거나 밖으로 누출되지 않도록 잘 밀봉되어야 한다.

가스켓의 소재로는 불소계 고무가 주로 사용되고 있다. 하지만 높은 가격으로 인해 이를 대체하기 위한 실리콘계(실리콘S, 실리콘G 등) 고무나 및 올레핀계(Ethylene-Propylene Diene Monomer, EPDM, 폴리우레탄 등) 고무가 활용되고 있다.

라) 주변기기

주변적 기기로는 M-BOP, E-BOP가 있다.

① M-BOP

M-BOP는 크게 연료공급시스템, 공기공급시스템, 수처리시스템으로 나뉜다. 먼저 연료공급시스템은 화석연료 또는 화합물로부터 수소를 제조하여 연료전지에 공급하는 시스템을 통칭한다. 공기공급시스템은 공기의 불순물을 제거하기 위해 필터를 통하여 송풍 압축기를 통해 제공하는 시스템을 말한다. 수처리시스템은 시스템의 반응물질인 물을 개질이나 가습에 공급한다. 연료전지가 온전히 작동되기 위하여 순수한 물이 필요하다. 외부에서 공급되는 물은 불순물이 섞여있을 수 있어, 재순환된 물이 사용되어야한다. 기계 내에서, 전지반응에 의해 생성된 물과 연료처리에서 남은 물은 응축, 회수, 청정화하여 재순환된 물을 개질과 가습에 다시 공급한다.

② E-BOP

E-BOP는 연료전지에서 발생된 직류전기를 교류로 전환하여 수요처에 공급하는 역할을 한다. E-BOP는 출력전압[34]을 계통전압[35]으로 승압시켜주는 변압기(Transformer)와 계통과 연결하는 개폐장치인 차단기(Switch Gear)로 구성되어있다.

---

34) 전기 계통 장치에서 신호나 전력을 외부에 공급할 때의 전압

35) 전기, 전자 전력 계통의 전압으로 발전기를 전력 계통과 병렬 운전하기 위해 발전기 측 전압과 계통 전압을 일치시켜야 하는 전압

PCU(Power Conditioning Unit)는 스택에서 생산된 직류전기를 교류전기로 변환시키는 장치이며, IGBT(Insulated Gate Bipolar mode Transistor) 스위칭소자를 이용한 3상 인버터방식(모터의 3개의 상을 제어하기 위해 통상 6개의 스위칭 소자를 조합하여 구성하는 인버터방식)을 이용하고 있다.

차단기(Switch Gear)는 연료전지내부의 전원공급 및 생산된 전력을 계통으로 송전하기 위한 설비로, 보호계전요소(누전, 단락, 지락, 과전류, 과전압등)의 기능을 통해 상시로 부하차단[36]한다.

대분야	주요품목	세부제품(구성요소)
MBOP	연료공급시스템	개질기, 액체펌프, Prox 펌프, 블로워, 냉각수 펌프, 열 교환기, 온도 센서, 방열 팬, 배열 회수 펌프 등
	공기공급시스템	저온 블로워, 고온블로워, 공조기, 마이크로필터, 온도 센서
	수처리 시스템	개질수 펌프, 냉각수 펌프, 가습기, 습도 센서 등
EBOP	전력변환시스템	DC-AC 인버터, 스위칭 소자, 압전소자, 변압기, 전력변환기
	신호처리시스템	센서, 릴레이, 차단기
	전압 및 전류제어 시스템	DC-AC 컨버터, 과전류보호장치, 과전압제어장치, PCS 출력제어

자료: 중소기업기술로드맵, 현대차증권

[그림 39] BOP 분류

36) 전력 공급량에 맞게 전력 수요를 감소하기 위하여 적정한 양의 부하를 차단하는 일

4

신재생 에너지 시장분석

4. 신재생 에너지 시장분석

가. 태양광 산업 시장분석[37)38)39)]

태양광 발전은 2010년 이후 세계적으로 가장 빠른 속도로 보급되고 있는 재생 가능한 에너지원이다. 2019년 한 해 동안 115GW의 신규 시스템이 설치됐으며 누적 설치량도 627GW에 달했다. 2010년 누적 설치량이 40GW인 것을 감안하면 매우 빠른 속도로 성장하고 있음을 알 수 있다. 또한, 신·재생에너지 부문에 대한 투자 역시 2018년 $3,900억에서 2030년까지 연평균 $4,400억으로 증가할 것으로 예상된다. 그러나 2020년은 국내 태양광 시장에 있어 코로나19, REC 하락, 역대급 장마로 인한 태양광에 대한 부정적 여론 확산 등 시장 성장을 방해하는 다양한 요소가 존재했던 해였다. 특히 2020년에는 코로나19의 영향으로 기후위기 대응과 에너지 전환의 핵심으로 성장가도를 달리던 태양광 시장도 이전의 당초 예상과 달리 주춤하고 있는 모양새를 보였다. 코로나19의 영향으로 인해 예정됐던 프로젝트가 연기, 또는 취소됐다. 프로젝트를 진행하려던 기업들도 가동을 멈춘 공장으로 인해 설비 물량을 조달하지 못했다. 상반기까지만 해도 공사 진행 자체를 추진할 수 없는 상황이었다. 코로나19로 인한 피해는 국내 태양광뿐만 아니라 전 세계 태양광 역시 마찬가지였다. 국제에너지기구(International Energy Agency, IEA)는 '세계 에너지 전망 2020(World Energy Outlook 2020, WEO-2020)'을 발표하며, 코로나19 대유행 영향으로 인해 2020년 세계 에너지 투자가 큰 폭으로 감소할 것이라고 전망한 바 있다. IEA는 2020년 전 세계 에너지 투자가 이전해 대비 약 20%, 금액으로는 4,000억 달러(한화 약 493조8,000억원) 가량인 18% 감소할 것으로 전망했으며, 전 세계 에너지 수요는 5%, 에너지 관련 탄소 배출량은 7% 감소할 것으로 예상했다.

그러나 실제 한국수출입은행이 2020년 12월에 내놓은 '태양광산업 분석' 보고서에 따르면, 코로나19 사태로 2020년 세계 태양광수요는 사상 처음 역성장할 것으로 예상됐으나 이른바 빅2인 중국과 미국 시장의 예상보다 양호한 수요 증가로 인해 예상치 120GW를 상회해 130GW 이상 초과할 것으로 나타났다. 국내의 경우에도 코로나 위기 상황에도 불구하고 2020년 4GW 이상의 보급이 예측된 바 있다. 전문가들은 코로나19 상황이 진정될 경우 각국 정부의 경기부양을 위한 인프라 투자 확대와 맞물려 태양광 수요는 큰 폭의 반등도 가능할 것으로 내다보고 있다.

---

37) 그린 뉴딜을 위한 태양광 혁신기술 개발,에너지신문,2020.10.06.
38) 코로나19로 인한 글로벌 태양광 시장 역성장… 진정 이후 큰 폭 성장할 것, 인더스트리뉴스, 2020.06.28
39) 2020 KEA 에너지 편람, 한국에너지공단, 2020

1) 시장 현황[40][41]

지구 온난화 문제에 직면한 세계는 현재 온실가스를 줄이기 위해 노력을 다하고 있다. 세계 온실가스 배출량의 40%는 발전 분야에서 발생하고 있으며, 이러한 발전 분야에서 온실가스를 줄이기 위해 신재생에너지를 이용한 발전이 각광받고 있는 추세이다. 다시 말해 발전분야에서 발생한 온실가스 배출의 80%가 석탄 연료를 이용한 발전에서 파생된 만큼 화석연료를 이용한 발전 비중을 줄이고 그 공백을 신재생에너지를 이용한 발전으로 대체한다는 것이다.[42] 이로 인해 세계 태양광시장의 수요는 지속적인 성장이 전망되는데, 특히 2021년 글로벌 태양광 수요는 코로나19 상황 안정 및 기후변화 이슈의 본격적인 등장으로 150GW 이상의 수요가 발생할 것으로 예상되며 2022년에는 200GW 수준으로 증가할 전망이다.[43]

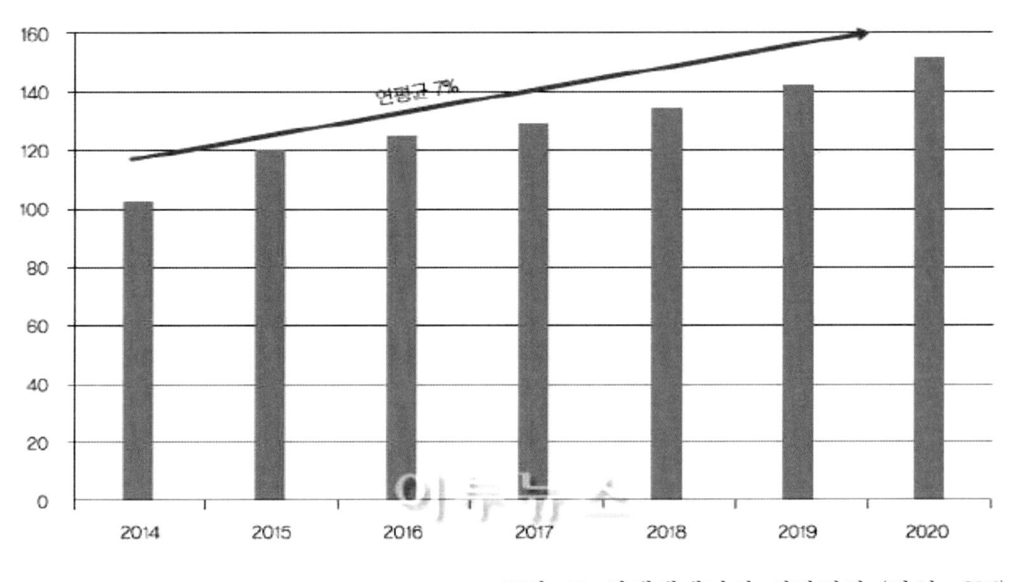

그림 41 신재생에너지 시장전망 (단위: GW)

또한 장기전망을 살펴보면 2040년에는 누적 태양광 설치량이 약 3,700GW (투자액 3.6조 달러)에 달할것으로 예상되며 연 1,500억 달러 이상의 투자가 이루어질 전망이다. 구체적으로는 세계 태양광 수요는 중국, 인도, 미국 및 유럽 구도 예상되며, 선진국은 분산형 태양광, 중국 및 인도는 대형 태양광이 수요의 중심을 이룰 것으로 보인다. 또한 지역별로 살펴보면, 세계 태양광산업을 주도했던 유럽지역 투자는 감소하는

40) 태양광 산업 현황과 전망, 한화큐셀
41) 세계 재생에너지 투자 10년간 2조5000억弗… 태양광이 절반 차지, 파이낸셜뉴스, 2019.09.13
42) 최근 신재생에너지 글로벌 이슈와 시사점, 2015, KDB산업은행
43) "2021년에도 글로벌 태양광산업 성장 멈추지 않는다", 어네지데일리, 2020.12.31

반면, 아시아 및 북미지역 태양광 투자는 활발히 이루어지고 있어, 세계 태양광산업의 투자 중심이 아시아 지역으로 이동하고 있는 상황이다.

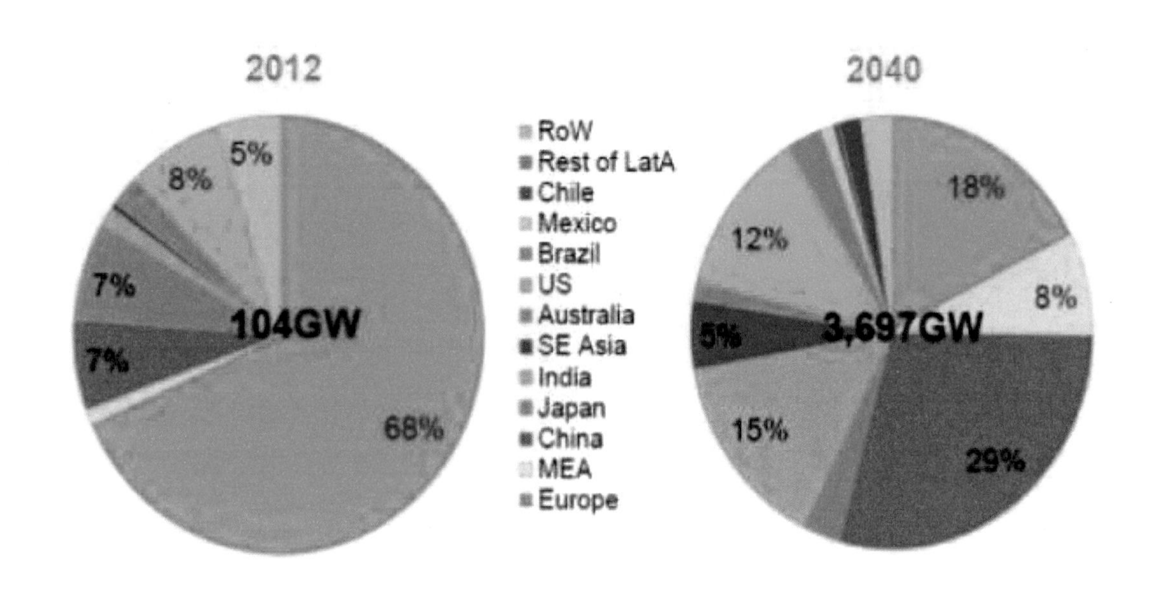

그림 42 중장기 세계 태양광시장 누적설치량 전망/ 한국수출입은행 해외경제연구소, 한화큐셀

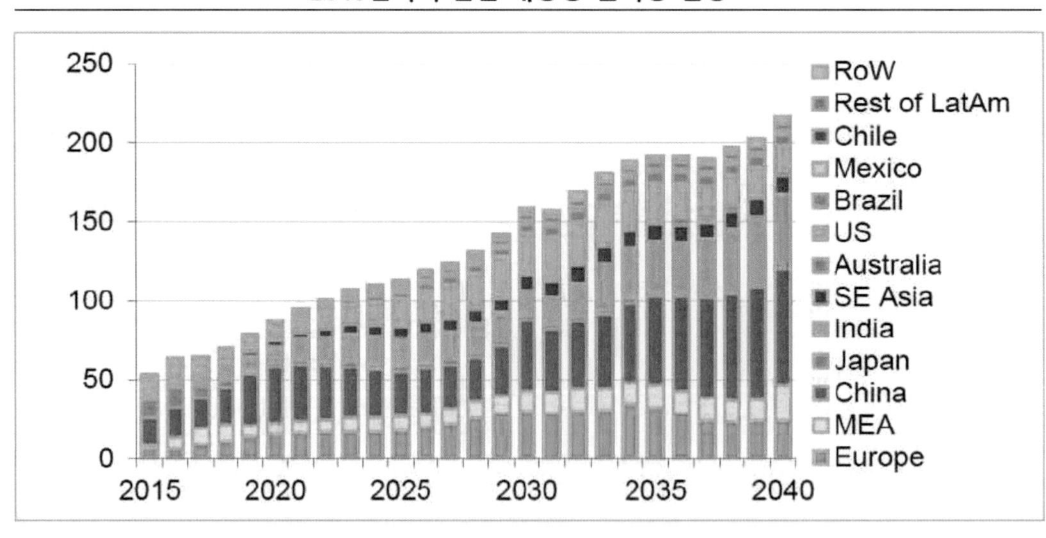

그림 43 2040세계 태양광시장 누적설치량 전망/ 한국수출입은행 해외경제연구소, 한화큐셀

현재 신재생에너지의 발전 단가는 점점 줄어들고 있기 때문에 신재생에너지는 발전분야에서 활발하게 성장하고 있다. 지속적인 연구개발과 투자로 2014년 발전원별 국제 평균 발전 단가는 kWh 당 태양광 140원, 풍력 90원, 석탄 60원, 가스 70원 등으로 어느 정도 경쟁력을 갖추게 되었다. 발전 부문뿐만 아니라 열·수송 분야에서도 재생에너지 사용이 점점 늘어나는 추세이다.[44] 이중에서도 특히 태양광은 가장 눈에띄는 발전단가의 하락을 보이며, 이는 태양광의 급속한 보급 확산에 영향을 끼친 가장 주요한 원인으로 꼽힌다. IRENA(International Renewable Energy Agency)가 발표한 보고서에 의하면, 평균 발전단가가 2010년 대비 1/6로 감소했다. 지역과 설치용량에 따라 편차가 있지만 일사량이 좋은 지역에서의 대규모 태양광 발전소 입찰의 경우 kWh 당 0.02달러 이하로 낙찰되는 경우도 속속 나오고 있어 현재 가장 값싼 발전원으로 자리매김하기 시작했다. 이에 태양광에너지의 LCOE[45] 하락은 계속해서 가속화될 전망이다. 이와 같은 태양광 발전 단가 하락은 태양광 시스템 단가 하락의 영향이 작용한 것으로 보인다.

▶ **주요 원별 발전단가 비교 (LCOE)**

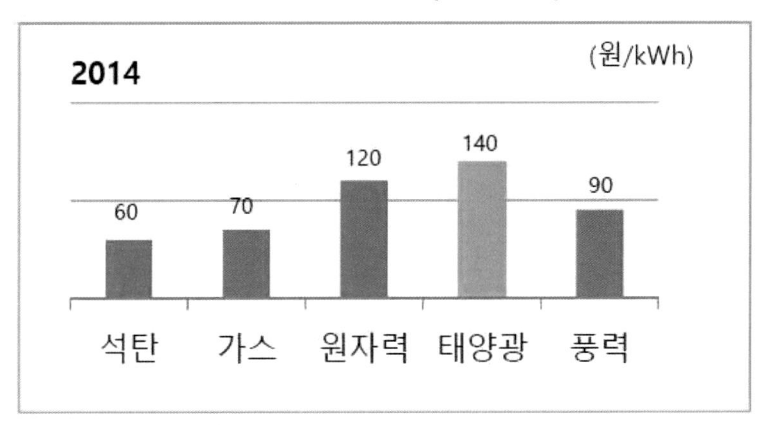

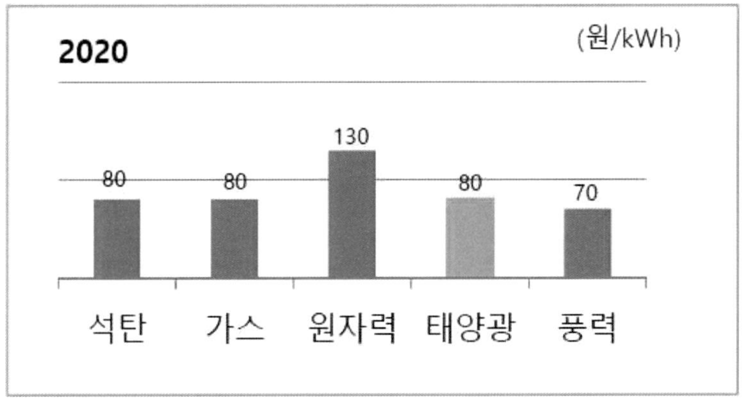

44) 신재생에너지 백서, 2016.
45) 균등화발전원가(LCOE :Levelized Cost of Electricity): 발전소가 1kWh의 전기를 생산하기 위해 얼마의 비용이 필요한지, 여러 발전원을 비교할 때 유용한 지표값

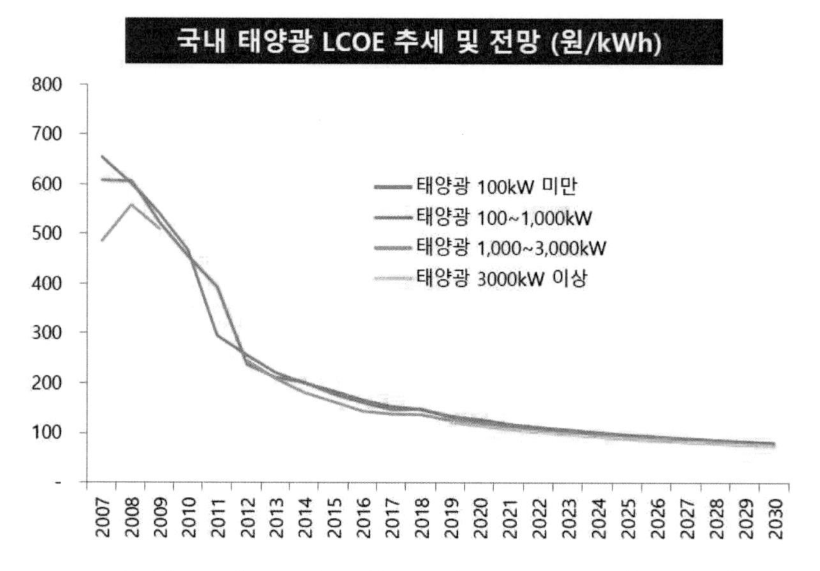

자료: 한국에너지공단 제공 자료, 자체 조사 자료 등을 바탕으로 에너지경제연구원이 분석

▶ 태양광 시스템 가격 전망

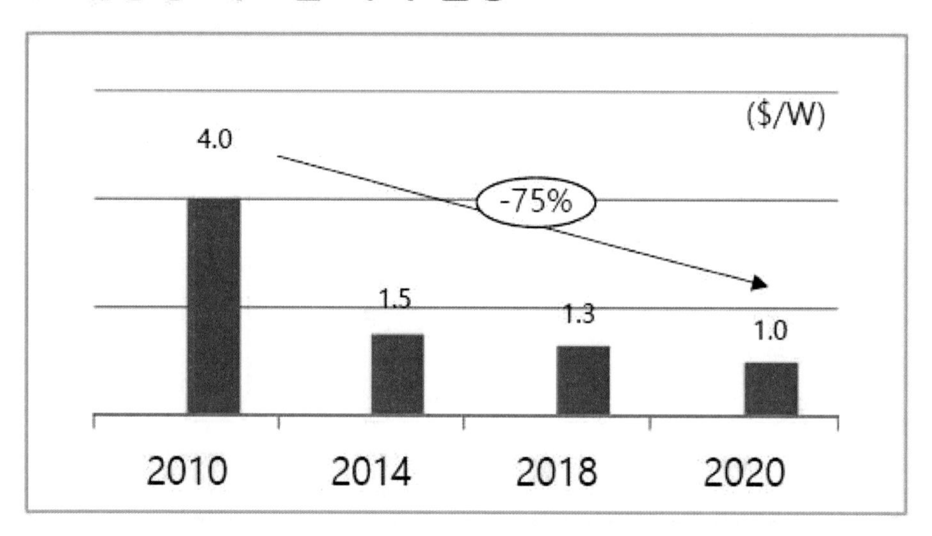

그림 46 Bloomberg New Energy Finance, 한화큐셀

신재생에너지에 대한 투자 역시 활발하게 진행되고 있다. 신재생에너지에 대한 투자는 2010년에서 2019년까지 10년간 2조6000억 달러(약 3100조원)에 달하며, 태양에너지는 다른 어떤 에너지 기술보다도 더 많이 투자됐다. 태양에너지는 10년간 2조6000억 달러의 재생에너지 투자 중 절반인 1조3000억 달러를 끌어모았다. 2010년 초 25GW에서 2019년 말까지 663GW로 성장했는데, 이는 매년 약 1억 가구가 필요로 하는 전력을 생산할 수 있는 양이다.

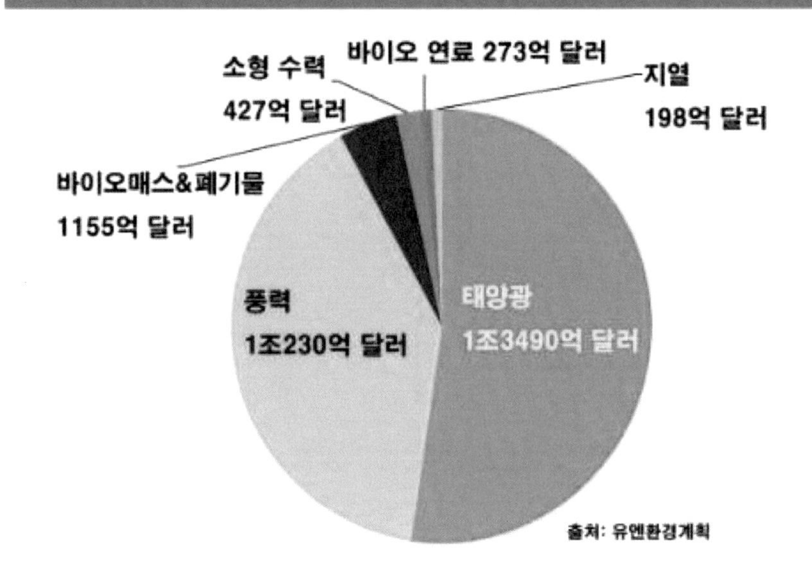

그림 47 세계 재생에너지 투자현황/유엔환경계획

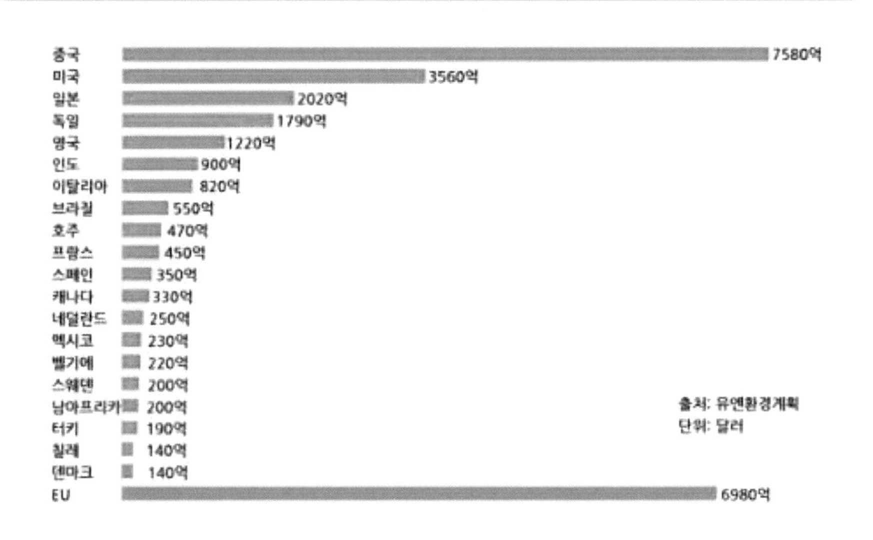

나라별로 살펴보면, 중국은 2010년부터 2019년 상반기까지 7580억 달러를 투자해 왔으며, 미국은 3560억 달러로 2위, 일본은 2020억 달러로 3위를 기록했다. 유럽 전체는 같은 기간 동안 재생 가능 에너지에 6980억 달러를 투자한 가운데 독일은 1990억 달러, 영국은 1220억 달러로 가장 많이 기여했다.

2) 국내 현황[46][47]

가) 국내 에너지 사용현황과 태양광

국내 에너지 소비량을 살펴보면 2017년 우리나라의 에너지소비량은 282백만toe로 세계 9위이며, 석유소비 8위, 전력소비 7위로 이는 세계 14위인 경제규모에 비해 높은 수준이다. 에너지 수입량은 계속 증가하여 원유, 석탄 등 국내 공급되는 에너지자원의 93.4%는 해외 수입에 의존하고 있는 상황으로 에너지 안보에 취약한 수급구조를 갖고 있다. 또한 에너지 수요가 이렇게 증가하는 만큼 신재생에너지가 차지하는 비중도 꾸준히 성장하고 있는 상황으로, 에너지수입액은 '19년 기준 1,267억$로 국가 총수입액의 27.5%를 차지한다.

〈국내 최근 5년간 1차 에너지 공급 현황〉

(단위 : 백만toe)

연도	2015	2016	2017	2018	2019p	증가율(전년대비)
석탄	85,401 (29.8%)	81,499 (27.7%)	86,177 (28.5%)	86,651 (28.2%)	**82,075 (27.0%)**	△5.3%
석유	109,090 (38.0%)	117,605 (40.0%)	119,401 (39.5%)	118,521 (38.5%)	**117,579 (38.7%)**	△0.8%
천연가스	43,613 (15.2%)	45,518 (15.5%)	47,536 (15.7%)	55,225 (18.0%)	**53,470 (17.6%)**	△3.2%
수력·원자력	35,988 (12.5%)	35,581 (12.1%)	33,105 (11.0%)	29,985 (9.8%)	**32,407 (10.7%)**	8.1%
신·재생 및 기타	12,839 (4.5%)	13,575 (4.6%)	15,848 (5.2%)	17,119 (5.6%)	**17,916 (5.9%)**	4.7%|
합계	286,932 (100%)	293,778 (100%)	302,066 (100%)	307,501 (100%)	**303,446 (100%)**	△1.3%

※ 출처 : 에너지통계월보(에너지경제연구원, 2020년 3월)

국내 전체 발전설비용량을 살펴보면, 지속적으로 증가해 2019년 125,338MW(125.3GW)를 기록했다. 이는 지난 2010년 76,079MW와 비교해 10년 만에 64.7%가 증가한 수치이다. 아래 이미지는 연간 연료원별 발전비중을 나타낸 차트로, 해가 지날수록 신재생에너지(초록색) 영역이 넓어지는 모습을 확인할 수 있다. 2019년도 신재생에너지 발전설비 비중은 전체의 13%였다.

46) 2020 KEA 에너지 편람, 한국에너지공단, 2020
47) 2019년도 국내 신재생에너지 발전비중은 몇%일까?,솔라커넥트,2020.08.18

연료원별

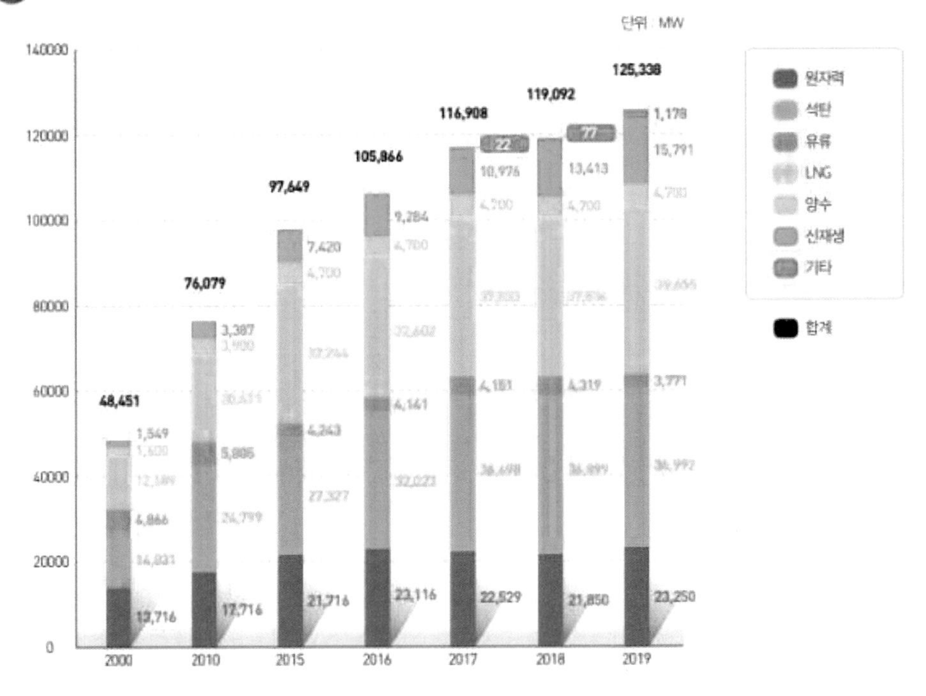

특히 신재생에너지를 주목하여 살펴보면, 2019년 국내 신재생에너지 설비용량은 15,791MW(15.8GW)로, 재생에너지 3020 이행계획이 발표된 2017년 대비 5GW 가까이 증가했다. 이를 에너지원별로 다시 쪼개보면 전체 신재생에너지의 67%를 태양광이 차지했으며 풍력(10%), 일반수력(10%), 바이오/매립가스(6%)가 그 뒤를 이었다.

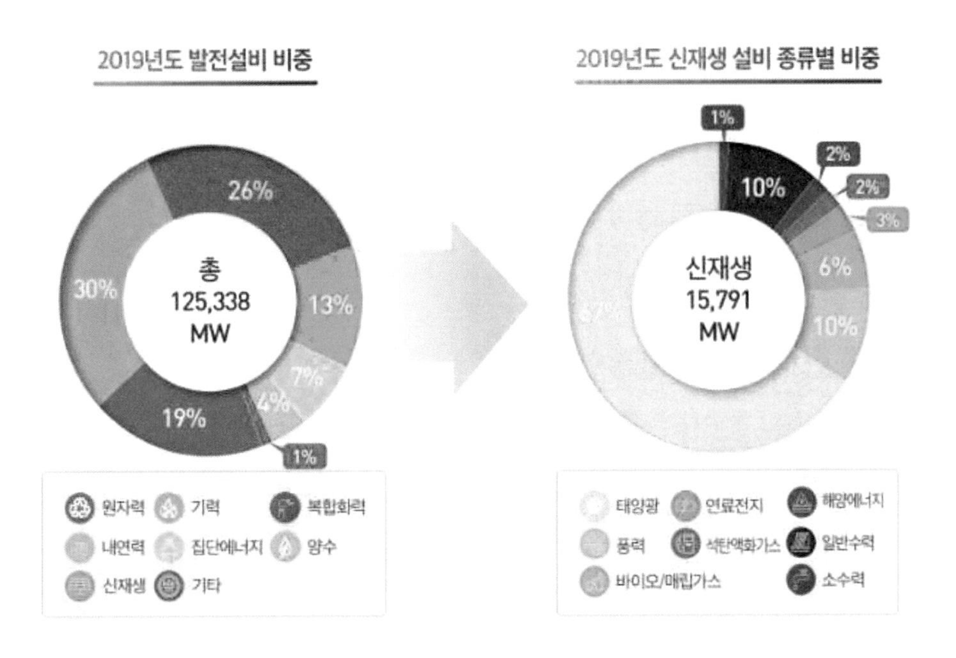

태양광의 연도별 발전설비 용량을 비교해서 살펴보면, (괄호 속 퍼센테이지는 직전 연도 대비 증가율). 2017년 이후 전체 발전설비 용량은 1.9%, 5.2%로 소폭 증가한 것에 비해 태양광 발전설비 용량은 매년 40% 이상 증가하며 급속 성장했음을 알 수 있다.

	2017년	2018년	2019년
전체 발전설비 용량 [kW]	116,907,641	119,091,660 (1.9% ↑)	125,337,669 (5.2% ↑)
재생에너지 발전설비 용량 [kW]	10,976,379	13,413,220 (22.2% ↑)	15,791,055 (17.7% ↑)
태양광 발전설비 용량 [kW]	5,062,309	7,129,860 (40.8% ↑)	10,505,103 (47.3% ↑)

이어서 연도별 발전설비 대수를 비교해보면, 2017년 29,802대였던 국내 발전설비는 이후 연마다 33.6%, 54.7% 증가하여 2019년 61,603대가 되었다. 이 중 태양광 발전설비는 60,433대로 전체 발전설비 숫자의 대부분을 재생에너지, 특히 태양광 발전설비가 차지하고 있다는 것을 확인할 수 있다. 한편 2018년 대비 2019년 전체 발전설비 대수가 54.7% 증가한 것에 비해 총 용량은 불과 5.2%로 작은 증가폭을 보였는데, 이 사실을 통해 발전설비 중에서도 소규모 재생에너지(태양광) 설비가 폭발적으로 증가했음을 짐작할 수 있다.

	2017년	2018년	2019년
전체 발전설비 대수	29,802	39,828 (33.6% ↑)	61,603 (54.7% ↑)
재생에너지 발전설비 대수	29,195	39,222 (34.3% ↑)	60,920 (55.3% ↑)
태양광 발전설비 대수	28,252	38,702 (37.0% ↑)	60,433 (56.1% ↑)

나) 국내 정책현황

정부 또한 지속적인 태양광 발전을 위해 신재생에너지에 대한 투자를 확대하여 글로벌 에너지시장에 진출하기 위해 국내시장을 기반으로 우리 기업의 경쟁력을 확보하고, 시장 진입장벽을 낮춰 투자환경을 조성 중에 있다. 특히 앞서 2017년 12월, 기후변화 대응 노력의 일환으로, 원전의 위험과 환경오염 저감을 위한 '재생에너지 3020'정책을 발표한 바 있는데, 이는 2030년까지 석탄발전과 원자력 발전의 비중을 줄이고, 태양광 발전과 풍력 발전 중심의 재생에너지 발전 비중을 20%까지 높이겠다는 내용이다. 이에 신재생에너지 사업이 더욱 빠르게 추진되고 있으며, 특히 태양광 발전은 미래 에너지원의 대표로 여겨지고 있다.

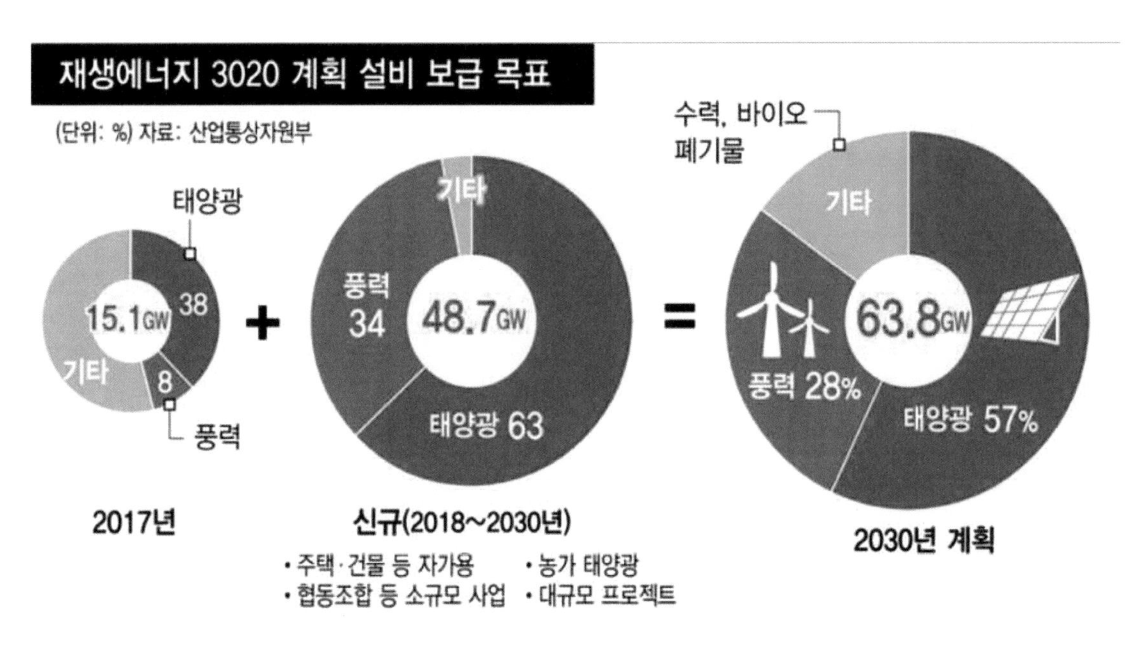

그림 54 재생에너지3020계획 설비 보급목표/산업통상자원부

'재생에너지 3020 이행계획'의 구체적인 내용은 다음과 같다.[48]

목표
·재생에너지 발전량 비중을 20%까지, 누적 설비용량을 64GW까지 보급 ·신규 설비용량의 95% 이상을 태양광・풍력 등 청정에너지로 공급

48) 에너지정보소통센터 홈페이지

주요이행계획	
국민참여확대	·도시형 태양광 보급 사업을 확대하고, 생산한 전력 중 소비하고 남은 잉여 전력은 현금 정산을 하는 등 상계거래제도를 개선 ·제로 에너지 건축물 인증 의무화 등을 통해 재생에너지 기반 건축물 확산 ·협동조합이 참여한 사업, 시민참여 펀드가 투자된 사업 등에 REC 가중치 추가 부여 등 인센티브를 제공 ·농업진행구역 내 염해 간척지, 농업진흥지역 이외 농지, 농업용 저수지 등에 태양광 설치를 활성화하여 ·30년까지 10GW 규모의 태양광을 보급하는 등 농촌 태양광 확대
지자체 주도의 계획입지 도입	·수용성, 환경성을 사전에 확보하고 부지를 계획적으로 조성하기 위해 계획입지 제도 도입을 추진 ·광역지자체 주도로 발굴한 부지는 관계 부처 협의를 통해 입지 적정성 검토 후 재생에너지 발전기구로 지정하는 등 사업자의 원활한 추진 지원
대규모 프로젝트 추진	·수용성 및 환경성을 고려하여 단계적 추진 (1단계/2018-2022) 민간과 공공기관이 제안한 프로젝트 가운데 5GW 규모의 프로젝트를 집중 추진 (2단계/2023-2030) 대형발전사의 재생에너지공급의무화(RPS) 비율을 단계적으로 상향 조정하여 대규모 프로젝트 추진 유도
재생에너지 확대를 위한 보급여건 개선	·농업진흥구역 내 규제 완화, 공유재산 제도 개선 등 입지규제 및 사업 수익성을 저해하는 각종 제도 개선 추진 ·지역별 보급계획 수립, 전담조직 보강 등 지자체 역량 강화 지원 ·중앙정부와 지자체 간 재생에너지 정책협의회 상시 운영
환경을 고려한 재생에너지 확대	·폐기물·우드펠릿 등에 대한 REC 가중치를 축소하고 국제기준 및 국내여건을 감안하여 비재생 폐기물을 재생에너지에서 제외 추진 ·태양광 폐모듈 재활용센터 건립 및 관리체계 구축, 풍력 대형블레이드 등에 대한 폐기지침 개발 등 재생에너지 폐기물 처리기반을 구축

또한 정부는 코로나19 위기 극복과 '포스트(post) 코로나' 시대에 한국의 글로벌 경제 선도를 위한 국가발전전략으로 한국판 뉴딜 종합계획을 발표한 바 있는데, 이를 통해 오는 2025년까지 76조원을 투입하기로 했다. 정부가 추진하는 한국판 뉴딜은 크게 디지털 뉴딜과 그린 뉴딜로 추진된다. 이 중, 그린 뉴딜은 ▲도시·공간·생활 인프라 녹색전환 ▲녹색산업 혁신 생태계 구축 ▲저탄소·분산형 에너지 확산 등 3대 축으로 추진된다.[49] 구체적인 '그린뉴딜' 세부계획을 살펴보면, 도시·공간·생활 인프라의 녹색 전환을 위해 공공임대주택, 어린이집, 보건소 등 노후 건축물 23만호부터 제로에너지화에 나선다. 또한, 스마트 그린도시 25곳을 조성하고, 학교 리모델링 등 그린 스마트 스쿨을 집중 추진한다. 저탄소·분산형 에너지 확산을 위해선 전기차 113만대, 수소차 20만대를 보급하고, 노후 경유차 116만대 조기 폐차를 지원한다. 태양광, 풍력, 수소 등 신재생에너지 보급도 확대한다. 녹색산업 혁신 생태계 구축 차원에선 스마트 그린산단 10곳을 조성하고, 스마트 생태 공장 100곳, 클린팩토리 1,750곳을 각각 조성한다는 계획이다.

특히 정부가 발표한 저탄소·분산형 에너지 확산 정책의 핵심 내용은 다음과 같다.

목표
·지속 가능한 신재생에너지를 사회전반으로 확산하는 미래에너지 패러다임 전환 시대 준비 2025년까지 총사업비 35조8천억 원 투자, 일자리 20만9천 개 창출

49) 얼개 드러낸 한국판 뉴딜… '디지털+그린'에 76조원 투입, 조선비즈, 2020.06.01

저탄소·분산형 에너지 확산 주요 이행계획	
에너지관리 효율화 지능형 스마트 그리드 구축	·스마트 전력망 : 전력수요 분산 및 에너지 절감을 위해 아파트 500만호 대상 지능형 전력계량기 보급 ·친환경 분산에너지 : 전국 42개 도서지역 디젤엔진 발전기의 오염물질 배출량 감축을 위해 친환경 발전시스템 구축 ·전선 지중화 : 학교 주변 통학로 등 지원 필요성이 높은 지역의 전선·통신선 공동지중화 추진
신재생에너지 확산기반 구축 및 공정한 전환 지원	·풍력 : 대규모 해상풍력단지 입지발굴을 위해 최대 13개 권역의 풍황 계측·타당성 조사 지원 및 배후·실증단지 단계적 구축 ·태양광 : 주민참여형 이익공유사업 도입, 농촌·산단 융자지원 확대, 주택·상가 등 자가용 신재생설비 설치비 지원(20만 가구) ·공정전환 : 석탄발전 등 사업축소가 예상되는 위기지역 대상 신재생에너지 업종전환 지원
전기차·수소차 등 그린 모빌리티 보급 확대	·전기차 : 승용 버스 화물 등 전기자동차 113만대(누적) 보급, 충전 인프라 확충 ·수소차 : 승용 버스 화물 등 수소차 20만대(누적) 보급·충전 인프라 450대 설치 및 수소 생산기지 등 수소 유통기반 구축 ·노후차량 : 노후경유차의 엘피지(LPG)·전기 차 전환 및 조기 폐차 지원

이러한 정부 계획에 태양광은 그 어느 때보다 높은 주목을 받고 있다. 녹색도시 전환, 제로에너지빌딩, 신재생에너지 보급 확대, 스마트 그린산단 등 모든 그린뉴딜 계획에서 태양광 산업이 활약을 예고했기 때문이다. BIPV와 수상태양광, 지붕형태양광 등 육상태양광에 비해 다소 주목도가 떨어졌던 태양광 산업이 폭발적인 성장세를 예고했다.

시장조사를 통해 나타난 2020년 국내 태양광 시장 주요 이슈에서도 21.1%가 '그린뉴딜'을 선택하며, 이에 대한 기대감을 드러냈다. 또한, 2020년 국내 태양광 시장 규모를 묻는 질문에 20.9%가 '5~10% 성장'을, 14.3%가 '10~20% 성장'을 선택했다. 또한, '올해 국내 태양광 시장의 성장을 견인한 주요 요소'에 대한 질문에서도 13.8%가 '지붕형·영농형·수상태양광 등 태양광 특화시장 활성화'를 선택하며, 다양한 분야로 발전되는 태양광 산업의 현주소를 느낄 수 있게 해줬다.[50]

50) 한국판 뉴딜 성공의 핵심 태양관산업 경쟁력 강화의 길을 찾다!, 한국에너지공단, 2020.09.10

다) 국내 주요 기업현황

태양전지 산업은 대표적인 밸류 체인이다. 밸류 체인이란 원료인 규사로부터 여러 공정을 거쳐 실리콘 웨이퍼를 만든 다음 태양전지가 만들어지는 구조로 되어 있다는 뜻이다. 즉 태양전지는 규사를 규석으로 만들어 다시 폴리실리콘으로 가공한 뒤 잉곳을 만들고, 이를 잘게 썬 웨이퍼로 변환시킨 뒤 태양전지로 완성한다. 규사 1kg(kg)이 1달러라면, 규석 1kg은 2달러 정도다.

그런데 규석을 고순도로 가공한 폴리실리콘은 1kg의 가격이 100달러 정도로 뛴다. 그만큼 폴리실리콘의 부가가치가 큰 것이다. 이렇게 만들어진 태양전지는 다시 모듈 형태로 만들어진다. 따라서 태양전지 산업은 밸류 체인 각 단계별로 다양한 기업들이 서로 협력하고 있다. 도표에 한국의 태양전지 관련 기업들을 밸류 체인에 따라 구별해 놓았다.

밸류 체인	해당 기업
폴리실리콘	OCI, 한화케미칼, KCC, 웅진에너지, 한국실리콘, 이앤알솔라
잉곳·웨이퍼	LG실트론, SKC솔믹스, 삼성코닝정밀소재, 렉서, 웅진에너지, 오성엘에스티, 넥솔론, 이앤알솔라
태양전지	삼성SDI, LG전자, 코오롱인더스트리, KPE, 현대중공업, 신성솔라이엔지, 이앤알솔라, 한화큐셀, KCC
모듈	현대중공업, LG전자, 삼성전자, 한국철강, 얄티솔라, 한화큐셀, SDN, 웅진에너지, 신성솔라에너지, 에스에너지, 심포니에너지, 솔라월드, LS산전
시공서비스	현대중공업, LG CNS, 삼성에버랜드, 탑솔라

표 18 각 밸류체인에 해당하는 기업

삼성 그룹, LG 그룹, SK 그룹, 한화 그룹 등 한국의 대그룹들이 대부분 태양전지 사업에 착수했거나 착수를 검토하고 있다. 사실 한국의 반도체 업체들은 모두가 잠재적인 태양전지 관련 업체라고도 볼 수 있다. 현재 삼성전자에서 만드는 최첨단 반도체의 기술을 10이라고 할 때 태양전지는 7정도이기 때문에 기술적으로 태양전지를 만드는 데 문제가 없기 때문이다.

삼성 그룹은 각 계열사의 특성을 살려 폴리실리콘은 삼성정밀화학, 잉곳 및 웨이퍼는 삼성코닝정밀소재, 태양전지는 삼성SDI, 모듈은 삼성전자, 시공은 삼성에버랜드에서 담당하는 것으로 사업 분야를 정리했다.

① LG그룹

LG 그룹은 태양광발전보다는 강점이 있는 배터리 분야와 연결하는 전략을 구사하고 있다. 이는 LG 그룹이 국내 기업 중 유일하게 친환경 에너지의 생산부터 저장, 효율적 사용에 이르는 '완결형 밸류 체인(Value Chain)' 사업 역량을 확보하고 있다는 점에 착안한 것이다.

예를 들어 LG전자의 태양광 모듈이 전기를 생산하고 LG화학 배터리를 탑재한 에너지저장시스템(ESS=Energy Storage System)에 이를 저장하며, LG CNS의 에너지관리시스템(EMS)을 통해 에너지를 효율적으로 관리하는 것이다.

LG 그룹은 '글로벌 에코 플랫폼 제주'를 통해 제주도를 해외시장 개척을 위한 에너지신산업 모델로 만든다는 계획이다. LG 그룹은 일찌감치 미래 신성장동력으로 자동차 부품을 지목하고 2000년대 후반부터 계열사마다 전문 분야를 육성하도록 해왔다.[51]

또 LG전자는 태양광 전략을 고가 제품으로 승부하는 것으로 방향을 정했다. 현재 상용화한 제품(네온2)은 에너지 효율이 19.5%로 18% 대인 기존 제품보다 효율이 크게 높다. 더 나아가 LG그룹은 향후 태양광 발전시장이 대규모 상업용 위주에서 일반 가정용과 빌딩용 등 분산된 시장으로 확장될 것으로 내다보고 있다. 2012년부터 각 가정이나 빌딩에서 태양광으로 생산한 전기를 일정 가격에 사주는 시스템을 도입한 일본을 중심으로 이런 시장이 커질 것으로 예상했다.[52]

② 한화큐셀[53][54]

태양광 사업에 가장 공격적으로 나서고 있는 한화큐셀은 미국, 독일, 일본 등 세계 주요 태양광 시장에서 인정받은 고효율·고품질 프리미엄 태양광 모듈을 기반으로 한

51) 참조 : 매일경제신문 2016.01.28
52) 참조 : 한국경제신문 2015.02.27 <다시 뜨거워진 태양광…한화큐셀 "올 日시장 1위 목표">
53) 한화큐셀, 고효율·고품질 프리미엄 태양광 모듈로 세계시장 사로잡다, 인더스트리뉴스, 2019.10.28
54) 한화큐셀, 차세대 태양광 셀 '탠덤 셀' 개발 박차, 조선비즈, 2020.12.15

제품 기술력에 가장 큰 강점을 가지고 있다. 한화큐셀은 글로벌 태양광 시장에서 고객이 요구하는 기본 사항은 업계 최고 수준으로 맞추고 각 국가별 고객 요구에 맞는 커스터마이징 된 제품 라인업을 추가해 주요 시장 공략을 가속화 하고 있다.

2014년 한화큐셀과 한화솔라원을 합병한 이후 각 가정에서 태양광으로 생산한 전기를 제어하고 실시간으로 전력 상황을 알 수 있게 한 제품인 가정용 에너지 시스템(HeMS)을 내놓았다. 2015년 일본 시장에서 약 744메가와트 규모의 모듈을 판매했으며, 미국 2위 에너지업체 넥스트에라(NextEra)에 역대 업계 최대 규모인 1.5기가와트 규모의 모듈(1조원 추정)을 공급하는 계약을 체결한 데 이어 터키 남서부에 최대 규모(18.3메가와트)의 태양광 발전소를 지어 EPC(설계·조달·시공)와 O&M(운영·유지보수)을 동시에 맡기로 했다. 또한 한화큐셀은 인도, 필리핀, 일본 후쿠시마 등에서도 태양광 발전 시장에 진출했다. 아울러 미국 주택용 시장에서도 썬런(SunRun)과 장기 모듈 공급계약을 통해 135메가와트(mW) 분량의 물량을 납품하기로 했다.[55)]

2016년 상반기 상업생산에 들어간 한화큐셀 진천 셀 공장은 일반 태양전지보다 전력 생산량이 8% 더 많은 고부가가치 '퀀텀 셀'을 연간 1.5기가와트(GW) 생산할 수 있다. 한편 한화솔라원은 중국에 800메가와트 규모의 잉곳·웨이퍼 생산라인, 1.5기가와트 규모의 셀 생산라인, 2기가와트의 모듈 생산라인을 갖추고 있다. 한화케미칼은 전남 여수에 1만 5천 톤 규모의 폴리실리콘 공장을 가동 중이다.[56)]

그림 42 한화큐셀 진천 셀 공장

57)

55) 참조 : 에너지경제신문 2015.12.18 <태양광시장 '가속도'… 70GW 시장 열린다>
56) 참조 : 한국경제신문 2014.10.30 <한화, 태양광 생산설비 잇단 신·증설>
57) 출처 : 야경e 2015.05.31. <한화, 충북 진천에 태양광 공장 건설..."3500억 투자, 1000명 고용창

한화큐셀이 보유한 전매특허 태양광셀 기술인 퀀텀(Q.ANTUM) 셀 기술은 셀 후면에 반사막을 삽입해 태양전지의 효율을 높이는 퍼크(PERC: Passivated Emitter and Rear Cell) 기술에 한화큐셀의 여러 기술력을 접목시켜 차별화에 성공한 바 있다. 특히 퀀텀 셀 기술은 출력저하 현상을 방지하는 Anti-PID·Anti-LID·Anti-LeTID 기능을 확보하고 있어 시장에서 좋은 반응을 얻고 있다.

이어 2019년 한화큐셀은 최근 기존의 다결정 라인을 모두 단결정 라인 전환할 것이며, 이에 따라 전 생산라인을 고효율 단결정 모듈라인으로 전환한다고 밝힌 바 있다. 또한 한화큐셀 은 한국에너지기술평가원이 주관한 '2020년 하반기 신재생에너지 연구·개발(R&D) 신규평가'에서 차세대 태양광 셀 기술인 '페로브스카이트·결정질 실리콘 태양광 셀(탠덤 셀)' 국책 과제 연구기관으로 선정되어 차세대 태양광 셀 개발에 본격적으로 나서고 있다. 한화큐셀은 이 사업을 통해 중국 태양광 업체들과의 기술격차를 확대하고 글로벌 고부가가치의 태양광 시장을 적극 공략한다는 전략이다.

이처럼 한화는 가격•기술 경쟁력을 확보하면서 국내 태양광 기업이 해외시장에서 두각을 나타내고 있으며, 고출력 프리미엄 태양광 모듈부터 주택용 에너지 저장 솔루션까지 폭넓은 제품 라인업을 통해 토털 에너지 솔루션 기업으로 입지를 굳히고 있다.

③ 에스에너지

에스에너지는 본래 삼성전자의 사내벤처로 2000년대 초반 출발했다. 태양광셀 모듈을 제작하는 에스에너지는 2000년대 후반의 태양광 활황 때 자본을 축척한 후 대규모 태양광 발전사업, 태양광 대여사업에 진출했다. 에스에너지는 GS에너지에서 가정용 연료전지 사업을 진행했던 인력을 흡수해 에스퓨얼셀이라는 회사를 설립하면서 연료전지 사업에도 진출했다. 에스에너지는 25년 설계수명이 끝난 폐태양광 발전소에서 나오는 미약한 전기로 물을 분해해 수소를 생산한 후, 이 수소를 연료전지에 공급해 또 다른 수익을 창출한다는 계획을 갖고 있다.

④ 신성이엔지[58]

출”>

58) 신성이엔지, 그린뉴딜 선도기업 발판 마련, 칸, 2020.06.12

신성솔라에너지는 본래 반도체 공장에 냉공조기를 납품하는 회사다. 1977년 반도체 생산설비에 설치되는 냉공조 장비 생산을 시작한 이 회사는 2007년부터 태양광 산업에 본격 뛰어들어, 2007년 태양광셀 생산, 2010년 태양광 모듈과 시스템 사업으로 외연을 확장했다. 이어 2016년 3사가 신성솔라에너지로 합병했고, 2017년 신성이엔지로 사명을 변경했으며, 2018년 신성에프에이가 분리되었다.

최근 2020년 6월에는 신성이엔지가 전라북도 김제시에 122억원의 신규 투자를 단행한다고 밝혔다. 신설될 김제공장은 현재 완공된 김제자유무역지역 표준공장의 일부를 임대해 운영하며 계약 및 장비 발주를 완료하고 올해 안 정상적으로 가동할 계획이다. 신성이엔지가 김제시에 고출력 태양광모듈을 생산할 수 있는 투자로 새만금 태양광 프로젝트와 한국판 그린뉴딜의 선도기업의 발판을 마련할 수 있게됐다.

⑤OCI

OCI는 동양제철화학이 모태인 기업으로 연산 5만2000톤 규모의 한국 1위, 세계 3위의 폴리실리콘 공장을 운영하고 있다. OCI는 2012년 태양광 발전사업에 진출하며 외연을 확장했다. 더불어 미국, 캐나다, 멕시코 등의 북미 지역에서도 태양광 발전 시장을 적극 개척해오고 있다. 또한 2015년에는 중국에서도 분산형 태양광발전 사업에 진출해 총 25mW를 건설했으며, 인도와 아프리카 지역에도 진출하고 있다.[59)]

업체	2017년		2018년		2019년		2020년 2분기		2020년 3분기	
	매출	영업이익	매출	영업이익	매출	영업이익	매출	영업이익	매출	영업이익
OCI	36,322	1,897	31,121	1,587	26,051	−1,806	4,016	−443	4,680	18.1
한화솔루션 태양광사업	24,663	143	25,216	−107	35,552	2,235	7,428	524	8,913	358
신성이엔지	2,172	−97	9,905	−52	4,511	97	1,262	34	1,386	35
에스에너지	3,046	60	2,311	76	2,169	14	769	32	480	−21

그림 40 국내 태양광기업 실적현황/ 한국수출입은행

이외에 폴리실리콘, 웨이퍼 등 태양광 업스트림 산업이 살아나고 있다. 웅진에너

59) 참조 : 에너지경제신문 2016.06.22 <대자본화, 규모화 걷는 태양광>

지, 넥솔론 등이 그 덕에 부활할 조짐이다. 미국을 중심으로 확대일로에 놓인 태양광발전 시장도 이들 기업을 돕는 우군이다. 즉, 미국을 중심으로 확대일로에 있는 글로벌 태양광발전 시장 덕분에 태양광셀·모듈의 수요가 폭증하면서 한국의 태양광 업스트림 기업들의 실적 개선이 지속될 전망이다. 60)

3) 글로벌 현황61)62)

태양광 발전 산업의 글로벌 시장현황을 살펴보자면, 태양광 발전은 각국 정부의 보조금, 세금 환급과 지속가능한 미래를 갈망하는 소비자들의 바람속에서 비약적인 성장을 거듭해왔음을 알 수 있다. 태양광 시장은 2004년 이후 독일을 중심으로 한 유럽에서 성장을 주도해 왔으며, 2018년을 기점으로 태양광 발전이 그리드패러티에 도달하면서 세계 태양광시장은 새로운 수요 시대에 진입한 것으로 평가받고 있다. 특히 2018년에는 2017년 대비 24% 증가한 94GW의 신규설비가 설치되어 모든 재생에너지원 중 1위를 차지하며 재생에너지 보급 확대를 주도하고 있다. 앞으로도 발전단가의 하락과 효과적인 정부정책에 힘입어 '24년에 누적 설비용량 1.2TW가 설치 될 것으로 전망되며, 중국이 전체 태양광 시장 성장의 40%이상을 차지할 것으로 예상된다.

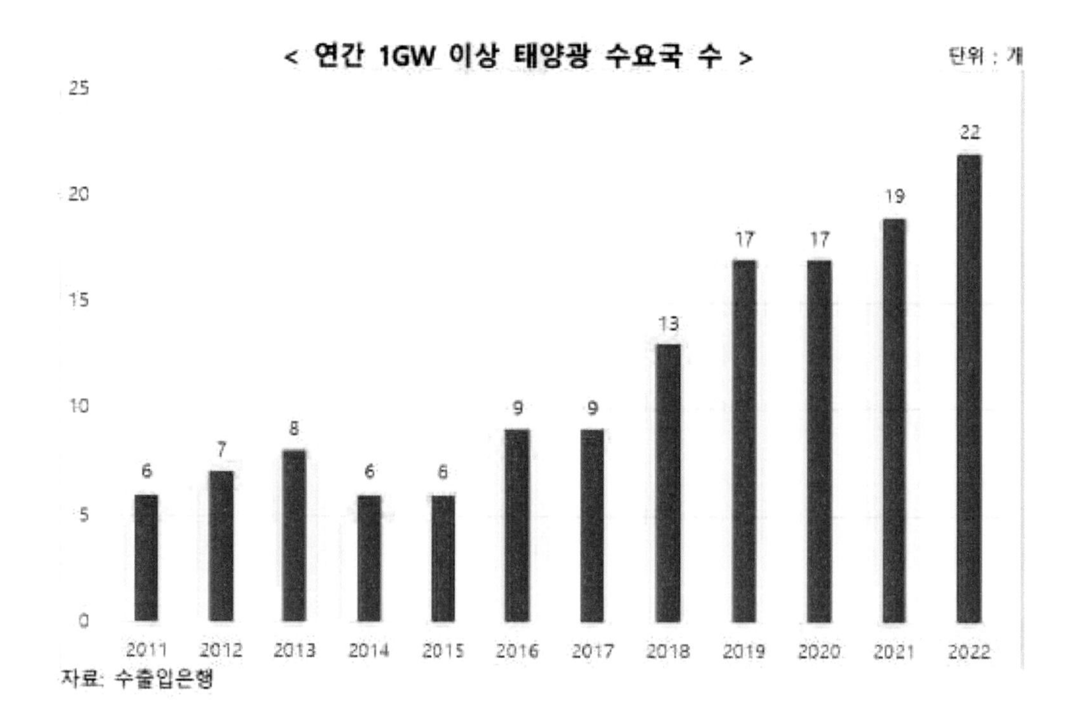

60) 참조 : 에너지경제신문 2016.07.28 <태양광 '업스트림' 다시 볕드나?>
61) 2020년 2분기 태양광산업 동향, 한국수출입은행 해외경제 연구소, 2020.09.24
62) 그린뉴딜-태양광산업 분석 (2020년 하반기), 한국수출입은행 해외경제 연구소, 2020.12.23

이러한 세계적 흐름은 최근 코로나19 사태로 인해 전 세계적으로 태양광 수요가 줄면서 시장 성장세가 잠시 주춤하는 모습을 보였다. 미국은 가스, 태양광, 풍력등 신재생 에너지를 주축으로 발전 사업을 개편 중이었지만 코로나19로 인해 발전 사업 개편에 제동이 걸렸으며, 중국의 태양광 설치량 또한 35GW로 전망치인 40GW보다 낮은 수치를 보였다. 또한 독일은 2019년 태양광 설치량이 4GW로 전년 대비 11% 증가한 모습을 보였지만, 2020년 1~2월 설치량은 700MW에 그치며 작년 설치량의 70%만 달성할 것으로 전망됐다.

이처럼 2020년 1분기 미국 및 유럽 경제봉쇄 조치에 따른 일시적 수요 쇼크가 있었으나, 2분기 이후 중국 및 미국을 중심으로 수요가 회복되면서 분위기가 반전되었다. 이에 따라 2020년 글로벌 태양광 설치량은 기존 예상 전망치 120GW에서 130GW로 상향되었다. 즉, 코로나19 사태에도 불구하고 글로벌 태양광시장은 성장세 지속하고 있으며, 2022년 200GW 수준으로 증가할 전망이다.

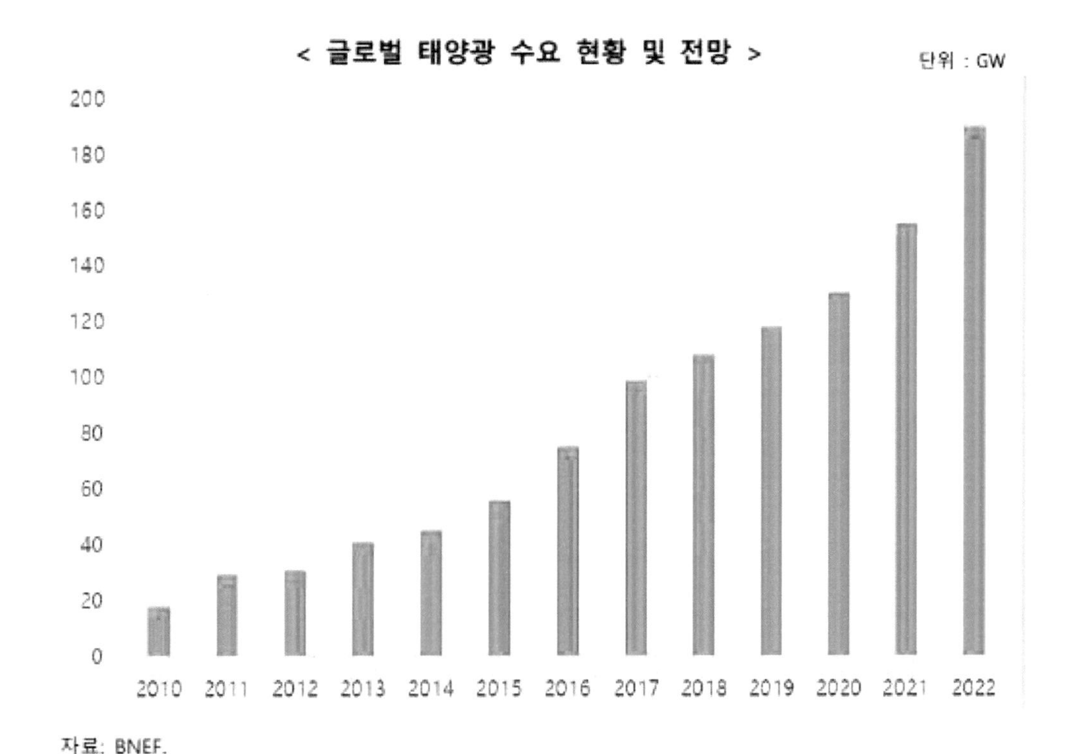

자료: BNEF.

가) 미국[63)]

63) 미국 에너지 정책 전망, kotra해외시장뉴스, 2020.12.16

미국 태양광시장은 중국과 함께 세계 태양광 시장의 성장을 이끌고 있는 양대 축 중 하나이다. 2016년 누적설치 규모는 40.3GW였으며, 2018년에는 미국의 신규 발전 설비 용량 중 태양광이 처음으로 2016년 천연가스와 풍력을 제치고 가장 높은 비중을 차지하였다. 미국의 태양광 기술 수준은 세계 최고로 평가되며, 2010년~2016년 동안 태양광 기술 특허를 최다 출원하여 세계 태양광 기술 발전에 기여하고 있다.

이처럼 미국의 태양광 시장이 성장할 수 있었던 주요요인으로 기술발전(태양광 변환효율의향상)에 따른 발전단가 하락뿐 아니라 정부의 적극적인 정책지원과 선진화된 금융시장의 역할을 들 수 있다. 특히 투자세액공제 등 세제지원정책은 구글, 아마존과 같은 IT기업들이 태양광 프로젝트에 활발히 참여할 수 있는 토대가 되었으며, 그린 ABS 발행, On-Bill-Financing은 소규모 분산형 태양광 발전이 확대될 수 있도록 하였다. 또한 온라인 플랫폼을 활용한 크라우드 펀딩은 다양한 투자자들의 참여를 유도함으로써 태양광 프로젝트의 자금 조달을 용이하게 하고 있다.

한편, 미국은 트럼프 前대통령은 취임과 동시에 “미국 최우선 에너지계획(America FirstEnergy Plan)” 등을 바탕으로 자국 위주의 에너지 및 환경 정책 추진해왔다. 특히 2018년 트럼프 정부 당시, 승인한 태양광 셀과 모듈에 대한 세이프가드조치는 미국내 태양광 건설비용 증가, 수요 위축, 일자리 감소를 유발하여 미국태양광 시장의 성장을 저해하기도 했다.

그러나 미국은 2021년 바이든 당선인이 집권하게 되면서 특히 에너지 부문의 큰 변화가 예상된다. 바이든은 대규모 친환경 에너지 및 기후 변화 대응 인프라 투자 프로젝트를 계획을 밝힌 바 있어 재생에너지 산업의 성장이 크게 기대되고 있다. 또한 재생에너지 가격 하락 및 효율 상승으로 인해 전 세계적인 흐름인 재생에너지로의 전환이 가속될 것으로 보인다. 즉, 화석 에너지를 강하게 지원하던 트럼프 대통령과는 반대되는 친환경 에너지 부문 성장을 지원할 전망이다. 저탄소 또는 넷 제로(Net zero) 에너지 생산, 녹색 산업 제조 및 기후 친화적인 규제를 강조하는 녹색 성장(Green Growth) 의제를 통과시키는 것을 목표로 하므로, 재생에너지 기업들에는 큰 성장 동력이 될 것이다. 또한 정부의 풍부한 연구 보조금과 관세 혜택이 기대된다.

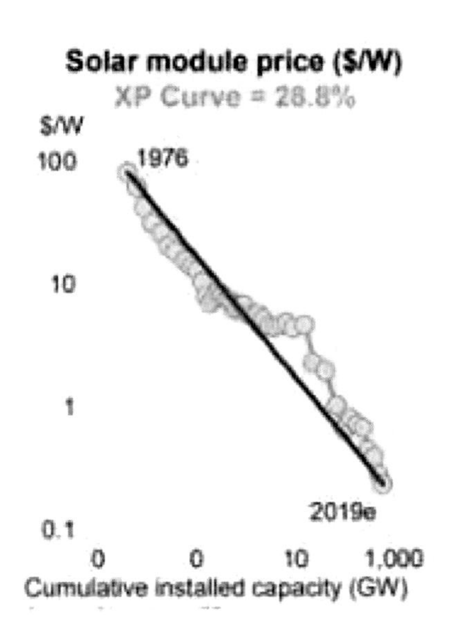

그림 43 태양에너지 모듈 가격 동향
/ BloombergNEF(2020.11.)

재생에너지 기술의 가격 하락은 전력 및 운송 부문의 탈탄소화를 위한 핵심 요소이다. 태양광 모듈등 관련 제품은 기술 발전과 함께 가격 하락이 진행 중이고 이와 함께 효율성은 증가하고 있다. 태양광 단결정 모듈의 경우 2012년 말 15.8%였던 효율이 2019년 말에는 19.3%로 증가했다. 현재 미국 내 가장 저렴한 에너지 발전은 풍력과 태양광 발전으로, 2019년 미국 재생에너지 투자 중 풍력과 태양발전이 99%를 차지했다. 2020년 미국 풍력, 태양광 발전 관련 투자는 약 550억 달러로 신규 발전량 중 풍력이 44%, 태양광이 32% 점유로 예상되며 지속적인 투자로 인해 2050년 풍력과 태양광 발전은 미국 전체 발전량의 약 63%를 차지할 것으로 보인다. 전 세계적으로는 중요도가 높아져 2050년 풍력과 태양광은 발전량의 56%를 차지할 것이며, 이에 반해 화석 연료는 발전량의 24%를 차지하며 중요성이 크게 감소할 전망이다. 지난 10년간 미국 내 석탄 사용은 감소하고 재생에너지 및 천연가스 사용이 증가했다. 향후 10년은 풍력, 태양광 및 천연가스의 중요성이 증가할 것으로 보이고 2041년에는 재생에너지가 천연가스를 추월해 주요 발전원으로 부상할 전망이다. 한국, 일본, 독일, 영국, 프랑스 등 많은 국가들이 탄소 순배출 제로(0)를 목표로 하고 있는 가운데 바이든 당선인도 2050년까지 탄소 순배출 제로 달성을 공약으로 내세운 바 있어 재생에너지 관련 정책 변화는 에너지 산업에 큰 영향을 미칠 것이다.

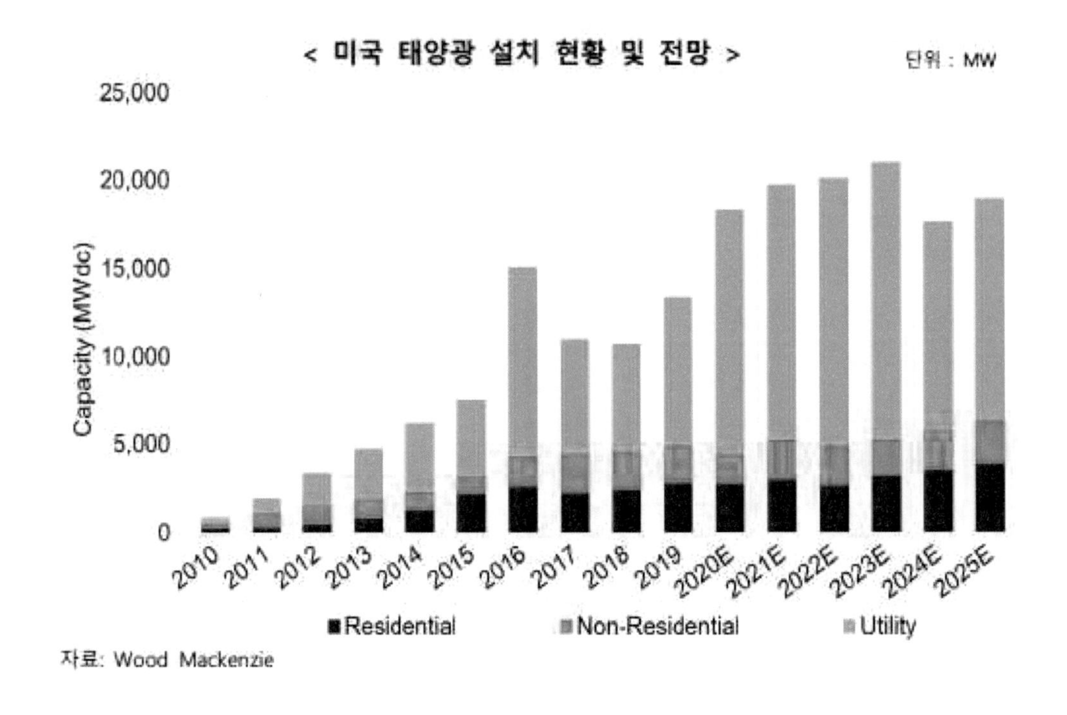

자료: Wood Mackenzie

또한, 코로나19의 경제에 미치는 불확실성으로 인해 미국 태양광 설치량은 전년대비 20% 이상 감소한 10GW를 기록할 것으로 예상됐으나, 일부 가정용 수요를 제외한 대형 태양광 수요 등은 양호한 성장세를 지속 중이다. 대형 태양광 프로젝트 건설은 코로나19 영향을 거의 받고 있지 않으며, 시중의 풍부한 유동성은 조달금리를 낮춰 대형 프로젝트에 대한 자산가치를 높여 시장 수요가 풍부한 상황이다. 2023년 투자세액공제 일몰 전 건설물량이 62.2GW에 달해 미국 태양광시장의 성장세는 2023년까지 지속될 전망으로, 중·장기적인 관점에서 미국 태양광 시장은 그 잠재력으로 인해 지속적인 성장세를 이어가며 세계태양광 시장에서 중요한 역할을 할 것으로 보인다.

나) 중국[64][65][66][67]

중국의 태양광 발전 산업은 시작시점은 빠르지 않지만, 빠른 속도로 발전하고 있으며, 특히 2013년 이래로 중국 중앙정부 및 지방정부의 적극적인 지원책에 힘입어 태양광 산업은 중국에서 폭발적인 성장을 보이고 있다. 중국 태양광 산업은 2013~2017년에 고성장을 거쳐 2018년에는 업계 슬럼프를 겪었고 정책 영향으로 중국의 시장

64) 중국 태양광 발전산업 동향, kotra해외시장뉴스, 2020.05.28
65) 2020년 2분기 태양광산업 동향, 한국수출입은행 해외경제연구소, 2020.09.24
66) [14.5 규획 시리즈 ①] 향후 5년 중국경제 밑그림, 14.5 규획 전망, kotra해외시장뉴스, 2020.10.20
67) [2021 태양광 시장전망] 코로나19 이겨낸 '태양광'… 2021년 신규 설치 5GW 시대 개막도 예상돼, 인더스트리뉴스, 2021.01.04

및 제품 가격이 빠른 속도로 하락하면서 기업의 수익은 지속적으로 낮아지고 있다.

중국 국가 에너지국(国家能源局) 통계에 따르면, 2017년 중국 태양광 신규 설비용량은 53.06기가와트로 사상 최고치를 기록하였다. 2018년에 신정책의 영향으로 태양광 발전 신규 사업의 수량이 줄어들면서 연간 신규 설비용량은 44.26기가와트로 전년 대비 16.6% 줄었으며, 2019년 중국의 태양광 발전 신규 설비 용량은 30.11기가와트로 전년 대비 31.6% 하락했다. 또한 중국 국가 에너지국(国家能源局) 통계에 따르면 2013년 이후 중국의 태양광 발전 누계 설비 용량은 빠르게 증가했다. 2013년에 중국의 태양광 발전 누계 설비 용량은 19.42기가와트에 불과했으나 2019년에 207.12기가와트로 크게 늘었으며, 2013-2019년간에 태양광 발전의 누적 설비 용량은 10배 이상 증가하였다. 국제 재생 에너지 기구 통계에 따르면 2019년 전 세계 태양광 설비 용량은 586.4기가와트를 기록했다. 그 중 아시아 비중은 56.2%로 가장 컸으며, 아시아 지역 누계 설비 용량은 330.1기가와트에 달했다. 아시아 지역 중 중국의 누계 설비 용량은 207.12기가와트로 1위를 차지했으며, 뒤이어 일본 61.8기가와트, 인도 34.8기가와트, 한국 10.5기가와트이 각각 2-4위를 차지했다.

2013-2019년 중국의 태양광 발전 누계 설비 용량

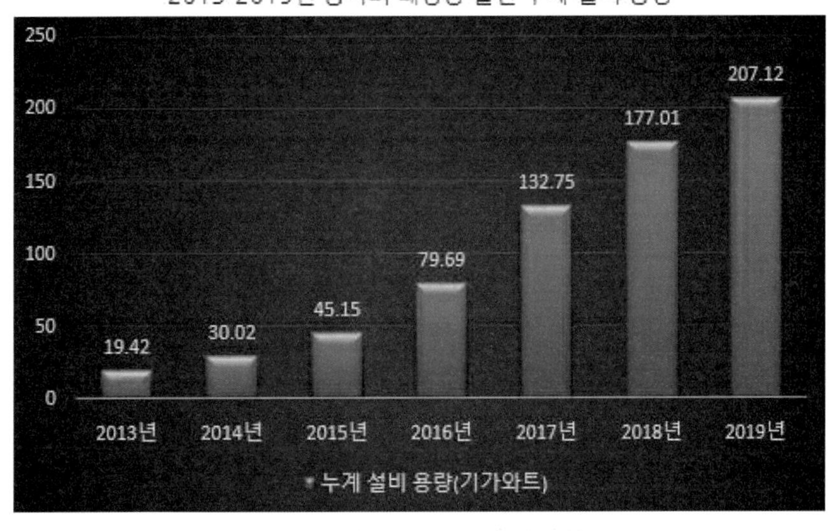

자료:중국 국가 에너지국(国家能源局)

또한, 중국은 예상보다 빠른 코로나19 상황 개선으로 태양광 발전소 건설 차질이 적은 상황이다. 2020년 중국 태양광 설치량은 보급정책 및 경기부양 지원으로 예상치 대비 좋은 성적을 보였으며, 2021년 중국 설치량도 전년에 이어 수요 증가세가 지속될 것으로 예상되어, 글로벌 태양광 시장을 주도하고 있는 중국의 2021년 시장 전망은 밝다. 특히 지난 2020년 12월, 파리협약 5주년을 맞아 개최된 UN 기후목표 정상회의에서 시진핑 중국 국가주석은 2030년까지 탄소배출량을 2005년 대비 60~65%

줄이기로 한 것에서 목표를 상향해 65% 이상 저감할 계획이라고 발표했다. 시진핑 주석이 태양광과 풍력 발전의 누적 발전 설비 용량을 1,200GW 이상으로 끌어올리겠다고 해 중국 내수 태양광 산업이 주목되고 있으며, 지난해 중국 누적 태양광발전 설비 용량이 240GW에 달하는 등 상향 산업 중 하나로 인정받고 있다. 또한, 중국 내 태양광발전 설비 용량이 풍력을 넘어설 것으로 예상돼 중국의 주요 에너지원 역할을 할 것으로 예상된다.

< 중국 태양광 설치 현황 및 전망 >

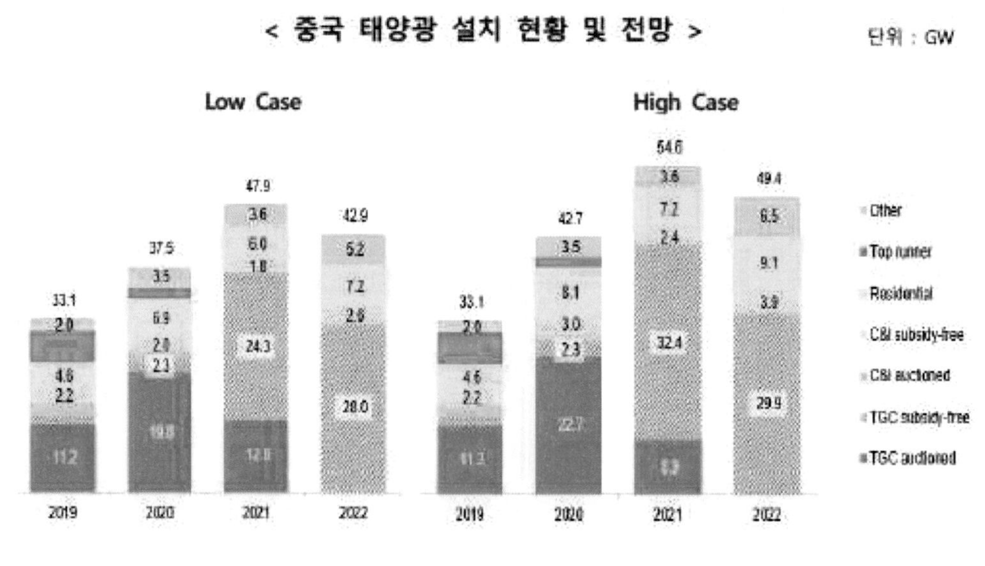

자료: BNEF

특히, 론지솔라, 진코솔라 등 중국의 태양광 기업들이 글로벌 시장에서 독주 체재로 선전하면서 규모의 경제를 달성한 상위 기업들의 매출 및 수익성 강화가 두드러지고 있다. 중국은 세계 최대 내수시장을 갖춘 이점과 발전차액지원제도 등 정부 지원을 근간으로 급성장했으며, 현재 보조금 지원이 없는 순수 경쟁시장으로 재편되고 있어 태양광 기업들의 경쟁력은 더욱 강화될 것으로 보인다. 다만 수익을 높이고 있는 상위 기업과는 달리 규모의 경제에서 밀려난 하위 기업들의 매출이 감소해 기업 간 격차가 커지고 있는 상황이다. 구조조정을 거치면서 생존한 기업들의 승자독식으로 이어지고 있어 풀어야할 숙제로 떠오르고 있다.

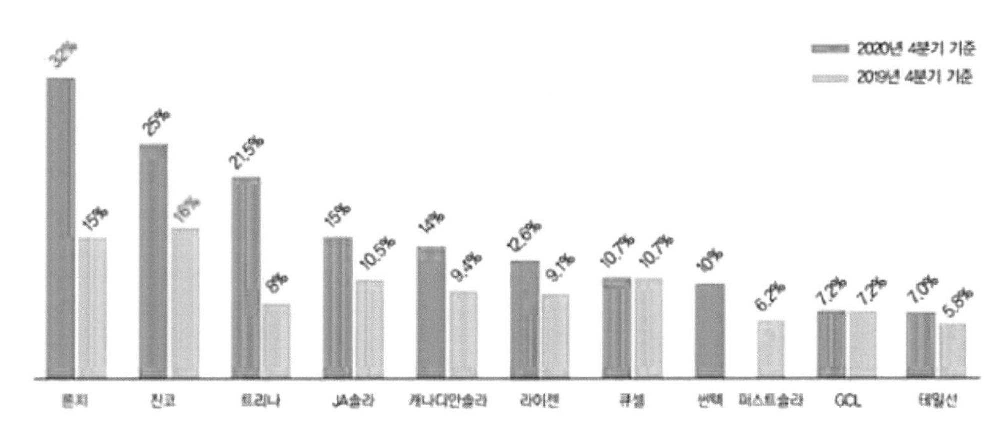

그림 47 2019년 및 2020년 4분기 기준 태양광 모듈 주요 기업 생산용량 현황 / BNEF

태양광산업과 관련한 중국 정부의 정책들을 살펴보자면, 앞서 2018년 중국 정부는 자국 내 태양광 발전 과열을 식히기 위해 지원축소 정책을 발표한 바 있다. 중국 태양광 발전은 보조금 지원정책 등으로 빠른 성장세를 보여왔으나, 이에 따른 부작용으로 재원부담 심화, 계통 인프라 부족 등의 문제가 발생했기 때문이다. 우드맥킨지에 따르면, 중국의 2017년 재생에너지 발전 보조금 부족액은 1,00억 위안에 달하는 것으로 나타났다. 이에 중국정부는 2017년 태양광 설치를 이끌었던 분산형 발전에 대해 설치 상한선을 두었으며, 2017년 12월에 이어 5개월 만에 보조금을 추가적으로 인하하였다. 그 결과 중국 태양광 설치는 2017년 53GW에서 2018년 대폭 줄어들 들었다.

또한 2020년까지 중국은 "제13차 5개년 계획('16~'20년)"과 "에너지발전 13.5 계획"을 실행하였다. 이는 '20년까지 에너지 소비총량을 50억tce 이내로, 석탄 소비 비중 58%로 통제하여, '15년대비 단위 GDP당 에너지 사용량 15% 절감 등을 목표로 한 계획이다. 중국의 주요 에너지 정책들은 다음과 같다.

〈중국의 주요 에너지 정책〉

구 분	에너지절약 행동계획('14.9)	국민경제와 사회발전 13.5 계획('16.3)	에너지발전 13.5 계획('17.1)
주요내용	- 석탄소비 감축, 에너지소비의 석탄 의존도 축소, 온실가스 배출 감축을 '3대 감축' 목표로 설정	- '16~'20년 에너지정책 기조로서 에너지믹스 최적화, 에너지이용 효율제고, 청정·저탄소 에너지 체계 구축 등 설정	- '20년까지 에너지수요를 50억 tce* 이내로 제한 - 청정에너지와 천연가스 공급 촉진

※ 출처 : 중국 에너지믹스 개편과 석탄의존도 감축정책(에너지경제연구원)

* tce(ton of coal equivalent) : 표준석탄 환산톤, 석탄 1톤당 열량가(7×106 kcal)로 규정

앞으로 실행될 14.5계획은 2021년부터 2025년까지 향후 5년의 중국 경제사회 발전 목표와 방향이 제시되는 것으로, 대외환경(코로나로 인한 국제질서 변화, 역글로벌화 추세속 글로벌 디커플링, 세계경제의 디플레, 저금리, 고부채, 고위험심화)과 대내환경(질적 성장을 이루며 전환 중인 경제구조, 저출산, 고령화 등으로 노동인구 급감, 소비층과 변화진행 등)을 고려하여 9가지 방향으로 요약된다.

특히 녹색성장과 관련해서는, 지난 2020년 9월 UN 총회에서 시진핑 주석은 "2030년까지 탄소 배출량 정점을 찍고 2060년까지 탄소중립을 실현"하겠다고 선언한 바 있다. 이를 바탕으로 보았을 때, 중국정부는 앞으로도 '아름다운 중국' 기조 하에 저탄소, 순환발전 전략을 중요시 할것으로 예상된다. 또한 이를 위해 신에너지 사용 비중 증대를 위한 인프라 구축을 더욱 확대할 것으로 보인다. 14.5계획기간은 중국이 2060년전에 탄소중립을 실현하기 위해 노력할 것이라는 목표를 제출한 첫번째 5년인만큼, 중국의 에너지발전의 중요한 역사적 전환기이며 에너지시스템의 안전하고 고효능 청정 저탄소에로의 전환에 있어서 중대한 진척을 거둘 것으로 전망된다. 특히 태양광 발전 시스템은 전력 인프라에 대한 투자비용 절감이 가능하므로 태양광 산업도 향후 발전이 가속화 될 것이라고 예측된다.

다) 일본 68)69)70)71)

일본은 후쿠시마 원전사고가 발생한 2011년 이후, 원전 가동을 전면 중단하면서 에너지공급 불안정성이 심화됐다. 이와 함께 화석연료 소비증가에 증면하는 상황이 전개되면서 에너지 안정공급 대안으로 신재생에너지 보급과 확대가 추진돼 왔으며, 특히 태양광발전이 크게 증가했다. 일본은 후쿠시마 사고 이후 화석연료 의존도를 낮추고 재생에너지 도입을 촉진하기 위해 2012년부터 고정우대가격제도(FIT : Feed-in-Tariffs)를 실시했다. 일본은 FIT 제도 시행 이후 급속도로 재생에너지가 보급, 확산되는 결과를 얻게 되었으며, 특히, 태양광발전이 대폭 확산됐다. 실제로 이 제도의 시행 이후, 일본의 신재생 설비·발전량는 태양광 중심으로 급증해 2018년 78GW에 달했는데, 대부분이 태양광에 의한 설비·발전량이었다.

---

68) 일본, FIT 지원 제도 종료…2021년부터 새 정책 도입 예정, 인더스트리뉴스, 2019.08.20
69) 일본 태양광 시장, 전력 소비 다변화 구조로 변화 모색, 인더스트리뉴스, 2020.02.05
70) KEMRI 전력정제 REVIEW, 한전경영연구원, 2020.08.03
71) '2050년 탄소중립' 선언한 일본, 재생에너지 및 전기차 도입 확대, 솔라투데이, 2020.11.15

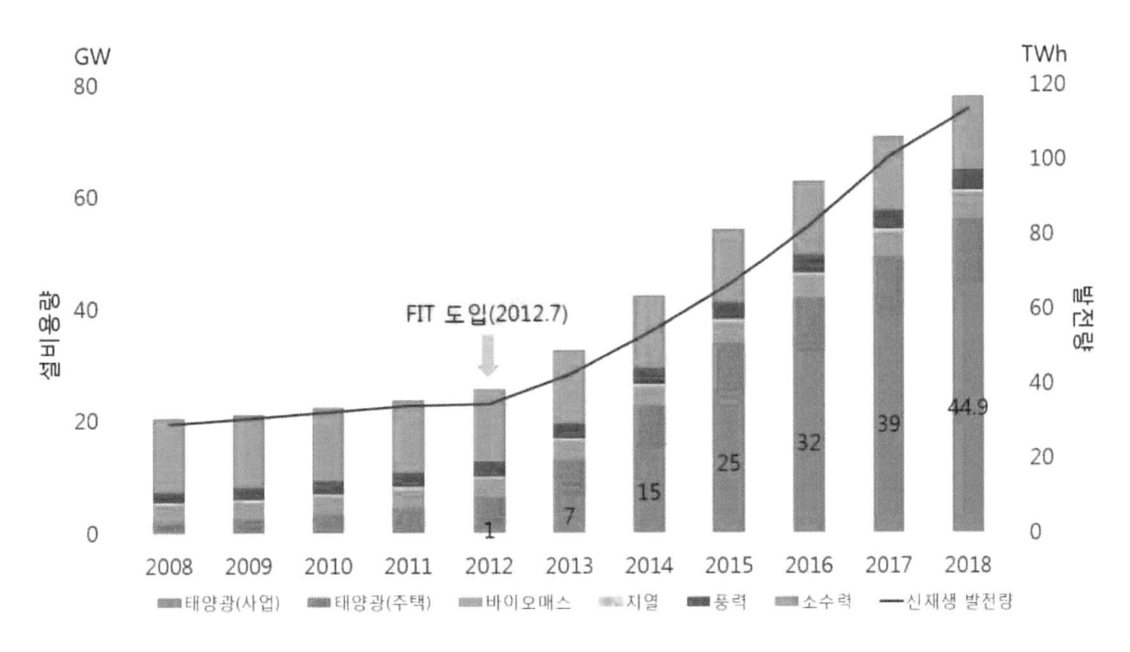

그림 49 출처: 블룸버그

이어 2019년 9월 태양광의 누적 설비용량은 51.7GW이였으며, 2020년에는 정부의 2030년 도입 전망치 64GW를 넘고, 2030년에는 92GW까지 증가할 전망이다.

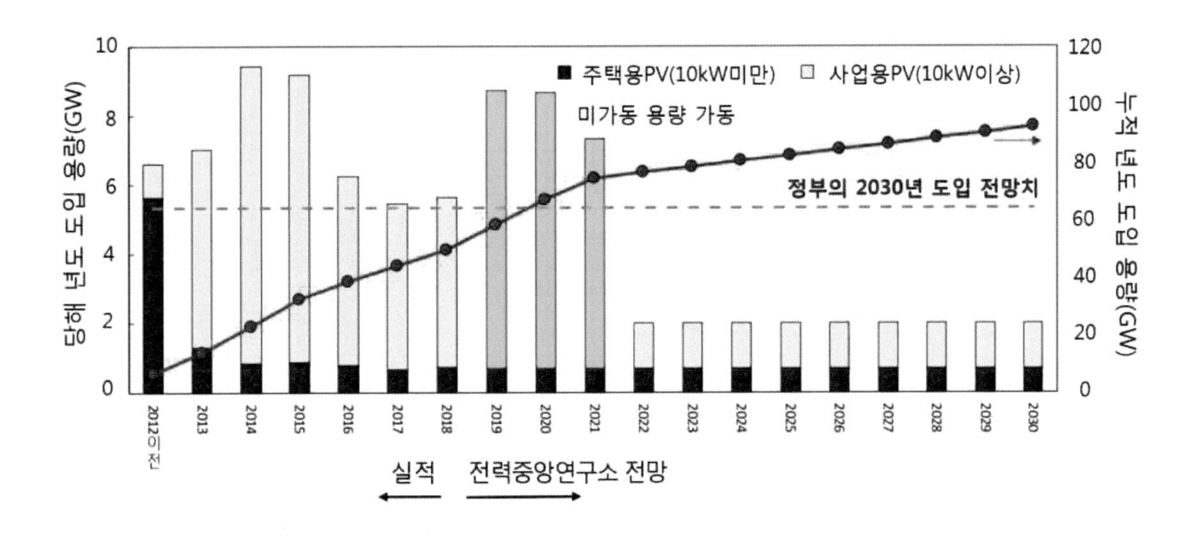

그러나 일본 정부의 신재생에너지 지원책이었던 FIT 지원제도는 종말 단계에 접어든 것으로 보인다. 일본 정부가 태양광 및 풍력발전이 이제는 경쟁력을 갖췄다고 판단했기 때문이다. 이에 일본은 2022년 4월부터 태양광, 풍력에 지원 중인 FIT를 FIP로 변경할 것으로 결정해 2020년 6월 법안을 통과시켰다. 즉, 일본 경제산업성은 재생에너지 보급을 확대하는 동시에 가정·기업의 전기요금 부담을 줄이기 위해 10kW

이상의 대규모 태양광·풍력발전을 대상으로 하여, FIT 제도를 전력 시장가격에 일정 수준의 보조금을 가산해 지급하는 FIP(Feed-in Premium) 제도로 대체할 계획인 것이다. FIP는 태양광발전 등 신재생에너지발전사업자가 시장가격에 매전하는 경우 할증(프리미엄 가격)으로 보조금을 가산하는 방식을 의미한다. FIP 제도의 경우, 시장가격에 연동된 참조가격(Reference Price)과 시장가격 보다 다소 높게 설정한 FIP 가격과의 차이(프리미엄)만큼을 정부보조금 형태로 지급해 전력판매수입이 가변적이다. 보조금의 재원은 FIT 제도와 마찬가지로 가정·기업의 전기요금에 부가해 회수한다는 계획이다.

FIP의 장점은 시장가격을 실시간으로 반영한 참조가격을 적용하는 경우에는 보조금액이 수시로 변경돼 일정하고 안정된 수입을 얻을 수 있다는 것이다. 이미 이탈리아, 독일 등에서 도입돼 운영 중이지만, 시장가격 변동을 고려한 재생에너지발전사업자들이 비용 절감 등의 대응을 유도하기 어렵다는 단점이 있다. 프리미엄 고정형 FIP 제도는 시장가격의 변동을 고려하지 않고 고정된 프리미엄을 제공하기 때문에 시장가격 변동에 따라 전력판매수입도 가변적이기 때문이다. 이에 앞서 경제산업성은 전원별 특성을 고려해 재생에너지를 경쟁력을 갖춰 향후 성장세가 예상되는 전원(경쟁전원)과 지역에서의 활용 가능성이 높은 전원(지역전원)으로 구분하는 방안에 관한 연구의 중간보고서를 발표한 바 있다.

한편, 적은 발전량과 10kW 미만의 소규모 태양광발전, 바이오매스발전, 지열발전 및 수력발전은 기존 FIT 제도를 유지한다는 계획이다. 이에 10kW 미만 태양광발전의 경우 향후 발전한 전력을 판매하는 것보다 자가소비를 하는 것이 더욱 경제적이 될 것으로 전망된다.

특히, 새 수장을 맞이한 일본 정부는 향후 적극적인 탄소중립 행보가 이어질 것으로 예상되는데, 제99대 일본 총리로 취임한 스가 요시히데 총리는 지난 2020년 10월 제203회 임시국회에서 2050년까지 탄소중립을 달성하겠다는 목표를 표명한 바 있기 때문이다. 과거 일본 정부는 2030년까지 2013년 대비 26% 감축, 2050년까지 온실가스 배출량을 80% 감축하고, 2050년경 탈탄소화 사회가 되기 위한 노력 등 자체 목표를 세운 바 있다. 하지만 탄소중립 달성을 목표로 하는 구체적인 시기를 명시하지 않아 비판받아왔다. 이에 비해 스가 총리는 소신표명연설을 통해 기존의 소극적인 모습이 아닌, 탄소중립을 위해 적극적인 에너지전환 정책을 펼치겠다는 입장이다. '적극적인 에너지효율, 재생에너지 최대한 도입, 안전을 최우선으로 한 원자력 정책을 진행해 안정적인 에너지 공급 확립'을 강조하며, '오랜 기간 유지해왔던 석탄화력발전 정책을 근본적으로 전환할 것'이라고 언급했다.

2021년 일본 에너지기본계획을 살펴보면, 일본의 전력수요는 2030년까지 원자력발전 20~22%, 태양광·풍력 등 재생에너지 22~24%, 석탄·액화천연가스 등 화력발전 56%로 명시돼있다. 세계가 기후위기 대응에 적극적인 움직임을 보이는데 반해, 높은 화력발전 의존도를 보여 온 것이다. 이에 일본 정부의 적극적인 에너지전환을 요구하는 주장이 증가했고, 신임 스가 총리는 유럽연합(EU) 목표와 같은 시기인 2050년까지 탄소중립 달성 목표를 발표하며 적극적인 기후위기 대응 의지를 드러냈다. 스가 정부는 온난화 대책을 경제성장 전략 중 하나로 보고, 기존 온실가스 배출량 감축 목표 기준을 높이면서 산업구조를 전환시켜 탈탄소사회를 조기에 실현할 계획을 밝혔다. 이를 위해 필요한 차세대 태양전지, 탄소재활용(Carbon Recycle) 등 기술의 실용화 연구개발을 촉진하겠다는 계획도 밝혔다.

라) 글로벌 주요 기업현황 [72][73]

태양광 산업 밸류체인은 폴리실리콘 → 잉곳·웨이퍼 → 태양전지 → 모듈로 구분할 수 있으며, 폴리실리콘 및 잉곳·웨이퍼는 태양광산업의 소재부분에 해당한다. 아래 그림에서 확인할 수 있듯, 현재 중국은 모든 단계에서 우세한 점유율을 차지하고 있다.

72) 2020 KEA 에너지 편람, 한국에너지공단, 2020
73) [태양광모듈] 세계 출하량 / 재무건전성 순위 상위 10대기업, 블로거_태양광가이드, 2020.05.11

2019년 4분기 기준 태양광산업 밸류체인 동향

	폴리실리콘	Ingot & Wafer	Cell	Module	Distribution & Installation
시장크기	6조원	15조원	22조원	35조원	120조원
설비용량(GW)	193	213	198	265	-
공급과잉률	140%	170%	160%	200%	-
2019년 기업 수	19	77	112	226	다수의 회사
2018년 기업수	32	125	138	256	-
중국점유율	64%	92%	85%	80%	-

그림 51 2019 세계 태양광산업 밸류체인 동향/ 한국수출입은행

중국 업체들의 중저가 고효율 태양전지 시장진출로 향후 고효율 태양전지 시장은 중국 업체 중심으로 이뤄질 것으로 예측되고 있다. 또한 글로벌 모듈시장에서 역시 중국기업들이 독점적 지위를 가지고 있는데, 실제로 한국수출입은행에서 발표한 2020년 태양광산업 분석 하반기 보고서에 따르면, 중국은 현재 글로벌 모듈 공급의 80% 이상을 공급하고 있는 것으로 나타났다.

2019 세계시장 태양광모듈 (단면/양면) 모듈 제조사별 출하량 순위						
순위	제조사	2017 출하량	2018 출하량	2019 출하량	성장률	제조국
1위	Jinko Solar	9.7GW	11.4GW	14.2GW	+ 25%	China
2위	JA Solar	7.5GW	8.8GW	10.3GW	+ 17%	China
3위	Trina Solar	9.1GW	8.1GW	9.7GW	+ 20%	China
4위	LONGI Solar(Lerri)	4.4GW	7.2GW	9.0GW	+ 25%	China
5위	Canadian Solar	6.9GW	7.1GW	8.5GW	+ 20%	Canada
6위	Hanwha Q CELLS	5.4GW	5.5GW	7.3GW	+ 33%	South Korea
7위	Risen Energy	2.5GW	4.8GW	7.0GW	+ 46%	China
8위	First Solar	2.6GW	2.7GW	5.5GW	+ 104%	USA
9위	GCL	4.6GW	4.1GW	4.8GW	+ 17%	Hong Kong
10위	Shunfeng Photovoltaic	2.5GW	3.3GW	4.0GW	+ 21%	China

(출처 : Globaldata, Power Intelligence Center , 다른 통계데이터에서도 1위-7위의 순위는 동일하며, 8위에서 10위는 Suntech,Astronergy,Talesun 등의 차이가 있을 수 있음)

2020년 1월 발표된 PV컨설팅 회사 PV infolink 세계시장 태양광 모듈 출하량 순위 데이터에서도, First Solar (미국)를 제외하고는 상위 대부분의 업체가 중국회사였으며, 대부분의 회사가 패널의 일부 또는 전부를 중국에서 제조하거나 수입하고 있는 상황이다. 이에 글로벌 태양광수요가 증가함에 따라 중국산 제품에 대한 과다 의존현상도 우려되고 있다.

나. 풍력산업 시장분석

1) 시장현황[74)75)76)77)]

세계 풍력발전 누적 설치용량은 2007년 94GW에서 2012년 283GW, 이어 2017년에는 540GW와 2019년 651GW를 기록하며 지속적인 성장세를 보여왔다. 2019년은 전 세계에 2018년 대비 19% 성장한 60GW 이상의 풍력발전이 새로 설치된 것으로, 육상풍력 시장의 신규 설치는 54.2GW에 달했으며 해상풍력 시장은 6GW를 넘었다. 2020년은 코로나19의 영향이 있었지만, 그럼에도 풍력발전은 향후 5년간 미국과 중국의 주도로 계속해서 크게 성장할 것이라는 전망이 나왔다. 세계풍력에너지협의회(GWEC : Global Wind Energy Council)가 발표한 최신 시장 전망에 따르면, 2020년 전 세계 풍력발전 설비 신규 설치용량은 71.3GW(육상 64.8GW, 해상 6.5GW)로 추정됐다. 이는 코로나19 이전 예측 설치량(76.1GW)과 비슷한 수준으로, 당초 코로나19로 신규 풍력발전 설비 설치량이 감소할 것이라는 전망을 뒤엎은 것이다. GWEC는 코로나19 영향으로 석유, 석탄, 가스 등 타 연료들의 가격 변동성이 커지고 수요가 큰 타격을 입고 있는 상황에서도 풍력 산업은 지속해서 성장할 수 있는 여력이 있고, 경제 회복에도 기여할 수 있다는 것을 보여준다고 분석했으며, 이와 같은 전 세계 풍력발전 증가세는 2024년까지 이어질 전망이다. 실제로 GWEC에 따르면, 2020-2024 동안 세계 풍력발전 시장은 연평균 4% 성장할 것으로 전망하였다. 이는 355GW이상의 신규용량이 추가되는 것으로 2024년까지 매년 71GW가 새로 설치되는 것을 의미한다.

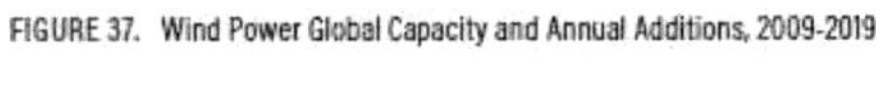

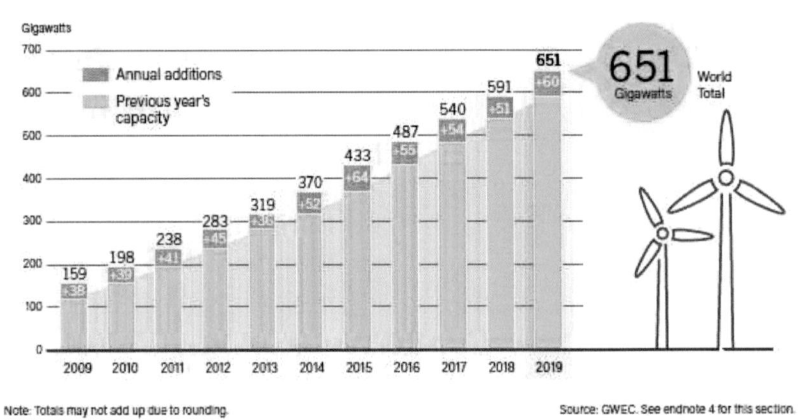

그림53 세계 풍력발전 신규 및 누적 설치용량 / Renewables 2020 global status report

---

74) 코로나에도 전 세계 풍력발전 강세…2024년 1천GW 돌파 전망, 매일경제, 2020.12.13
75) 「GWEC 2019 풍력발전 보고서」 요약본, 한국에너지정보문화재단, 2020
76) 중국 해상풍력의 발전과 미래, CSF중국전문가포럼, 2020.09.28
77) 한국에너지공단 신재생에너지센터 홈페이지

GWEC은 2020년부터 2024년까지 5년간 총 348GW 규모의 신규 풍력 설비가 설치될 것으로 전망했다. 이에 따라 2024년 전 세계 풍력발전 설비용량이 1천GW에 달할 것으로 관측되는데, 이는 2019년 전 세계 풍력발전 설비용량이 650GW임을 감안한다면 불과 5년 만에 50% 이상 증가한다는 것을 의미한다.

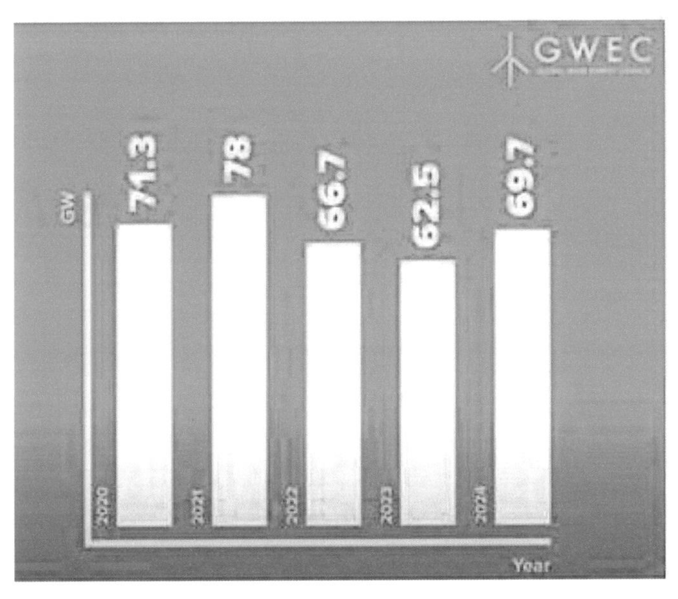

그림 54 2020-2024 예상 신규 풍력발전 설치용량 / GWEC

육상			해상		
No	국가	용량(GW)	No	국가	용량(GW)
1	중국	229.6	1	영국	9.7
2	미국	105.4	2	독일	7.5
3	독일	53.9	3	중국	6.8
4	인도	37.5	4	덴마크	1.7
5	프랑스	16.6	5	멜기에	1.5
6	브라질	15.5	6	네덜란드	1.1
7	영국	13.6	7	대한민국	0.1(73MW)
19	대한민국	1.4	8	미국	0.0(30MW)
합계		621.4	합계		29.1

표 19 2019년 주요 국가별 누적 설치용량/ Global Wind Report 2019, GWEC, 한국에너지공단 신재생에너지센터

특히 풍력발전 시장에서는 미국과 중국이 강세를 보이고 있다. 실제로 이 두 국가가 향후 풍력산업의 성장을 주도할 것이라는 분석도 나왔으며, 2024년까지 설치 예정인 신규 육상 풍력발전의 50% 이상이 풍력 발전에 보조금을 지급하는 중국과 미국에 설치된다. 특히 해상풍력은 중국의 주도하에, 2020년 세계적으로 약 6.5GW 증가했으며, 앞으로도 중국의 우세는 지속될 듯 보인다. 실제로 2019년 12월 나온 국제에너지기구(IEA) '해상풍력 발전 보고서'는 중국이 2025년에 세계 최대 규모의 해상풍력발전 용량을 갖추고, 향후 20년간 약 25배 성장할 것으로 전망한 바 있다. 또한 미국의 경우도 2019년 풍력 발전량이 사상 처음으로 수력 발전량을 제치며 재생에너지 발전원 1위에 등극하기도 했다. 이런 추세에 힘입어 EIA는 미국 내 풍력발전 비중이 2019년 전체 대비 7.4%에서 2020년과 올해에는 각각 8.8%, 10.3%로 늘어날 것으로 전망했다.

지역별과 나라별로 살펴보자면, 아시아태평양 지역이 2019년 신규 설치의 50.7%를 차지하며 세계 풍력발전을 계속해서 이끌고 있다. 이어 유럽(25.5%), 북미(16.1%), 라틴 아메리카(6.1%), 아프리카·중동(1.6%)이 차례로 뒤따르고 있다. 2019년 신규 설치의 5대 시장은 중국, 미국, 영국, 인도와 스페인이였으며, 이 5개 시장은 당해 신규 설치의 70%를 차지했다.

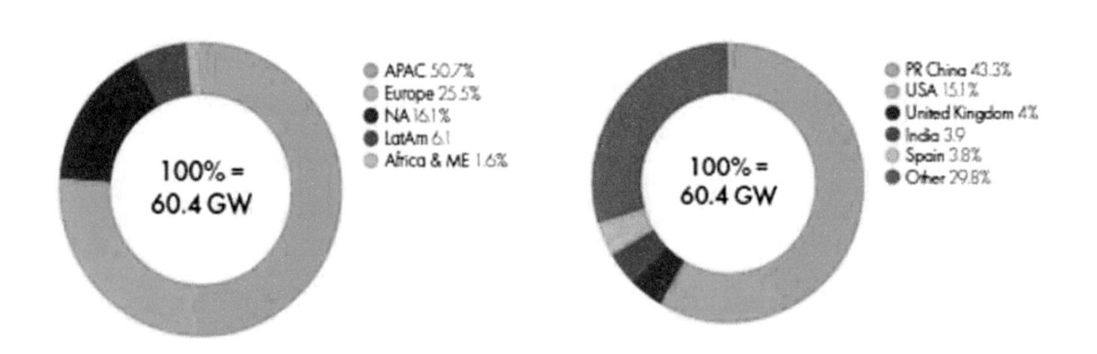

그림 55 「GWEC 2019 풍력발전 보고서」 요약본 / 한국에너지정보문화재단

이어서 육상 풍력발전과 해상 풍력발전으로 구분해서 살펴보자. 다음 그래프는 풍력발전(육상 및 해상)의 역대 누적 설치와 신규 설치량을 보여주는 자료이다. 그래프를 통해 확인 가능하듯, 풍력발전의 설치량은 꾸준한 성장률을 보이고 있다.

역대 누적 설치(육상 및 해상)

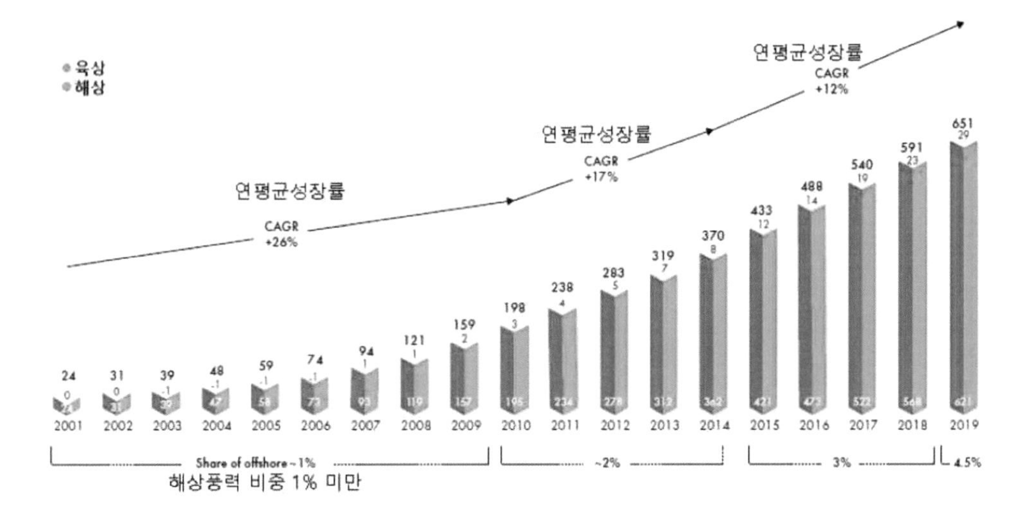

역대 신규 설치(육상 및 해상)

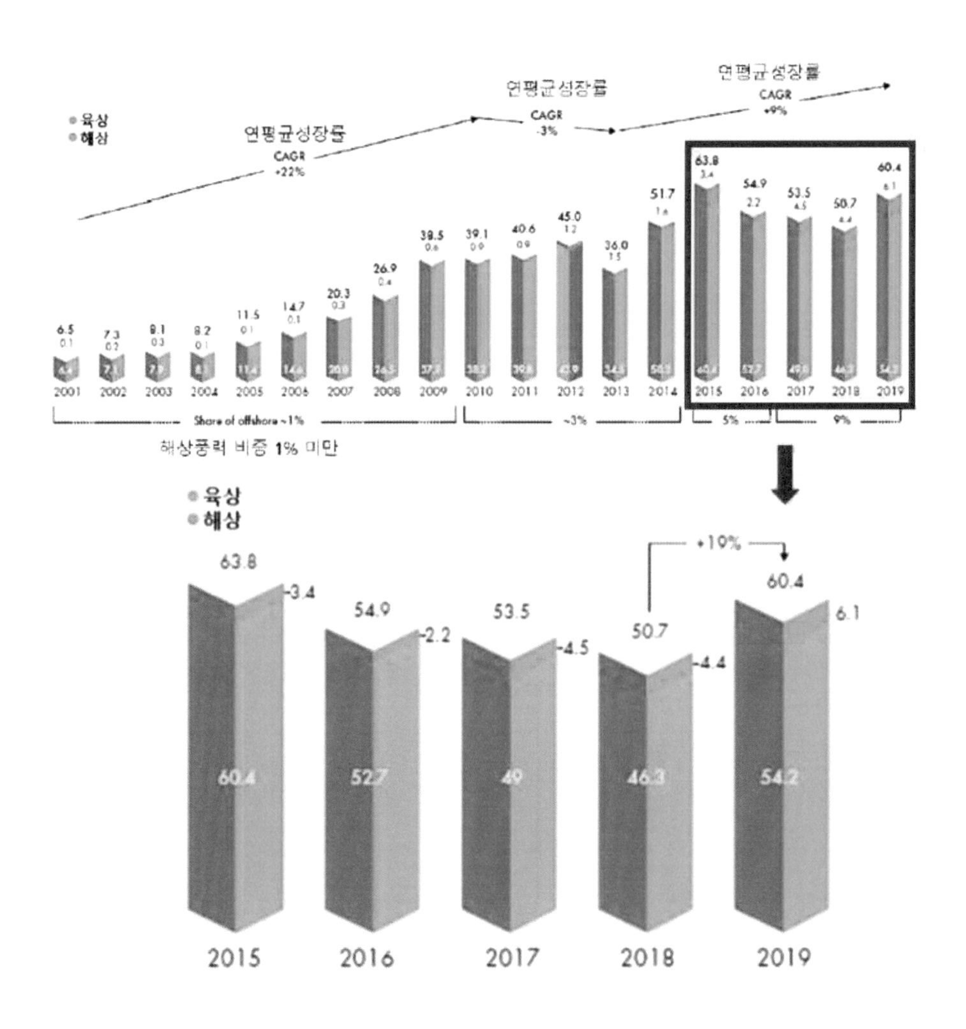

<육상 풍력발전 시장>

2019년 전 세계적으로 육상풍력의 누적 설비용량은 621GW였으며, 전년 대비 17% 성장한 54.2GW의 육상풍력이 신규로 추가되었다. 특히 세계 최대 풍력발전 시장인 중국은 23.8GW의 육상풍력을 전력망에 연결시켰으며, 전체 설치량은 230GW에 달한다. 2019년 두 번째로 큰 시장은 미국이었다. 미국은 9.1GW를 신규 설치하였으며, 전체 육상풍력은 100GW를 넘었다. 미국과 중국을 제외한 상위 5개 시장에는 인도(2.4GW), 스페인(2.3GW), 스웨덴(1.6GW) 순이었다.

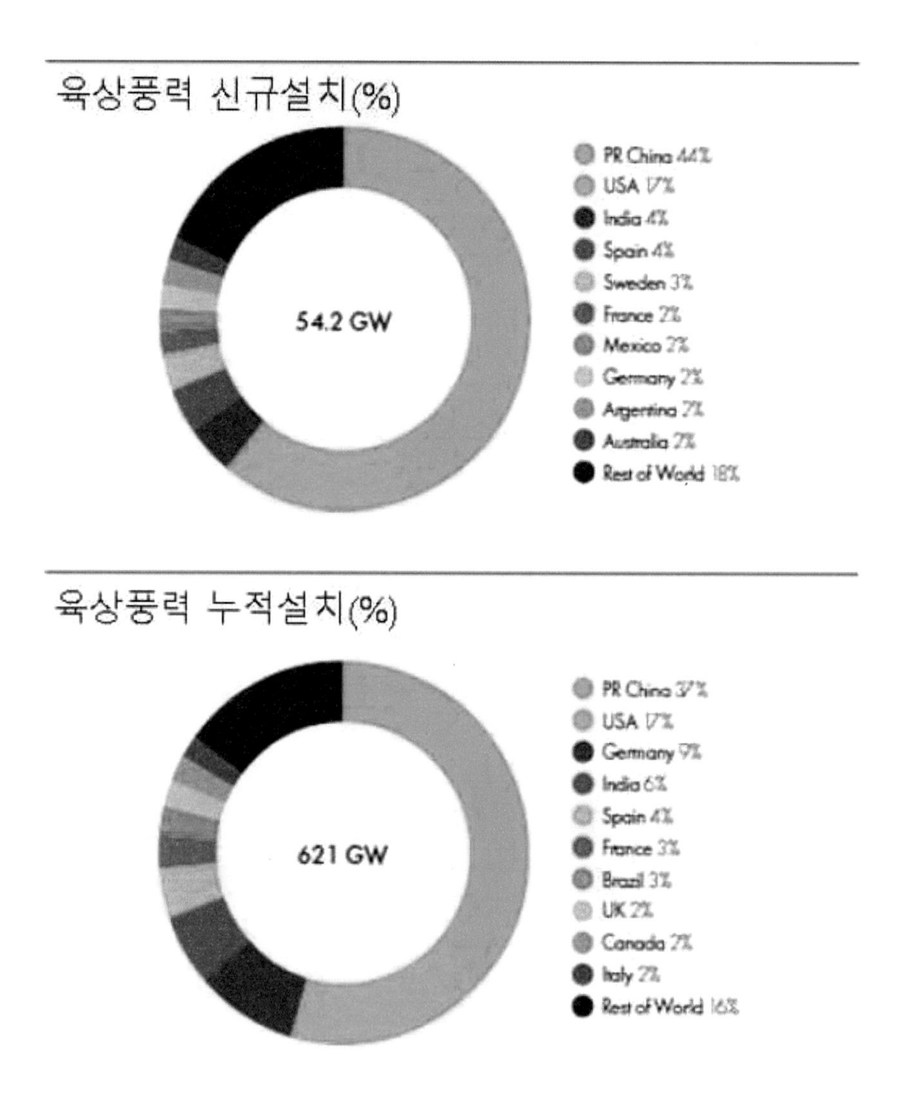

<해상풍력발전 시장>

최근 해상풍력은 글로벌 풍력발전 시장을 선도하고 있는데, 지난 2019년 해상풍력 신설 규모는 6.1GW였고, 이는 전체 풍력발전 신규 설치의 10%를 차지하는 규모이다. 특히 중국은 2019년 한 해 동안 2.3GW 이상의 해상풍력을 설치하여 신기록을 세운 바 있으며, 설비용량으로는 가장 높은 비중을 차지하는 영국이 2위를 차지했으며, 1.8GW를 새로 설치하며 기록적인 행보를 보였다. 3위를 차지한 독일은 1.1GW를 새로 설치하였다.

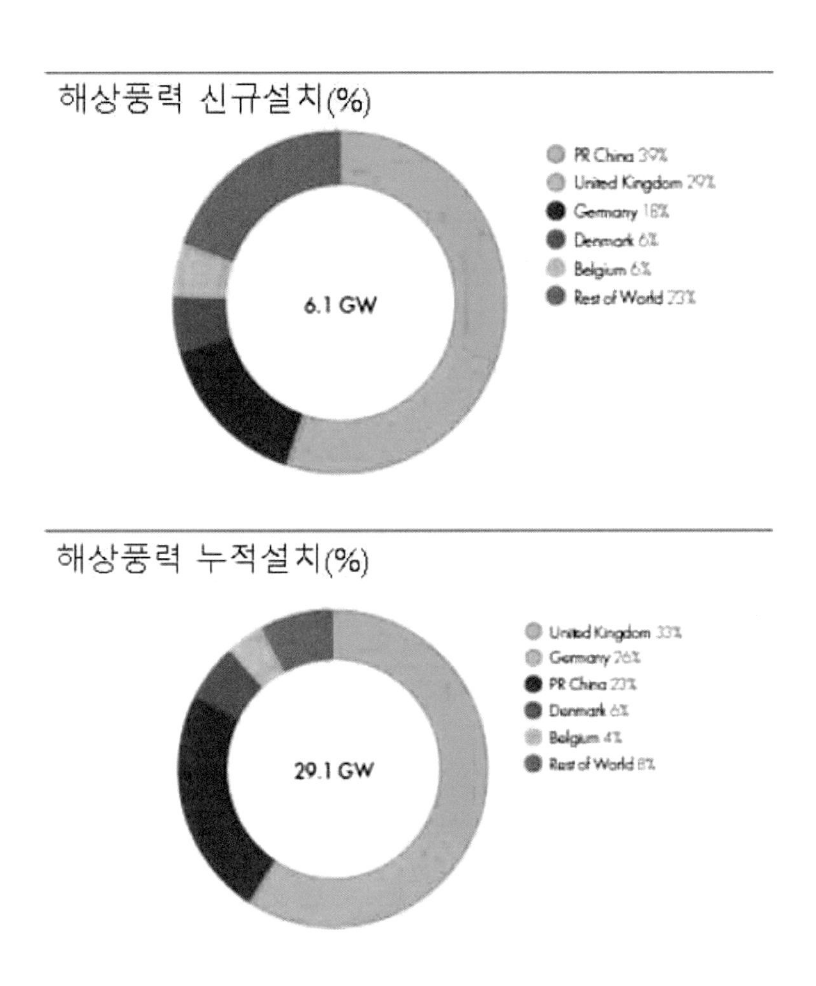

2020년 코로나19사태에도 불구하고 세계 해상풍력 시장이 승승장구하는 모습을 보였는데, 올해인 2021년에도 기록적인 성장세를 보일 것이란 전망이 나왔다. 리스타드 에너지는 2020년 해상풍력 발전설비 용량이 전년대비 15% 상승한 31.9기가와트(GW)를 기록했다고 밝혔는데 올해의 경우 2020년보다 무려 37% 가량 급증할 것이라고 예측했다. 특히 중국은 해상풍력 시장의 최대 기여국으로 거론되고 있다. 리스타드 에너지에 따르면 중국은 지난해 전체 발전설비 신규 추가 중 39%를 차지했고 올해는

비중이 63%로 늘어날 전망이다. 또한 세계적으로 2024년까지 48GW 이상, 2025년부터 2030년까지 157GW의 신규 해상풍력이 설치될 것으로 전망된다.

2) 국내 현황[78][79][80]

가) 국내 풍력발전 현황[81]

한국의 풍력 발전 산업은 1988년부터 1991년 사이에 전국 64개 기상관측소, 일부 도서 및 내륙 지역에서 관측된 풍력 관련 자료를 이용하여 풍력자원에 대한 특성을 분석하기 시작하고, 한국과학기술원이 20kW 소형 풍력발전기 개발 연구를 시작하면서 태동하였다. 그 후 1993년부터 한국에너지기술연구소에서 제주 월령에 신재생에너지 시범 단지를 조성, 풍력발전기 100kW 1기와 30kW 2기를 설치하여 계통 연계 운전하였으며, 한국화이바는 300kW 중형급 수직축 풍력발전기를 개발하였다. 2001년에는 한국화이바가 중대형급(750kW급) 풍력발전기의 블레이드 개발하였고, 유니슨과 효성은 750kW 급 풍력발전기를 개발 및 상용화하였다. 2004년부터는 2mW 급 중대형 풍력발전기 개발 및 실증연구 수행 중에 있지만, 한국의 풍력산업은 아직도 시장 형성기로 볼 수 있다. 2018년 기준 국내 풍력 발전설비는 1.42GW로 태양광 7.18GW의 20% 수준이며 이중 해상풍력은 40MW로 미미한 실정이다. '제7차 전력수급기본계획'과 '재생에너지 3020 이행계획'에 따르면 2030년까지 신재생에너지 설치용량은 56.5GW로 우리나라 총 발전용량 173.5GW의 약 34%에 달할 것으로 전망된다. 특히 이 중 해상풍력은 12GW로 신규 풍력발전시스템 설치용량 16.5GW의 73%를 차지할 것으로 계획되고 있다.

78) 한국에너지공단 신재생에너지센터 홈페이지
79) 해상풍력의 국내 경쟁력 현황 및 제고방향, 전기저널, 2020.11.13
80) 한국풍력산업협회 홈페이지
81) 국내 풍력 발전의 메카, 강원도 대관령 풍력발전단지, 한국전기안전공사 공식블로그,2016.03.03

국내 연도별 풍력발전 보급 현황

구분	2012	2013	2014	2015	2016	2017	2018
신규설치(MW)	73	92	61	208	187	114	161
누적용량(MW)	492	583	645	853	1,035	1,143	1,303
육상	-	-	-	-	-	1,105	1,230.5
해상	-	-	-	-	-	38	72.5

• 출처 : 2018년 신재생에너지 보급통계 잠정치 공표(2019.08, 한국에너지공단)

국내 연도별 풍력 발전량 현황

구분	2013	2014	2015	2016	2017	2018
발전량(GWh)	1,148	1,146	1,342	1,683	2,169	2,465
신재생內 비중(%)	5.4	4.3	3.6	4.1	4.7	4.7
전체발전량內비중(%)	0.2	0.2	0.2	0.3	0.4	0.4

• 출처 : 『신재생에너지 보급실적조사』 통계정보 보고서(2020.02, 한국에너지공단)

지역별 풍력발전 개발 현황을 살펴보면, 우리나라는 정부 주도 하에 풍력 발전 보급 사업으로 제주도, 전남 무안, 울릉도 등에 풍력발전단지가 조성되어있다.국내 최초의 상업용 풍력발전단지인 영덕 풍력발전단지와 대관령 강원 풍력발전단지는 TV에서도 많이 소개된 곳들이다.

국내 주요 풍력단지 현황

No	단지명	대수	단지용량 (MW)	설치위치	준공일자
1	강원	49	98,000	강원도 평창군	2006.09
2	영양	41	61,500	경상북도 영덕군	2008.12
3	GS영양	18	59,400	경상북도 영양군	2015.08
3	GS영양	18	59,400	경상북도 영양군	2015.08
4	울진현종산	15	53,400	경상북도 울진군	2019.03
5	영광(육상)	20	45,100	전라남도 영광군	2019.01
6	태기산	20	40,000	강원도 횡성군	2008.10
7	대명 영암	20	40,000	전라남도 영암군	2013.12
8	영광백수	20	40,000	전라남도 영광군	2015.05
9	영덕	24	39,600	경상북도 영덕군	2006.10
10	영광(해상)	15	34,500	전라남도 영광군	2019.01

• 출처 : 2018 Annual Report, 한국풍력산업협회(한국에너지공단 재구성)

지역별 누적 풍력발전 보급현황

(단위 : kW)

전국	강원	전남	경북	제주	인천
1,302,598	327,281	312,219	260,841	270,906	49,095
경남	**전북**	**경기**	**충남**	**울산**	**부산**
49,328	22,818	5,276	2,043	1,657	812
대전	**서울**	**대구**	**충북**	**광주**	**세종**
200	101	13	8	1	-

• 출처 : 2018년 한국에너지공단, 「신재생에너지보급실적조사」

평창군에 위치한 강원 풍력발전단지는 풍력발전이 생소하던 2001년 7월, 강원도와 유니슨주식회사, 독일 라마이어 3개사가 풍력발전단지 건설을 위한 공동 MOU를 체결하고 국내 최초로 풍력발전단지 개발에 착수한 후 4년여의 준비기간을 거쳐 2006년 준공하였다. 현재는 강원풍력발전(주)에서 총 1,588억 원의 사업비로 강원도 대관령 일대의 초지에 덴마크 Vestas사의 2MW급 풍력발전기 49기를 22km 구간에 설치하여 운영하고 있다. 각 풍력발전기의 용량은 2MW로 49기의 풍력발전기가 생산하는 전력량은 연 평균 22만 9,592MWh에 이르며, 이는 강릉시 전체 가구의 절반인 5만 가구가 사용할 수 있는 용량이다.

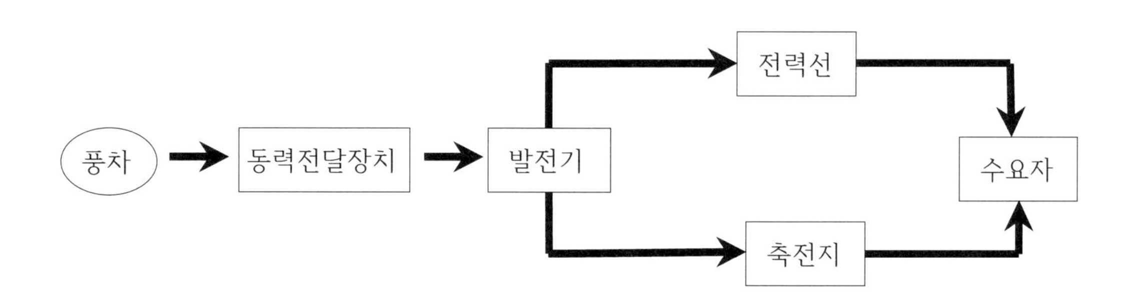

제주도 행원 지역의 풍력 발전 단지는 한국 최초의 상업용 풍력 발전 단지로 제주 전체 전력수요의 10%를 풍력 발전으로 대체하려는 제주도 풍력발전 실용화 사업(국가보조 73억 원)의 일환으로 추진되는 사업이다. 제주 행원 풍력 발전 단지의 경우

에는 평균 발전 원가가 kW시 당 90원 수준으로 제주도 내 한전 화력발전소의 평균 발전 원가인 kW시 당 130원에 비해 저렴하여 충분한 경쟁력을 갖고 있는 것으로 판단되고 있다. 특히 제주도는 '탄소 없는 섬 제주(Carbon Free Island Jeju by 2030)' 실현을 위해 도내 전력수요 전체를 풍력 중심의 신재생에너지로 대체하는 '공공주도의 풍력개발 투자활성화 계획'을 발표했다. 이 계획에 의하면 2030년에 제주도 내 전력수요의 58%가 풍력발전으로 생산되는 등 모든 전력 에너지 생산이 신재생에너지로 대체된다. 목표는 2030년까지 풍력발전으로 전력을 총 235만 kW(육상 45만㎾·해상 190만㎾) 생산, 전력사용량 전망치 113억 kW시의 58%인 66억 kW시를 대체하고 나머지 전력수요는 태양광, 연료전지, 지열발전, 해양·바이오 등으로 생산하는 등 도내 전력수요 전체를 신재생에너지로 대체하는 것이다. 육상풍력은 현재 299mW가 운영·추진 중이며 목표 잔량 150mW는 대규모 개발을 제한하고 마을회, 향토기업, 제주에너지공사가 개발에 참여하도록 할 계획이다. 해상풍력은 현재 298mW가 추진 중이며 목표 잔량 1600 mW는 공기업·민간기업 등의 투자를 유치하고 제주에너지공사도 참여할 계획이다. 안정적인 운영을 위해 전력수요가 감소했을 때 풍력발전소 출력을 일정량 제한하는 풍력발전단지별 출력제어시스템을 구축하고 발전소에 배터리 이용 에너지 저장 시스템(BESS) 설치를 의무화해 접속한계용량에 다다르면 대용량전기저장장치(BESS)에 충전토록 할 계획이다.[82)]

제주 행원 풍력 발전 프로젝트의 성공에 힘입어 다른 지방자치단체들도 풍력 발전 사업에 큰 관심을 갖고 있다. 예를 들면 제주도(한경), 강원도(대관령 지구, 태백), 전라북도(새만금), 경북(영덕), 인천(서해안 지역) 등이 정부주도 지원 사업 및 민간자본 유치를 통한 풍력 발전 사업화를 추진 중에 있다.[83)] 완도군을 비롯해 고흥군, 영광군, 신안군, 여수시 등 전라남도 5개 지자체는 2008년 9월 포스코건설과 국내 최초로 해상풍력발전단지 조성(600mW 이상)을 위한 투자협약(MOU)을 체결한 바 있으며, 전북 부안군의 남동쪽 해상에 대규모 해상풍력발전 개발사업이 추진 중이다. 총 3단계에 걸쳐 추진될 이 사업은 1단계 사업이 마무리 되면 400mW 규모의 2단계 이어서 3단계 사업이 2,000mW 규모로 추진될 예정이다. 지난 2011년에 발표된 '서남해 해상풍력 종합추진계획'에 따르면 당초 1단계 사업을 2014년까지 마무리할 계획이었다. 하지만 특수목적법인(SPC) 설립이 지연되고 참여기업이 대폭 축소되면서 사업 추진이 제 속도를 못 내는 어려움을 겪었다. 2단계 사업이 성공적으

82) 참조 : 에너지경제 2015.09.02 <제주 전력수요 58% 풍력으로 생산>
83) 참조 : 그린 비즈니스 저 : 소영일, 김성준

로 마무리되면 이를 토대로 해외 시장에 도전하는 전략적 목표도 세워놓고 있다.[84)]

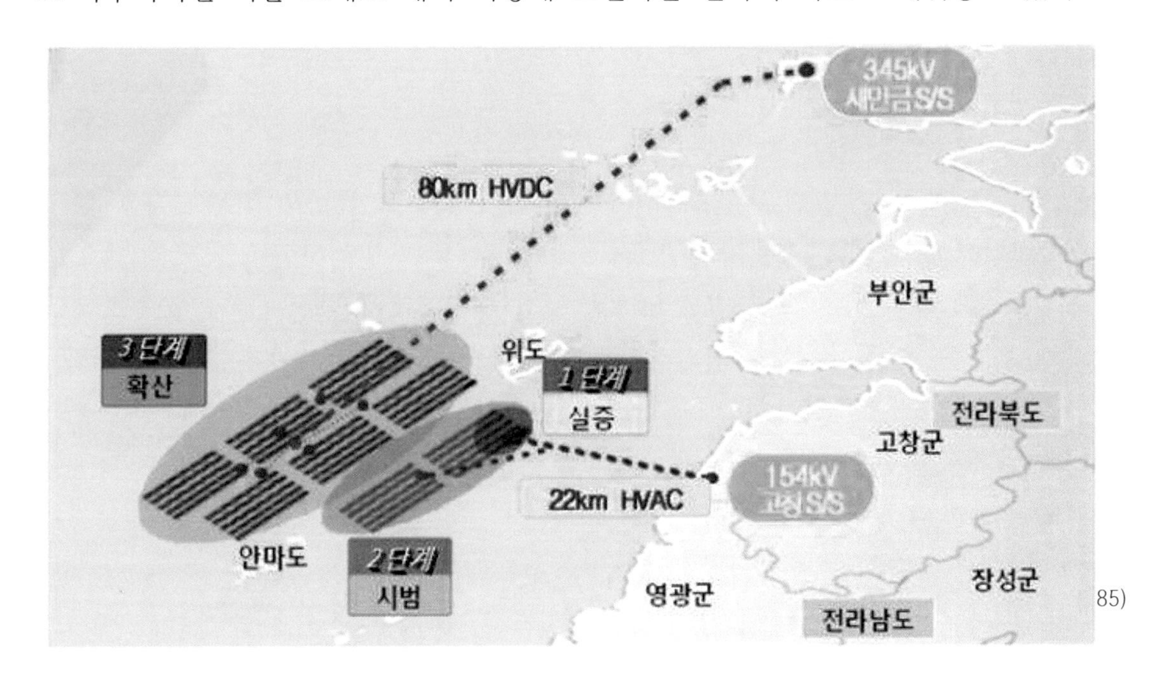

85)

그림 66 서남해 해상풍력 사업 3단계

우리나라 육상풍력의 경우, 높은 토지이용률로 인하여 개발 가능 지역이 매우 제한적일 뿐 아니라 각종 환경규제로 인해 풍력사업 인허가 문제 해결이 쉽지 않은 상황이다. 현재 인허가 단계에서 계류 중인 신재생에너지 의무공급제도(RSP) 사업규모는 54개 사업, 1.8기가와트에 이른다. 국산 풍력터빈이 개발되어도 단지개발이 인허가 문제에 묶여 운용실적(track record)을 조기에 확보하지 못함에 따라 세계시장 진출은 계속 지연될 수밖에 없으며 이는 경쟁력 약화로 이어지고 있다. 이처럼 입지제약으로 인해 물리적으로 보급 확대가 어려운 육상풍력과 달리, 삼면이 바다인 우리나라는 상대적으로 해상풍력에 유리하다. 특히 서남해안은 수심이 낮아 입지조건이 상대적으로 양호하다. 단, 해상풍력을 설치하기 위해서는 풍력 밀도가 높은 양질의 바람이 필수적이나 이러한 측면에서는 제주, 동남해안 등 일부를 제외하고는 우량입지가 부족한 실정이다. 뿐만 아니라 현재까지는 선진국에 비해 기술경쟁력이 상당히 뒤떨어져있다. 이로 인해 세계시장에서 차지하는 일부 단품을 제외하고는 비중도 높지 않다. 더욱이 국내시장 시장규모가 작고 설비 및 운용분야의 기술적 노하우가 축적되지 않아 상대적으로 설치비용이 높은 실정이다. 이처럼 높은 설치비용과 낮은 설비이용율은 결국 높은 발전단가로 이어질 수밖에 없으며, 이로 인해 태양광 등 타 재생에너지는 물론 육상풍력에 비해서도 공급비용이 매우 높아 보급의 장애

84) 참조 : 사이언스타임즈 2016.06.29 <해상풍력을 제2의 반도체로>
85) https://www.ebn.co.kr/news/view/821067참고.

요인이 되고 있다.

나) 국내 정책현황

이에 국내 풍력 발전 산업은 정책적 지원과 함께 풍력터빈 등의 제품가격 하락으로 꾸준히 성장을 꾀하고 있으며 2030년까지 재생에너지 발전비중을 20%를 목표로 하는 '재생에너지 3020 이행계획'과 2040년까지 재생에너지 발전비중을 30~35%로 정한 '제3차 에너지기본계획'을 바탕으로 향후에도 지속적으로 확대될 전망이다.

'재생에너지 3020 이행계획'의 구체적인 내용은 다음과 같다.[86]

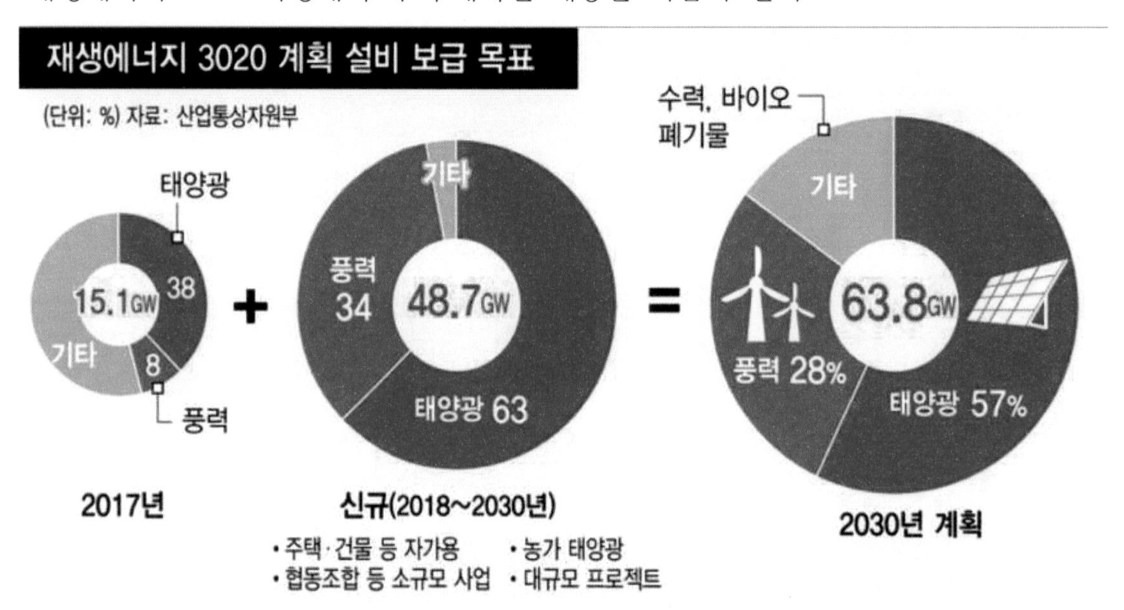

그림 67 재생에너지3020계획 설비 보급목표/산업통상자원부

목표
·재생에너지 발전량 비중을 20%까지, 누적 설비용량을 64GW까지 보급 ·신규 설비용량의 95% 이상을 태양광·풍력 등 청정에너지로 공급

이를 위한 실행방안으로 '재생에너지 산업경쟁력 강화', 산학연 및 인프라 집적을 통한 '재생에너지 혁신클러스터' 조성에 힘쓰고 있으며, 풍력산업에 있어서는 다음과 같은 계획을 추진중이다.

86) 에너지정보소통센터 홈페이지

재생에너지 산업경쟁력 강화

- 단·중기 R&D 로드맵 → 실증 → 제도개선 등 확산 → 수출산업화
- R&D 로드맵 수립 : (단기) 단가저감·기술추격 → (중장기) 차세대 기술 선점

재생에너지 혁신성장 클러스터 조성 : 産·學·硏 및 인프라(항만·산단 등) 집적

또한 정부는 최근 '재생에너지발전 경쟁력 강화방안'과 신재생에너지 기술개발 및 보급실행계획을 통해 태양광, 풍력 등 신재생에너지 산업의 경쟁력 확보를 위해 의욕적인 목표를 설정해 발표한바 있다. 계획에 따르면 향후 3년간 6조 3,000억 원을 투자해 해상풍력 19개 단지 640MW를 포함한 풍력설비를 설치하고 최대 8MW급 부유식 해상풍력시스템을 개발한다. 특히 풍력타워부문 세계점유율 1위를 목표로 하는 등 산업경쟁력을 획기적으로 높일 예정이다. 아울러 현재 5.5MW 수준에서 2030년에는 12MW급 이상의 초대형 해상풍력터빈을 개발하고 부품 패키지 국산화 기 술과 스마트 O&M 기술을 개발하며 운영비용을 30% 절감하고자 한다. 풍력부품 중 초대형 블레이드(길이 100m 8MW급), 카본 복합재 부품, 증속기, 발전기, 전력변환기 및 제어시스템 국산화 개발을 목표로 하고 있다. 단기적으로는 2022년까지 4대 핵심부품(블레이드, 발전기, 증속기 등) 국산화 및 풍력서비스(단지시공 O&M 등) 핵심기술 조기 개발을 목표로 정했다.

다) 국내 주요기업 현황[87][88][89][90]

국내 터빈 기업들은 환경규제로 인한 부지확보에서 어려움을 겪고 있으며, 해외 터빈 기업들의 국내 진출로 인해 경쟁이 심화되면서 이중고를 겪고 있다. 부지를 확보해도 품질과 가격 측면에서 선진 업체 대비 뒤쳐져 국내 풍력터빈의 설치가 쉽지 않은 상황이 지속되는 것이다.

2018년 기준, 국내 풍력시장의 풍력터빈 제조사별 점유율은 상업운전 기준 ▲베스타스(35%) ▲두산중공업(12.7%) ▲유니슨(11.4%) ▲현대일렉트릭(9%) ▲악시오나(5.6%) ▲지멘스가메사(4.2%) ▲GE(4.1%) 등 순이다.

주목받고 있는 풍력 관련 기업들은 주로 풍력발전기 타워 등 '부품' 업체다. 세계시장을 무대로 경쟁력을 쌓은 부품사들에 비하면 국내 풍력발전기 제조사들은 해외 선도기업들에 비해 한참 열위에 있는 것이 현실이다. 풍력발전기는 바람에 의해 발생하는 에너지를 전기에너지로 변환하는 시스템이다. 풍력발전시스템 또는 풍력터빈 등으로 불린다. 한국에서 이를 만드는 기업은 대기업 중 두산중공업과 효성중공업, 중소기업에선 유니슨 뿐이다. 2000년대 후반 풍력시장에 뛰어들었던 현대중공업과 삼성중공업, 대우조선해양 등은 수익성 문제로 발을 뺀지 오래다. 아직까지 세계 시장에서 국내 기업들의 기술력과 가격 경쟁력은 모두 뒤쳐져 있다. 세계 풍력발전시장은 독일 지멘스와 미국 제너럴일렉트릭(GE), 덴마크 베스타스 등 상위 10개 회사가 70% 이상의 점유율을 차지하고 있다. 더구나 풍력발전 시설은 점점 대형화되고 있어 기술력 차이는 더 벌어지고 있다.

그러나 불과 몇 년 전까지만 해도 해외 풍력시스템 제조업체로부터 큰 관심을 받지 못했던 한국 풍력시장이 조금씩 주목받고 있다. 이유는 유럽시장의 포화와 국내시장의 성장 가능성 때문으로 풀이된다. 여기에 아시아를 비롯한 해외시장 진출을 위한 전략적 거점으로서 한국이 갖는 강점이 작용했다는 분석이다. 이런 때 정부의 강력한 재생에너지 보급 정책은 활기를 잃은 국내 풍력발전기 산업에 불씨를 지피고 있다. 재생에너지 보급 비중을 2030년까지 20%로 올리겠다는 목표 아래 풍력발전은 17.7GW(육상 5.7GW, 해상 12.0GW)로 확대할 계획이다. 정부의 풍력발전 '

87) 춘추전국시대 열린 국내 풍력시스템 시장, 일렉트릭파워, 2018.03.14
88) 풍력발전기 '국산화' 바람은 불 수 있을까, the bell, 2020.06.11
89) 국내 유일 해상풍력발전기 제조… 연매출 1조 목표,조선비즈, 2020.11.05
90) KOSME 산업분석 리포트-태양광·풍력을 중심으로 한 신재생에너지, 2019.07, KOSME융합금융처

국산화'에 대한 의지도 기대감을 높이는 요인이다.

풍력발전 산업은 고도의 설계기술과 우수한 노동력이 요구되며 플랜트·건설과 단조·철강·기계·전기·전자 등 전·후방 산업의 연관효과가 매우 높은 종합산업의 특징을 지니는 노동·기술집약적 종합산업이다. 즉, 풍력은 조선, 중공업 등 대기업의 풍력기업화가 가속화 되고 타워, 부품 등 중간제품은 중소, 중견기업이, 시스템 완제품은 대기업이 맡아 상생, 공존하는 대표적인 중소,대기업 동반성장 분야로 성장하고 있어 중소· 대기업의 동반성장을 기대할 수 있다.

풍력발전 산업의 가치사슬 (Value Chain)은 크게 '풍력발전부품 업체→풍력 터빈 발전기→풍력발전단지(설치시공, 계통연계)'로 구성된다.

풍력발전 산업의 가치사슬

구분	발전기 부품	풍력 터빈 발전기	풍력발전단지
업체	증속기: **효성, 두산중공업, 삼양가속기, 유니슨, 우림, 평산** 전력변환장치: **플라스포, 유니슨**	**현대중공업, 효성, 보국전기, 두산중공업, 유니슨**	현재 발표된 국내 풍력 발전 단지 개발 계획 육상: 1,357 MW 해상 6,900 MW

먼저, 블레이드(Blade)는 풍력 발전의 가장 기본적인 구성요소로, 바람이 가진 운동에너지를 기계적 회전동력으로 전환하는 부품이다. 풍력에너지 발전량은 일정한 풍속에서 블레이드의 회전면적에 비례하여 증가하므로 풍력터빈 및 부품 제조사는 경쟁적으로 제품을 대용량화하는 추세이다. 최근 풍력터빈 정격출력이 1.5~2MW에서 5MW 이상으로 커지면서 약 40m였던 블레이드 길이도 60~80m까지 증가하고 있으며, 5MW급 이상 대형 풍력터빈용 블레이드 양산능력을 확보한 제조사는 덴마크의 LM Wind Power(생산능력 7,500MW), 독일 SGL Rotec 및 Euros (생산능력 300MW)가 있다. 또한 국내에서는 전북 군산의 ㈜KM이 유니슨㈜ 및 두산중공업㈜과 협력하에 블레이드 제조기술을 축적하였고, 750MW, 2MW 및 3MW급 블레이드 생산라인을 각 1기씩 운영하고 있는 상황이다.

또한 증속기 (Gearbox)는 풍력터빈의 블레이드와 발전기 사이에 위치하면서 저회전·고토크의 블레이드 입력동력을 고회전·저토크의 출력동력으로 변환하여 발전기에 전달하는 기어장치이다. 증속기 기술은 풍력터빈이 대형화됨에 따라 기어비를 늘리고 발전기의 크기를 작게 하는 형태로 진행되고 있으며, 15년 상위 5개사의 시장 점유율이 85%이상이며, 풍력터빈의 대형화 추세에 따라 증속기도 2.5MW급 이상의 보급률이 증가하고 있다. 국내의 경우, 두산모트롤, 우림기계, S&T 중공업이 증속기 사업에 참여한바 있으나 국내 풍력터빈 업체가 풍력 사업을 축소하고 있어 풍력 관련 핵심 기자재 국내 시장의 형성이 지연되고 있다.

다음으로 발전기 (Generator)는 기계적 회전동력을 전력으로 전환하는 장치로, 시스템 효율을 결정하는 핵심부품이다. 향후 터빈 대형화 및 에너지저장장치 (ESS, Energy Storge System)의 적용 등으로 발전 단가를 낮추는 방향으로 기술개발이 진행될 것으로 전망되며, 육상용 풍력 발전기는 2~3MW급을 대상으로 저가격으로 높은 발전량을 얻을 수 있고 발전단가가 낮은 시스템 개발에 초점이 맞춰지고 있는 추세이다. '17년 Simens Camesa가 8.7GW의 풍력발전기를 판매하여 Vestas를 근소한 차이로 앞서 세계 1위 공급업체가 되었고, 국내에서는 두산중공업, 보국전기공업 및 유니슨 등이 꾸준히 세계시장 진출을 모색하고 있다.

두산중공업	*'11년 국내 최초로 3MW급과 14MW급 해상용 풍력 발전기를 개발함 *두산중공업은 국내 업체 중 유일하게 제주도와 서해 등 전국에 약 240MW 규모의 풍력발전기를 공급했음. 국내 해상풍력 시장은 향후 10년간 12GW 이상 확대될 전망인데, 두산중공업은 해상풍력을 오는 2025년까지 연 매출 1조원 이상의 사업으로 육성할 계획.
보국전기공업	*대형 풍력 발전용 발전기로 750kW급 발전기를 개발함
유니슨	*750kW, 2MW, 2.3MW급 대형 풍력발전기를 개발하여 미국, 자메이카, 세이셀, 우크라이나, 일본, 에콰도르 등에 풍력발전기 납품함

풍력발전시스템은 바람이 가진 운동에너지를 풍력터빈의 기계적 회전동력으로 전환한 후 유도전기를 생산하여 수용가에 송전하는 기술이다. 풍력터빈이 대형화되며, 대규모 풍력발전단지가 주 전력계통으로 편입되고 있어 고효율 전력변환 및 송전 시스

템의 중요성이 부각되고 있다. 풍력발전은 사업 예정지의 입지적인 특성이 경제성을 좌우하므로 발전단지 건설을 위해서는 풍량, 지형 및 기후 등의 입지 조사를 수행하여 연간 발전량을 객관적으로 추정해야 한다. 국내 풍력발전은 환경부와 산림청이 진입로 규제 등을 완화하여 본격적으로 성장하고 있으며 한국남동발전, 한국남부발전, 한국중부발전, 한국동서발전, 제주 에너지 공사 등의 기업들이 시장에 참여하고 있다.

특히 해상풍력발전은 해상에 설치된 풍력터빈 시스템을 연계하여 발전단지를 구축하는 기술로, 해상운송, 설치, 계통연계, 유지보수 등 다양한 기술이 복합된 발전플랜트 엔지니어링 사업으로, 지지구조물 및 기초에 대한 고도의 설계 기술 이외에도 해수에 노출된 가혹 환경에서 내부식성 문제를 해결하기 위한 재료의 선정과 풍력터빈 내부의 안전환경을 유지하기 위한 부대설비 등이 추가적으로 고려되어야 한다. 해상풍력 발전단지 건설을 위한 사업수행 절차는 1) 사업타당성 조사, 2) 설계, 구매 및 시공, 3) 유지보수로 구분되며 풍황 자원 취득과 해석을 위한 해상 기상탑의 건설과 데이터 구축에 장시간이 소요되는 등 사업 기간이 최소 3년 이상이다.

<table>
<tr><th>기술군</th><th>부품소재</th><th>국내기업</th></tr>
<tr><td rowspan="10">풍력
발전기
부품 요소</td><td>블레이드</td><td>KM, 데크항공, 휴리스</td></tr>
<tr><td>증속기</td><td>효성, S&T 중공업, 평산</td></tr>
<tr><td>발전기</td><td>현대중공업, 삼성중공업, 두산중공업, 대우조선해양, STX 중공업, 효성, 유니슨</td></tr>
<tr><td>베어링</td><td>일진, 신라정밀, 용현BM</td></tr>
<tr><td>타워</td><td>동국S&C, CS 윈드</td></tr>
<tr><td>전력변환장치</td><td>현대중공업, 효성, 플라스포</td></tr>
<tr><td>변압기</td><td>현대중공업, 효성</td></tr>
<tr><td>단조품</td><td>태웅, 동국S&C, 현진소재, 용현BM, 마이코스, 유니슨, 평산, 삼정B&W, CS 윈드, 윈앤피, 스페코</td></tr>
<tr><td>주조품</td><td>캐스코, 코텍산업</td></tr>
<tr><td colspan="2">발전단지 건설</td><td>삼성물산, 현대중공업, 대우조선해양, 효성, 유니슨</td></tr>
</table>

자료: 산업통상부

그림 47 국내 풍력 관련 기업 현황

3) 글로벌 현황

가) 중국[91)92)93)]

전 세계적으로 기후 문제가 심각해지고 이산화탄소 배출로 인한 온실효과가 부각되면서 이를 해결하기 위해 각국 정부는 신재생 에너지 산업 발전에 주력하고 있다. 이에 중국도 에너지 생산 및 소비 대국으로서 환경보호 및 온실효과 경감 등을 위해 신재생 에너지의 활용을 장려하고 지원 정책을 발표해 산업의 발전을 유도하고 있는 상황이다. 에너지 자원이 풍부하고 널리 분포되어 있는 중국은, 특히 태양, 풍력 에너지를 가장 대표적인 신재생 에너지원으로 개발·활용중이며, 이 중 풍력발전은 신규 발전설비, 누적 발전설비를 막론하고 이미 전 세계에서 가장 규모가 큰 풍력발전 시장을 이루고 있다. 중국 풍력에너지 업계의 통계에 따르면 2020년 상반기 풍력발전에 증설된 설비용량은 632만KW에 달하고, 그 중 육상풍력발전에 526만KW, 해상풍력발전 설비용량은 106만KW가 증설되었다. 6월말 기준으로 전국 풍력에너지의 누적된 설비용량은 2.17억KW이고, 이 중 육상풍력발전이 2.1억KW, 해상풍력발전은 699만KW로 집계되었다. 상반기 발전량이 전년동기대비 10.9% 증가한 2349억KW로 나타났다.

중국의 풍력 자원은 주로 삼북(동북, 화북, 서북) 지역과 연안 지대에 분포하고, 전력 사용 지역은 주로 남부과 중부 지역에 있다. 즉, 중국은 전기 사용 지역과 발전 지역 위치에 차이가 있으며 점차적으로 남부 지역에 풍력발전소를 건설하고 있는 추세이다. 중국의 풍력에너지는 풍력 자원 상황과 공사여건 등의 입지조건에 따라 다음 4개 유형으로 나눌 수 있다. (I~IV유형)

---

91) 「GWEC 2019 풍력발전 보고서」 요약본, 한국에너지정보문화재단, 2020
92) 중국 신재생 에너지 시장 성장세 지속,kotra해외시장뉴스, 2019.04.26
93) 중국 해상풍력의 발전과 미래, CSF중국전문가포럼, 2020.09.28

I유형	연해와 그 섬 지역의 풍력에너지 풍부 지대 : 연해와 그 섬 지역은 산둥, 장쑤, 상하이, 저장, 푸젠, 광둥, 광시, 하이난 등 성(市) 연해에서 10km에 이르는 지대로 연간 풍력 밀도는 200W/㎡ 이상이며 풍력 밀도선은 해안선에 평행함.
II유형	북부지역의 풍력에너지 풍부 지대 : 북부지역의 풍력벨트는 동북 3성, 허베이, 네이멍구, 간쑤, 닝샤, 신장 등 성(자치구)의 거의 200km에 이르는 지대로 풍력 밀도는 200-300W/㎡ 이상이며, 500W/㎡ 이상인 곳도 있음.
III유형	내륙 풍력에너지 풍부 지대 : 풍력 밀도는 일반적으로 100W/㎡ 이하이지만 일부 지역에서는 호수와 특수 지형의 영향으로 풍력 자원도 비교적 풍부함.
IV유형	근해 풍력에너지 풍부 지대 : 동부 해안 수심 5~20m로 면적은 넓지만 항로, 항구, 양식 등 해양기능구역의 제한을 받아, 풍력에너지 개발이 육로보다 훨씬 적음. 장쑤, 푸젠, 산둥, 광둥 등지에서는 근해의 풍력에너지 자원이 풍부하고 전기 부하 관리 센터와 가깝기 때문에, 근해의 풍력발전은 이곳 지역에서 앞으로 발전할 수 있는 중요한 청정에너지로 꼽힘.

표 22 중국 풍력자원 구역 4개 유형/前瞻产业研究院,kotra

특히 중국은 세계 해상풍력의 발전에 앞장서고 있다. 실제로 중국은 2018년 해상풍력발전 분야의 세계1위를 점하고 있는 영국보다도 많은 해상풍력발전기를 설치하면서 현재는 세계 해상풍력 시장을 선도하고 있다. 또한 2020년까지 해상풍력 5GW를 계통 연결시키겠다는 목표는 2019년에 조기 달성하였고 같은 해 해상풍력 2.4GW가 새로 설치되었다. 현재 중국은 해상풍력의 총 설비용량이 6.8GW에 달하며 이는 세계 3위 수준이다. 중국의 해안지대는 18,000km로 1,000GW 이상의 해상풍력 잠재성을 가지고 있다. 현재 广东省에서는 2030년까지 30GW의 해상풍력을 설치하고자 하며, 江苏省에서는 15GW, 浙江省 6.5GW, 福建省 5GW 순으로 각 지방정부마다 해상풍력에 대한 야심찬 목표를 내걸고 있다.

이와 같은 중국 해상풍력의 비약적인 성장은 중국정부의 전폭적인 정책적 지지가 없었다면 불가능 한 것이다. 2016년 《풍력발전 13·5계획 (风电发展"十三五"规划) 》을 통해 2020년 해상풍력 발전목표를 확정하였고, 목표가 확정되자 해당 업계가 분주하게 움직였으며, 풍력발전과 관련한 건설프로젝트의 목표치인 1000만KW 중 이미 500만KW 이상이 누적되었다. 같은 해 중국 국가에너지국과 국가해양국에서 공동 발표한 《해상풍력개발건설관리방법(海上风电开发建设管理办法)》에서는 해상풍력 발전 프로젝트의 관리제도를 수정·보완하였다. 2017년 《전국해양경제발전 "13·5"계획(全国海洋经济发展"十三五"规划)》은 해상풍력 설비의 대용량화, 효율성 제고 방안에 대한 연구를 제기하면서 토지제도와 연계된 합리적인 해상풍력산업을 위해 관련 정책을 조정하기 시작하였다. 또한 广东省, 山东省, 大连市 등 각 지역마다 "13·5"계획을 통해 해상풍력발전과 관련한 계획을 지역 핵심정책에 포함시키면서 2018년 중국의 국가에너지국은 《2018년 에너지 업무의 지도의견(2018年能源工作指导意见)》통해 해상풍력발전을 적극적이고 안정적으로 추진할 수 있도록 기반시설을 건설하고 관련 산업에 발전을 위한 정책추진을 제안하였다.

또한 정책적 지원뿐만 아니라, 중국 정부는 신재생에너지와 관련한 경제적 지원을 아끼지 않음으로써 해상풍력산업의 비약적 성장을 견인하였다. 중국은 2014년 국가발전개혁위원회를 통해 해상풍력 FIT(Feed-In Tariff) 정책을 발표하고, 해상풍력에 대한 경제적 지원에 나섰다. FIT제도은 해상풍력의 계획 목표를 달성하기 위한 가격 지원제도로서 해상풍력 개발자는 벤치마킹 가격을 기준으로 투자수익을 예측하여 투자결정을 할 수 있다. 비용은 해상풍력 개발자에게 직접적으로 이익을 가져다 주기 때문에 비용 절감은 투자의욕을 증대시키는 결정적 요소이다. 정부의 경제적 지원으로 개발자는 개발비용이 절감되고 이와 동시에 대규모 개발 경험을 축적하게 되면서 궁극적으로는 해상풍력발전 비용이 급감하게 되는 것이다. 이러한 측면에서 초기 설비투자 비용이 많이 드는 해상풍력발전의 경우, 정부의 적극적 지원은 곧 개발자로 하여금 투자의욕을 자극하게 된다. 그러나 최근 중국 시장은 FIT제도에서 경매제도로 전환중이다. 2019년 5월 중국 국가발전개혁위원회(NDRC)는 중국 해상풍력발전 관련 계획을 담은 정책을 발표했다. 이 계획에 의하면 2018년 말 이전에 허가된 해상풍력 프로젝트는 2021년 이전에 완전히 전력 계통에 연결된다면 FIT가격을 0.85 유안/kWh로 설정 할 수 있다. 2019년과 2020년에 허가된 프로젝트는 경쟁적 경매에 참여해야 한다. 2020년 1월 중국 중앙 정부는 2022년 이후부터 해상풍력에 대한 보조금 지원을 중단하도록 했다. 이는 곧 짧은 기간 만에 중국의 풍력산업이 정부지원에 의존하지 않아도 될 만큼 궤도 올랐다는 것을 의미한다. 그러나 지방 정부에서 해상풍력 개발을 지속하는 것과 관련된 보조금 지원은 장려되고 있다. 정책적 변화가 발생함에 따라 총 40GW의 해상풍력 프로젝트들이 2019년 이전에 중앙 및 지방 정부의 허가를 받았다. 2019년 말 기준, 건설 중인 해상풍력은 10GW 이상이었으며, 허가를 받고 건설 준비가 된 프로젝트가 30GW였다. 현재는 개발자들과 투자자들은 FIT가격 0.85 위안/kWh의 혜택을 보기 위해 프로젝트를 2021년 말 전까지 마치고자 분주하게 움직이고 있다. 하지만 이런 야심찬 희망은 무산될 가능성이 높다. 지역의 해상풍력 공급망이 아직 완성되지 않았기 때문이다. 풍력발전의 날개, 베어링, 케이블, 터빈 설치용 배가 2022년 전까지 해상풍력이 전력 계통에 연결되는 데 병목으로 작용하고 있다. 이러한 문제점을 고려할 때 GWEC Market Intelligence는 단 7.5GW의 해상풍력만이 2020~2021년에 연결될 것으로 보고 있다. 그럼에도 불구하고 중국은 여전히 영국을 제치고 누적 용량 기준으로 세계 해상풍력 시장에서 가장 큰 비중을 차지할 것이다.

중국은 매년 풍력에너지 산업에 2250억 위안 이상을 투자하고 있으며, 매년 평균 약 2500만kW의 풍력 발전설비를 추가할 것으로 예상되어, 앞으로 2030년 중국 풍력에너지 설비용량은 5억 kW에 이를 것으로 보인다. 또한 풍력에너지 산업 관련 업계 종사자도 2030년에는 40만 명으로 증가할 것으로 예상되어 세계 풍력시장 속 중국의 입지는 더욱 강화될 것으로 전망한다.

나) 미국[94][95][96]

코로나19로 인해 2020년 미국의 에너지 소비량이 크게 감소하였음에도 불구하고 풍력발전량은 순증가하여 성장세를 기록하였다. 미국 정부는 신재생에너지 발전 의무할당제(RPS), 신재생에너지 발전 연방 세금 공제 혜택(PTC) 등을 통해 풍력발전의 가격경쟁력을 높여 산업 성장을 지원하였다. 그 결과 2020년 미국 풍력발전 시장은 전년대비 9.2% 성장한 154억 달러 규모를 기록하였고, 약 21GW 규모의 풍력발전이 미국에서 새로 설치됐다. 올해도 재생에너지가 미국의 발전시장을 주도할 것으로 전망됐다.

94) 태양광·풍력 등 재생에너지, 코로나에도 올해 미국 발전시장 주도, 에너지경제신문, 2021.01.14
95) 순풍을 탄 미국 풍력발전 시장, kotra해외시장뉴스,2020.11.16
96) '바이든 시대' 美 해상풍력 기대감 ↑…"韓 기업 기회", THE GURU, 2020.11.21

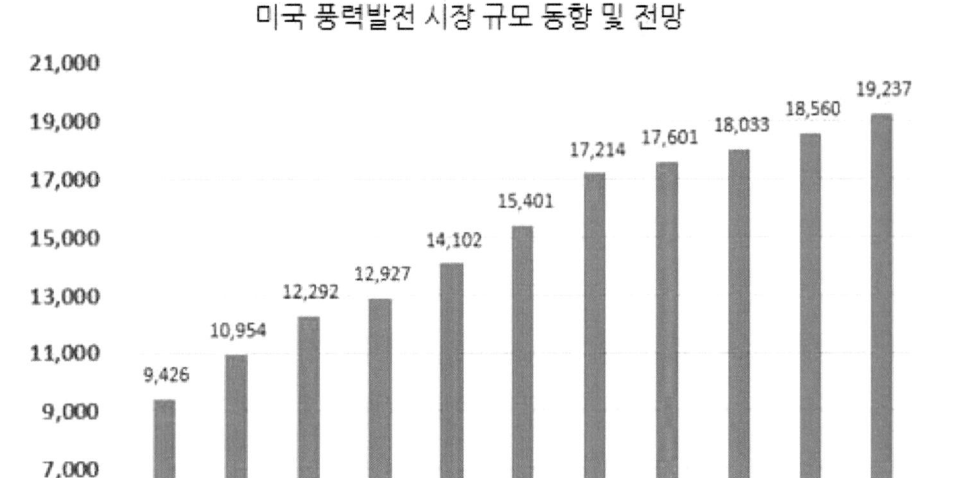

미 에너지정보청(EIA)에 따르면 올해 미국에서 새로 추가되는 발전설비 용량 중 66% 이상이 태양광, 풍력 등 재생에너지로 이뤄질 것으로 예측됐다. EIA는 총 39.7 기가와트(GW) 규모의 발전설비 용량이 새로 설치될 것으로 예상했는데 이 중 태양광과 풍력발전이 각각 39%, 31% 차지한다는 것이다.

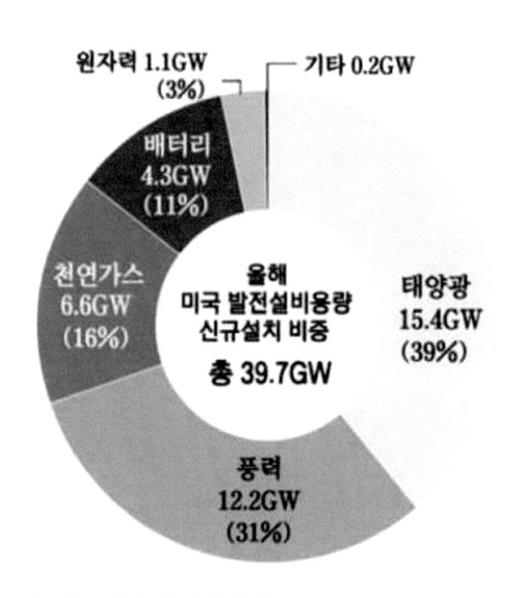

그림 72 에너지경제신문

현재 미국의 총 풍력발전 용량은 2015년 73891MW에 비해 51% 증가한 111808 MW이며, 6만 개 이상의 풍력터빈이 가동 중이고 또한 풍력터빈의 용량은 증가하고 있는 추세이다. 주별 누적 설비량에 있어서는 텍사스가 30904 MW로 큰 차이를 보이며 1위이다. 텍사스의 넓은 영토와 풍부한 자원을 바탕으로 미국 풍력발전량의 25% 이상을 차지하고 있다. 특히 텍사스 주정부는 2008년 풍력 발전용량을 주요 도시로 보내는 일련의 전송 확장 프로젝트를 진행하여 풍력발전 부문의 성장을 이끌었다. 2020년 3분기 기준, 주별 신규 설치 또한 텍사스가 687 MW로 선두를 이끌었으며, 그 뒤로 콜로라도 496 MW, 일리노이 200 MW, 아이오와 168 MW, 인디애나 147 MW의 순이었다. 여기에 2020년 9월 말 기준, 미국 내 총 43575 MW 규모의 프로젝트가 건설 중(24355 MW)이거나 개발 후기 단계(19220MW)에 있어, 계속해서 풍력발전에 대한 투자와 관심이 증가하는 것을 확인할 수 있다.

주별 누적 풍력발전 용량

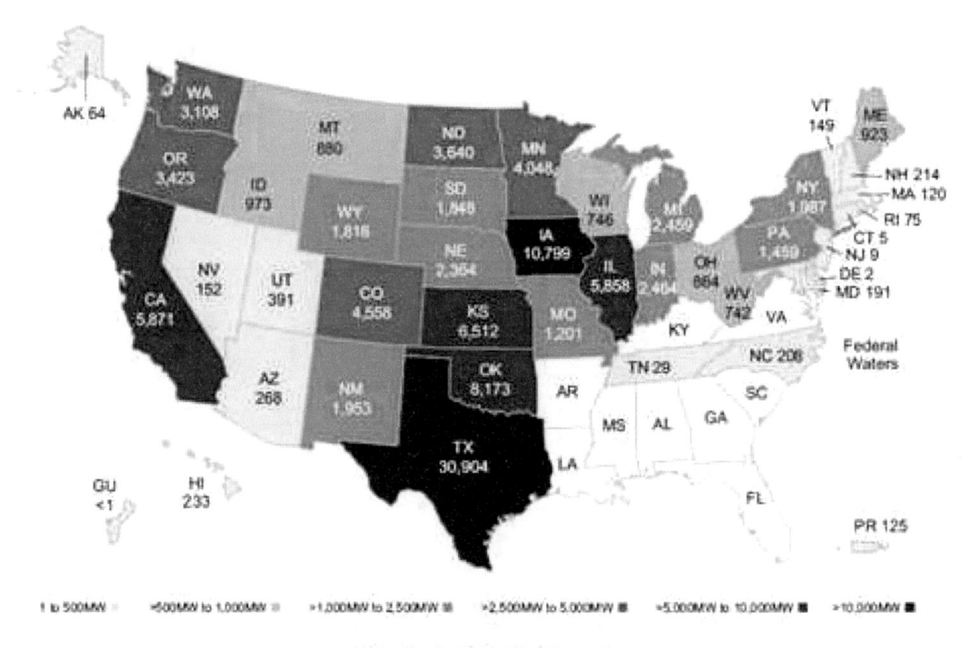

자료: AWEA(2020. 10.)

특히 2020 미국 대통령 선거가 민주당 조 바이든의 승리로 끝나면서, 앞으로 미국 풍력발전 시장이 빠르게 성장할 것이란 기대감이 크며, 잠재력이 높은 해상풍력의 성장이 더욱 기대된다. 바이든은 청정에너지 및 기후변화 대응 인프라에 향후 4년간 2조 달러(약 2200조원)를 투자할 계획으로, 이에 미국 풍력에너지 시장은 큰 폭으로 성장하며 날개를 달 것으로 보인다.

미국의 해상풍력발전은 유럽에 비해 부진한 상황이었다. 해상에 건설하는 비용이 육상에 비해 더 높은 데다, 환경문제와 지역 주민의 반발에 거세게 부딪쳤기 때문이다. 미국 해상풍력 시장은 2016년 12월 30MW 규모의 Block Island 프로젝트가 운영되면서부터 탄력이 붙기 시작했다. 해상풍력 관련 복잡한 규제에도 불구하고 대규모 프로젝트는 발전해오고 있다. 미국 국립재생에너지연구소(NREL)에 의하면 미국 해상풍력의 기술적 자원 잠재성은 2,000GW로 현재 미국 전체의 전력 이용량의 2배이다. 개발자들은 15개의 해상풍력발전 프로젝트를 예상하고 있으며, 총 10,603MW 가량이 2026년까지 완공될 것으로 보고 있다. 또한 각 주와 글로벌 기업들도 해상 풍력발전에 대한 투자를 늘리고 있다. 2020년 7월, 뉴욕주는 최대 2500MW 규모 해상 풍력발전 프로젝트를 위한 입찰권유(Solicitation)를 발표한바 있으며, 9월에는 뉴저지가 최대 2400MW 규모 해상 풍력발전 프로젝트 입찰권유를 발표하기도 하였다. 또한 글로벌 석유기업 브리티시페트롤리엄(BP)은 지난 2020년 9월 미국 해상 풍력발전에 11억 달러(약 1조2000억원)를 투자하겠다는 계획을 발표했다. 노르웨이 국영 에너지 기업 에퀴노르가 미국 동부 인근 해상에서 추진하는 엠파이어와 비컨 해상 풍력발전 프로젝트의 지분 50%를 매입할 예정이다. 뿐만아니라 해상 풍력발전 시장 진출을 위해 기업간 협업도 활발히 이뤄지고 있다. 에너지 기업인 EDPR과 엔지는 지난 7월 미국, 유럽, 아시아 시장을 겨냥해 해상 풍력발전 합작회사인 오션윈즈를 설립하기로 했다. 일본 미쓰비시는 자회사 다이아몬드 오프쇼어 윈드를 통해 RWE 리뉴어블, 메인대와 함께 대학의 부유식 해상 풍력 실증 프로젝트를 개발하고 있다.

이처럼 미국은 동부 해안가를 중심으로 해상풍력에 대한 움직임이 활발해지고 있지만, 야심찬 목표를 달성하기 위해서는 선박·항구 관련 인프라 그리고 노동력 등 공급 과정에 대한 투자가 필요하다. 주 단위에서 개별적으로 세금 관련 혜택이나 연구 보조금 등을 지원하여 투자를 유치하고 있는데 중요한 것은 각 주 정부들이 협력하여 효율적인 공급 과정을 구축하는 것이다. 계통 인프라에 대한 투자도 중요하다. 한 연구에 의하면 600~1,200마일에 달하는 계통이 뉴잉글랜드주와 뉴욕주에 새로 구축되어야 하는데 이렇게 막대한 투자는 한 개 주에서 감당할 수 없다. 그러므로 여러 이해관계자 그룹의 협력이 필요하다. 미국 상원은 2019년 12월 생산세액공제(PTC, Production Tax Credit)를 1년 연장하였다. 2020년에 건설이 시작되어 2024년에 운영이 시작되는 프로젝트에 대해 1.5센트/kWh 생산세액공제(기존 생산세금공제의 60%) 혹은 18%의 투자세액공제(ITC, Investment Tax Credit)가 생산세액공제를 대신하는 것이 가능하다.

다) 덴마크[97]

EU집행위는 2020년 11월 EU해양재생에너지전략을 통해 2050년까지 해상풍력발전 용량 300GW 달성(현 12GW), 인프라 구축·기술개발을 위한 민관투자 촉진, 지역 간 협력이 용이하도록 제도·법적프레임워크 개선계획을 발표했다. 또한 EU집행위는 발트해의 해상풍력발전 개발 가능성에 주목하고 2020년 기준 2.2GW에 불과한 발트해 지역 해상풍력 발전용량을 2050년 93GW까지 확대할 계획이다. 이에 2020년 9월, 덴마크·에스토니아·핀란드·라트비아·리투아니아·독일·스웨덴·폴란드 8개국은 발트해상풍력개발합동선언에 서명하고 해양공학기술 및 투자협력을 약속한 바 있다. 덴마크는 현재 풍력발전 산업에서 가장 경쟁력을 갖추고 있는 유럽국가 중 하나이다. 덴마크는 1970년대 오일쇼크 이후 '화석에너지에 더 이상 국가의 운명을 맡겨서는 안 된다'는 판단에 따라 1979년 첫 풍력발전기를 개발한 뒤로 현재 5,500여 기를 운영하고 있다. 발전용량만 해도 3,100메가와트(MW)로 덴마크 전체 소비 전력의 20%를 차지하고 있다. 덴마크는 풍력발전 용량뿐만 아니라 세계 최대 풍력터빈 제조업체인 베스타스 사, 세계 1위의 풍력발전기 날개 제조업체인 LM 글래스화이버(LM Glassfiber)사도 보유하고 있다. 2007년 풍력터빈 세계시장의 규모는 1만1,407mW로 집계됐는데 덴마크의 베스타스가 27.9%로 선두를 차지하고 있다. 2006년 기준으로 풍력 발전 산업과 관련된 기업 315개가 활동 중이며, 이들 기업들의 총 매출액은 약 97억 달러에 이른다.[98] 덴마크의 대표적인 풍력단지로는 덴마크 서부의 Rejsby Hede 풍력단지와 Tuno 해양 풍력단지(Tuno off-shore Windfarm)를 들 수 있다. Rejsby Hede 풍력 발전 단지는 Negmicon 사의 600kW 풍력 발전기 40기가 설치되어 총 발전 용량은 24mW에 이르고 있다. 여기서는 연간 약 60기가와트시(GWh)의 전력을 생산하는데, 이는 약 16,000가구에 충분한 전력을 공급할 수 있는 양이다. 이로 인해 연간 약 45,000톤의 이산화탄소와 150톤의 이산화황 배출 감축 효과를 갖는 것으로 분석되고 있다. Tuno 해양 풍력단지는 덴마크 Justland 동쪽 6km 근해의 수심 약 3~6미터 내외의 해상 위에 설치되었다. 여기에는 베스타스 사의 500kW 풍력 발전시스템 10대가 2열로 배치되어 있다. 최근 2021년 2월

97) EU·벨기에 해상풍력발전 동향 및 산업 구조, kotra해외시장뉴스, 2021.03.04
98) 참조 : 소영일, 김성준 <그린 비즈니스>

덴마크는 벨기에와 2030년까지 600km 해저 전력망을 구축사업을 위한 양해각서를 체결했다.

라) 콜롬비아[99]

콜롬비아는 풍부한 풍력 자원에도 불구하고, 지난 10년 동안 시장 진입장벽과 재생에너지 기술에 대한 투자 부족으로 시장 성장이 늦어졌다. 그러나 국가 전력 시스템에 가격경쟁력을 갖춘 풍력발전을 추가하라는 압력이 가해져 GWEC와 산업계의 도움으로 지난 2년 동안 정책적으로 큰 변화가 일었다. 2015~2016년 엘니뇨현상으로 발생한 심각한 가뭄으로 콜롬비아가 기후 변화에 취약하다는 것이 알려졌다. 이러한 요인으로 국가 에너지 정책에 수력 위주의 에너지 시스템을 보완할 수 있도록 에너지원을 다양화하려는 내용이 담겼다. 콜롬비아는 2022년까지 재생에너지 용량을 1.5GW로 확대한다는 것을 목표로 국가개발계획을 수립했다. 전 세계적으로 전력계통 용량 부족이 재생 에너지 보급에 방해물로 작용하고 있다. 콜롬비아 풍력발전 성장 초기에 송전 인프라와 관련된 종합적이고 장기적인 계획이 도입된다면 효율적으로 재생에너지를 통합할 수 있을 것이다. 강력한 풍력 자원, 정치적 안정성, 에너지전환에 대한 의지 등이 있어 콜롬비아는 라틴아메리카에서 강력한 풍력 시장으로 거듭날 것으로 보인다. 이미 콜롬비아는 2030년까지 지역의 재생에너지 비중을 70%로 달성하려는 '라틴아메리카 및 카리브해 지역 재생에너지 계획'(RELAC)에서 선도적인 역할을 하고 있다.

마) 케냐

케냐의 경제는 동 아프리카에서 가장 큰 규모를 자랑한다. 재생에너지 부문도 마찬가지로 국가의 개발과 산업화 전력에서 큰 기둥 역할을 하고 있다. 케냐는 현재 풍력 설비용량이 350MW에 달하며, 2024년까지 350MW가 추가될 것으로 예상된다. 케냐는 아프리카 대륙에서 태양광 자원 보다 풍력 자원의 가치가 더 높은 나라 중 하나로 동 아프리카 지역에서 풍력 산업의 리더 역할을 할 것으로 보인다. 지정학적 안정성, 전력 보급률 75%, GDP 성장률 6%, 금융기관의 적극적 진출, 풍부한 민간 자본 등이 케냐의 풍력 시장의 기반을 뒷받침하고 있다. 이러한 요인들이 축적되어 아프리카에서 가장 큰 풍력발전단지인 312MW의 Lake Tukana 프로젝트가 2019년 성공적으로 전력계통에 연결될 수 있었다. 국가의 야심찬 청정에너지 목표도 풍력발전 산업의 성장을 촉진시키고 있다. 케냐 정부는 2020년까지 발전 분야에서 지열, 풍력, 태양광

99) 「GWEC 2019 풍력발전 보고서」 요약본, 한국에너지정보문화재단, 2020

중심으로 100% 재생에너지 믹스를 목표로 하고 있으며 2030년까지 재생에너지 용량을 23GW로 확보하고자 한다. 케냐 국가 전력화 전략(KNES)에 따라 전력 소비는 크게 늘어날 것으로 보인다. 케냐 국가 전력화 전략은 2022년까지 전체적인 전력화를 목표로 하고 있어 풍력 보급에 대한 수요가 더욱 늘어날 것으로 보인다. Lake Turkana 풍력발전단지는 케냐의 재생에너지 부문에 중요한 도약이기도 했지만 프로젝트 실행에 치명적인 문제를 드러내기도 했다. 프로젝트 초기에 벌어진 토지 소유권에 대한 논쟁으로 프로젝트가 지연되었고, 이후 계통에 연결되는 데도 15개월 지연되었다. Lake Turkana 풍력발전단지는 케냐 풍력발전의 야망과 규모에 대한 증거가 되었으나 허가 과정과 계통 용량에 대한 문제점을 상기시켜 주기도 한다. Lake Turkana 프로젝트는 아프리카 시장에서 공공풍력발전단지가 늘어나는 전력 수요에 대한 해결책이라는 점을 보여준다. 그러나 반면에 격동의 개발 및 건설 과정은 현장의 문제들을 보여주기도 한다. 2019년 8월 완공되어 2020년 운영될 케냐-에티오피아 양국가간 전력망은 아프리카 지역에서 케냐의 리더십을 보여줬다. 해당 프로젝트는 동아프리카 전력 풀(EAPP)의 근간이 되어 지역 통합과 국가간 무역에 대한 진전을 이뤄낸 것이다.이러한 가능성과 진보에도 불구, 케냐 정부는 여전히 2022년 이후의 석탄 기본계획과 석유 생산 관련 계획을 세우고 있으며 탄자니아로부터 가스를 수입하려고 한다. 케냐의 경쟁력 있는 에너지 환경을 고려했을 때 풍력산업은 Lake Turkana의 성과를 이어나가는 것이 중요하다. 정부와 산업계는 거의 문제로부터 교훈을 얻어 케냐의 풍력발전 환경을 개선시켜야 할 것이다

바) 베트남

베트남에는 해안지대가 3,000km가 넘고 남쪽 지방의 평균 풍속은 m/s~9m/s에 달하기 때문에 풍력발전에 대한 잠재력은 상당하다. 세계은행에서 발표한 두 개의 보고서에 의하면 베트남 전역에서 육상풍력은 24GW, 해상은 475GW 풍력 기술 용량이 확인되었다고 한다. 베트남 정부는 급등하는 에너지 수요를 충족하고, 에너지 포트폴리오를 다양화하여 에너지 부족 문제를 예방하기 위해 노력중이다. 에너지 정책의 초점이 저렴한 요금에서 빠른 에너지 용량 확보로 옮겨가고 있는데 이는 재생에너지를 포함시키려는 노력을 지지하는 것과 같다. 2019년 말 베트남의 누적 풍력발전 설비용량은 487.4MW였다. 이중 99MW가 아세안 지역 최초의 조간대 해상풍력이었다. 몰려드는 국내외 투자 덕분에 베트남 풍력 시장은 2025년까지 4GW 가량의 용량이 새로 설치될 것으로 보인다. 베트남에서 풍력발전의 비용은 이미 지열발전 대비 경쟁력이 있으나, 베트남 정부가 적극적으로 나서고 송전 투자를 전략적으로 관리하지 않는

이상 2021년 이후의 성장은 FIT 제도의 만료와 출력제한에 대한 문제가 우려된다.

사) 글로벌 주요 기업현황[100]

세계풍력시장은 현재 유럽, 미국 업체들이 풍력터빈 시장을 주도하고 있다. 베스타스(덴마크), 지멘스(독일), GE(미국) 등 주요 업체들이 세계 시장점유율의 약 50%를 차지하고 있으며 중국기업도 원가절감과 기술격차 축소에 힘입어 세계시장의 약 20%를 차지하고 있다. 이에 반해 국내 주요 업체로는 두산중공업, 유니슨, 한진, 효성중공업 등이 있으나 아직 세계시장에서의 점유율은 크지 않은 상황이다.

순위	회사	국가	시장점유율
1	Vestas	덴마크	9.60
2	Siemens Gamesa	독일/스페인	8.79
3	Goldwind	중국	8.25
4	GE	미국	7.37
5	Envision	중국	5.78
6	MingYang	중국	4.50
7	Windey	중국	2.06
8	Nordex	독일	1.96
9	Shanghai Electric	중국	1.71
10	CSIC	중국	1.46

표 23 글로벌 풍력기업 top10 (2020)
[101]

100) 해상풍력의 국내 경쟁력 현황 및 제고방향, 전기저널, 2020.11.13
101) 출처 : 글로벌 풍력기업순위 No1~No10. 블로거_복순네막걸리, 2020.08.22

(1) 베스타스 [102][103]

덴마크 사람들은 예부터 풍차를 돌려 동력을 만들어냈다. 19세기 말 전기가 보급될 무렵 풍력발전기를 만들어 농촌 지역에 널리 퍼뜨린 것도 덴마크 사람이었다. '바람의 나라' 덴마크에서 세계 최대 풍력발전기 회사인 베스타스(Vestas)가 탄생한 것은 우연이 아닐지 모른다. 베스타스사는 전 세계 풍력발전용량의 19%를 공급하고 있는 풍력발전 업계 1위 기업이다. 세계 최초로 풍력발전기를 상용화한 베스타스는 1990년대 들어 세계적으로 부는 풍력발전기 설치 바람을 타고 급성장했다. 지멘스, 제너럴일렉트릭(GE) 등 글로벌 기업이 풍력발전 시장에 가세하며 경쟁이 치열해진 가운데 베스타스는 날개의 무게를 줄이고 운영시스템을 최적화하는 등 기술 개발에 전념했다.

1998년 상장할 당시 베스타스의 세계 풍력발전 시장점유율은 22.1%에 달했다. 10여 년간 베스타스는 업계 1위 자리를 고수하며 성장을 거듭했다. 2003년 17억 유로에 불과했던 매출은 2008년 60억 유로로 뛰며 연평균 28.8% 성장했다. 이 시기에 주가는 1,300% 가까이 폭등했다. 2004년에는 덴마크의 또 다른 풍력터빈 회사인 NEG미콘을 인수·합병(M&A)하면서 세계 시장점유율을 32%대로 끌어올렸다. 최근 미국과 중국의 물량공세에 밀려 점유율에서 주춤하고 있지만 베스타스의 풍력발전

102) 출처 : 베스타스 홈페이지
103) 베스타스, 내년 15MW 해상풍력발전기 내놓는다, 에너지신문, 2021.02.23

기는 지금도 세계 어딘가에서 4시간에 한 대 꼴로 건설되고 있다. 2019년 9월 세계 각지에서 33만 개의 풍력발전기가 생산하는 약 600 기가와트의 전력 중, 베스타스는 7만개의 발전기로 약 110 기가와트를 생산해 세계 풍력발전의 20% 정도를 차지했다.

베스타스가 1979년 처음 개발한 풍력발전기는 로터 10m에 30kW급 용량에 불과했지만, 최근 3mW급 풍력발전기 로터의 지름은 101m로 대형화됐다. 수천 가구에 전력을 공급할 수 있는 mW급 풍력발전기는 대당 공급 가격이 수백만 유로에 이를 정도로 고가 상품이다. 이런 제품에 결함이 생기면 엄청난 손실이 불가피한 탓에 베스타스는 2년간 제품 테스트를 거친 후 신제품을 출고하는 것으로 알려졌다. 또한, 연구개발·설계→시제품 제작→완제품 생산→시험→설치→유지 및 보수에 이르는 전 과정을 자체적으로 관리·감독해 안정성을 높인다. 전 세계에 설치된 5만4000여 대의 베스타스 풍력발전기에서 각종 운영 데이터(온도·풍속·회전속도 등)를 모두 집계해 새로운 기술개발의 기초 자료로 활용한다.

또한, 최근에는 베스타스는 15MW 용량의 신형 해상풍력 터빈을 개발한다고 밝혔다. 베스타스에 따르면 신형 터빈은 15MW 설비용량으로 4만 3000m² 이상의 회전자 면적 및 236m의 회전자 직경 규모를 자랑한다. 이는 현재 상용화된 풍력발전기 중 최대 규모다. Henrik Andersen 베스타스 CEO는 "새로운 해상 플랫폼을 도입하는 것은 매우 중요한 여정을 향한 회사의 진전"이라며 "15MW 해상 풍력발전기 건설로 풍력 발전 비용을 절감, 향후 해상 풍력 발전 제공에 있어 고객 경쟁력을 높일 수 있을 것"이라고 강조했다. 발전기는 연간 80GWh의 전력을 생산할 수 있을 전망이다. 이는 유럽 내 2만가구에 전기를 공급할 수 있는 양이며 3만 8000톤의 CO_2를 감축할 것으로 예상된다. 프로토타입은 2022년 설치될 것으로 예상되며, 실증을 거쳐 2024년부터 대량생산에 착수할 계획이다. 베스타스는 향후 15MW 해상풍력 발전기 양산을 통해 글로벌 해상풍력 입찰에서 경쟁 우위를 점할 것으로 기대하고 있다.

국내 풍력발전의 역사가 곧 베스타스의 한국 진출 역사라고 할 만큼 우리나라와의 인연도 깊다. 지난 2007년 설립된 한국법인을 중심으로 제주·강원 등지 풍력발전단지 건설에 참여하며 지금까지 122기를 보급했다. 베스타스는 현재 약 50%의 국내 시장점유율을 보이며 1위 자리를 차지하고 있다.

(2) GE[104)105)]

1996년 1.5mW급 풍력시스템 개발을 시작으로 다양한 모델을 선보인 GE는 그동안 35개국에 3만기 이상의 풍력시스템을 공급했다. 설치된 설비용량만 45GW 이상에 달한다. 트랙레코드 확보 측면에서 단연 돋보이는 성적이다.[106)]

글로벌 최대 인프라 기업 GE는 지난 2014년 11월, 97억 유로(약 106억 달러)에 상당하는 알스톰의 발전 및 송배전 사업 부문 인수를 매듭지었다. 1878년 GE 창사 이래 최대 규모의 이번 인수합병은 세기의 '빅딜'로 전 세계의 주목을 받았다. 통합 230년에 해당하는 두 글로벌 기업의 오랜 지식과 경험이 한 데 합쳐진 순간이었기 때문이다. 특히, GE는 전 세계 발전설비의 25% 가량을 공급하고 있는 알스톰의 발전 사업부를 인수하는 것으로 기존 에너지 사업 역량을 더욱 강화했다. 실제로 500 기가와트 규모에 이르는 알스톰의 기존 발전 설비 자산을 인수해, GE 설비의 발전 규모가 50% 증가해 총 1,500 기가와트가 되었다. 미국 전체의 전기 수요를 상회하는 발전 규모다. 이를 기반으로 GE는 발전소 종합 설계 능력을 전반적으로 향상시키고, 보다 통합적인 솔루션을 제공할 수 있게 됐다.[107)]

또한 2020년에는 GE사가 현존 최대급인 12MW급 해상풍력발전기 터빈에 대한 형식인증을 완료했고, 미국과 영국에서 본격적인 가동에 돌입할 전망이다. REVE 보도에 따르면 현재 전세계에서 가장 강력한 풍력발전기인 GE의 Halidad-X 12MW 터빈이 DNV GL에 의해 임시형식 인증서를 획득했다. GE 재생에너지는 향후 몇 개월 내에 풀 타입 인증을 획득하기 위해 궤도에 오르게 된다. 할리아드-X 기술은 이미 미국과 영국의 4.8GW 규모의 해상풍력발전프로젝트에 우선적으로 선정돼 500만 가구 이상의 전력을 공급할 수 있다. 이 인증은 GE의 Halidad-X 프로토타입이 가장 높은 안전 및 품질 표준을 가지고 있음을 증명하며 설계가 전체 형식 인증 요건을 충족하기 위해 궤도에 올랐다는 증거를 제공한다. Halidad-X 기술은 미국의 120MW Skip Jack 및 1,100MW Ocean Wind 프로젝트와 영국의 3,600 MW Dogger Bank 해상풍력발전소의 우선 풍력발전기로 선정됐다. GE의 Halidad-X 기술을 합치면 양국에서 500만 가구 이상의 전력을 공급하게 된다. 할리아드-X 시리즈 생산은 2021년 하반기 프랑스 GE 생나자르 공장에서 시작된다.

---

104) 중국·유럽에 맞서…GE·도시바 '해상풍력 동맹', 한국경제, 2021.02.23
105) GE, 세계 최대 12MW급 풍력발전기 설치 돌입, 투데이 에너지, 2020.06.29
106) EPJ. 2016.04.18. <혁신 아이콘 GE, 한국 풍력시장에 '도전장'>
107) 조선일보, 2015.12.19. <GE, '세기의 빅딜'로 세계 최대 에너지 기업 도약>

여기에 최근 미국 제너럴일렉트릭(GE)과 일본 도시바가 제휴관계를 맺고 해상풍력발전의 핵심 설비를 공동으로 생산할 것으로 보인다. 세계 시장을 장악한 유럽과 중국에 맞서는 미국과 일본 대표 에너지 기업의 연합전선이 구축된 것이다. 니혼게이자이신문에 따르면 GE와 도시바는 해상풍력발전의 핵심 설비인 발전장치(나셀)를 공동 생산하는 협상을 벌이고 있다. 두 회사가 기술력을 모아 도시바의 발전 계열사인 도시바에너지 요코하마 공장에서 발전설비를 공동 생산할 방침이다. 도시바가 최근 화력발전사업 시장에서 철수를 결정하면서 남게 된 요코하마 공장의 설비와 인력을 활용할 계획이다. GE는 육상풍력발전 시장에서 높은 점유율을 확보한 반면 해상풍력발전 시장에서는 후발주자로 분류된다. 도시바와의 제휴로 대규모 해상풍력발전 건설이 예정된 일본에 거점을 확보해 선두권 기업과의 격차를 줄이려는 전략으로 분석된다. 양사는 이미 원자력발전과 화력발전 분야에서 제휴관계를 맺었다.

(3) 골드 윈드

골드윈드는 중국 1위, 전세계 2위의 풍력 터빈제조 기업이다. 골드윈드는 1998년 설립된 풍력터빈 생산 및 공급 기업으로 2013년 중국 내 가장 큰 풍력기업으로 선정됐으며 전 세계 27개국에 1만4,000기·19GW 규모의 풍력발전기를 설치해 세계에서 2번째로 많은 풍력터빈을 공급한 기업이다. 생산 기종은 750kW~2.5mW까지로 육상풍력 전용인 1.5mW, 육·해상 공용인 2.5mW급 발전기가 주력기종이다. 특히 최근 육·해상 공용 3.0mW급 발전기 프로토타입을 가동하고 있으며 해상풍력용 6mW, 10mW급 풍력발전기 개발을 진행 중이다. 특히 2.5mW, 3.0mW, 6.0mW 제품은 해상풍력 모델로 개발돼 해상풍력 개발 사업이 점차 확대되고 있는 한국시장에서 충분한 경쟁력을 발휘할 것으로 기대된다. 이 가운데 우선 한국시장에 선보일 제품은 2.5mW 모델 2종으로, 현재 한국에너지공단의 대형풍력 인증 절차를 밟고 있다.

골드윈드가 이처럼 다양한 모델을 개발할 수 있는 것은 우수한 전문 연구인력 때문이다. 골드윈드는 독일 노인키르센(Neunkirchen)과 중국 베이징 두 곳에 R&D 센터를 운영 중이다. 1,000여 명에 달하는 연구개발 인력은 풍력시스템 개발과 업그레이드에 특화된 엔지니어로 구성돼 있다. 특히 기업 내에 Goldwind University라는 대학교를 설립해 유지보수, 품질관리 등 풍력분야에 특화된 전문 인력을 양성하고 있다.

다. 수소연료전지 산업 시장분석

1) 시장현황

가) 수소 산업시장

수소 경제는 수소전기차와 연료전지 시장을 중심으로 가파르게 성장하고 있으며, 주요 선진국들은 수소 경제를 선도하기 위해 생산, 운송 및 저장, 활용 등 수소 밸류체인 전 단계에서 기술적, 산업적 완성도를 높이기 위해 막대한 시간과 비용을 투자하고 있다.

맥킨지가 발표한 보고서(Hydrogen scaling up, 2017)에 따르면 2050년 전 세계 수소 수요는 연간 78EJ(석유로 환산 시 약 132억 6,000만 배럴) 규모에 이를 전망이다. 보고서는 수소가 지금은 주로 산업용 원료로써 활용되고 있지만, 수소 활용 분야의 기술 발전과 함께 수소 소비량이 가파르게 늘어날 것이라 예상한다. 특히, 수소전기차 분야가 수소 수요 확대를 이끌고, 이후 연료전지가 다양한 분야에 보급돼 수소 소비가 점차 늘게 될 것으로 전망했다.108)

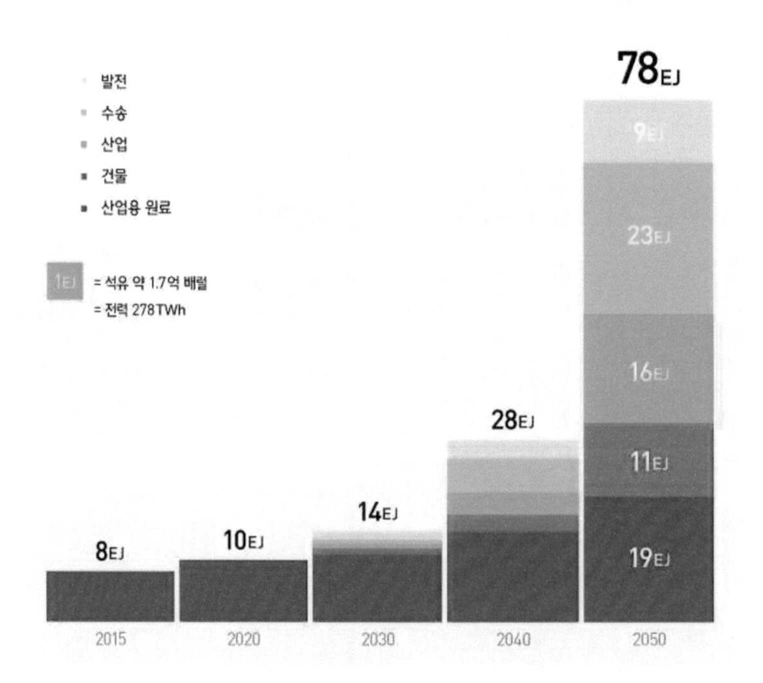

[그림 75] 2050 글로벌 수소 소비량 전망

108) 탄소 경제에서 수소 경제로 이동하는 세계, 현대자동차그룹, 2020.01.06

또한 맥킨지의 보고서에 따르면 2050년경 세계는 수소 경제 활성화로 인해 수소에너지가 전 세계 에너지 수요의 약 18%를 차지하며, 연간 2.5조의 시장가치와 함께 새로운 일자리 3,000만 개를 창출하게 된다.

세부적으로 보면 수소 생산, 저장 및 운송 등 인프라 산업 시장이 새로 생겨나고, 수소전기차를 중심으로 열차, 선박, 드론, 건설기계 등 모든 운송 분야에서도 새로운 수소 산업 생태계가 조성될 수 있다. 더불어 최근 급격히 성장하고 있는 발전용 연료전지도 새로운 시장가치를 창출할 것으로 전망된다.[109]

수소 사회 진입 효과

에너지 수요 비중	연간 CO_2 저감	연간 시장가치 창출	누적 고용효과
약 18%	60억 톤	2.5조 달러	3,000만 개

[그림 76] 수소 사회 진입 효과

한국수소산업협회 자료에 의하면, 전 세계 연간 수소생산량은 6,500만 톤이다. 수소가 이용되는 분야는 석유 정제 및 회수 공정 47%, 암모니아 생산 45%, 메탄올 공정 4%, 금속 공정 2%, 기타 2%로 나타나고 있다. 전 세계 수소 생산시장은 2016~2021년간 5.2%의 연평균 성장률로 성장을 지속하여 2021년에는 1,520억 9,000만 달러에

109) 탄소 경제에서 수소 경제로 이동하는 세계, 현대자동차그룹, 2020.01.06

이를 것으로 전망되고 있다.

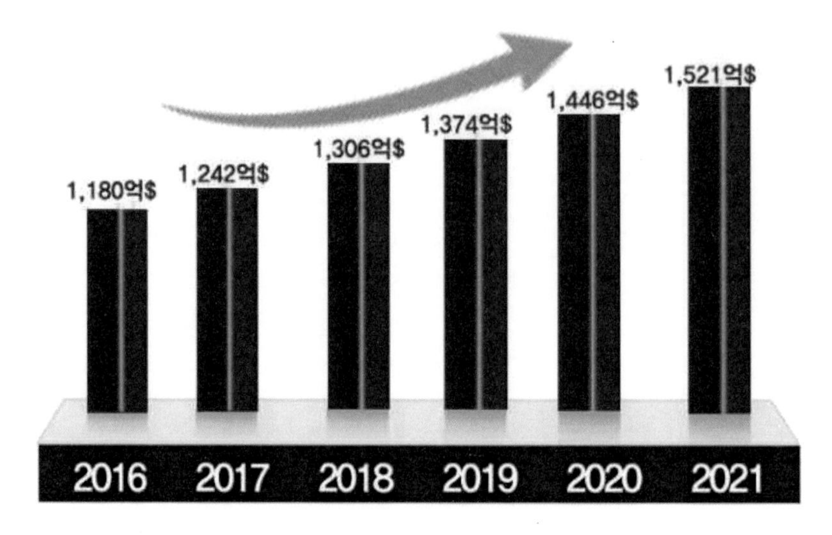

[그림 77] 전 세계 수소 생산시장 전망

수소시장이 빠르게 성장하는 배경에는 환경규제 강화에 따른 친환경 수소에너지 수요 증가를 비롯하여 수송 부문에 사용되는 수소 수요량 증가, 대표적 수소시장인 암모니아와 메탄올 시장의 성장, 오일샌드 정유와 석탄가스화 등에 수소가 대량으로 사용되기 때문인 것으로 분석되고 있다.

수소에너지 시장은 현재는 가정용 연료전지 시스템과 같은 정치용 연료전지가 주를 이루고 있으나, 연료전지자동차 도입과 수소스테이션 정비 등에 따라 초기시장이 형성되고, 그 후 본격적인 보급과 수소를 이용한 발전 도입에 따라 크게 확대될 것으로 기대되고 있다. 2015년 일본의 산업기술총합개발기구에 따르면 전 세계 수소인프라 시장규모는 2020년 10조 엔, 2030년에는 40조 엔, 2040년에는 80조 엔, 2050년에는 160조 엔(약1,620조 원)까지 급성장할 것으로 전망되고 있다.

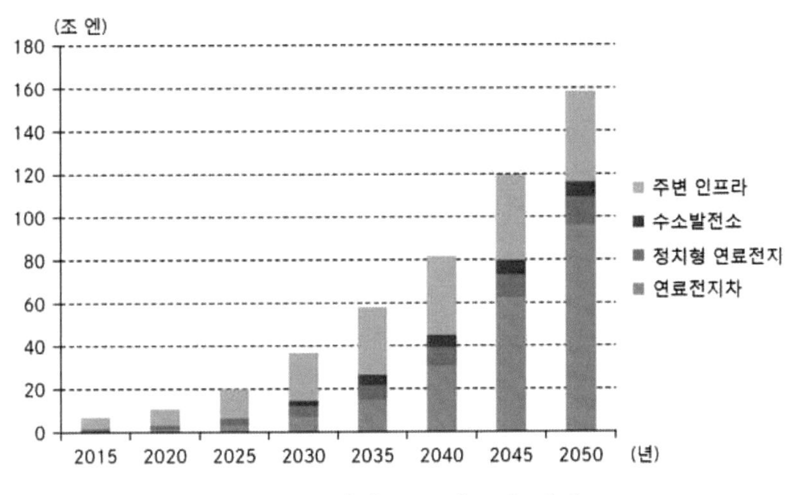

[그림 78] 전 세계 수소인프라 시장규모

이후 맥킨지가 2018년 9월 5일에 발표한 Hydrogen meets digital 보고서에 따르면 2030년까지 자율주행택시(100~150만 대), 자율주행셔틀(30~70만 대), 화물트럭·밴(300~400만 대), 수직이착륙 택시(4,000~8,000대), 데이터센터 등에 수소 연료전지 시스템이 장착되면서 연간 약 500~700만 톤의 수소 수요를 발생시킬 전망이다.[110]

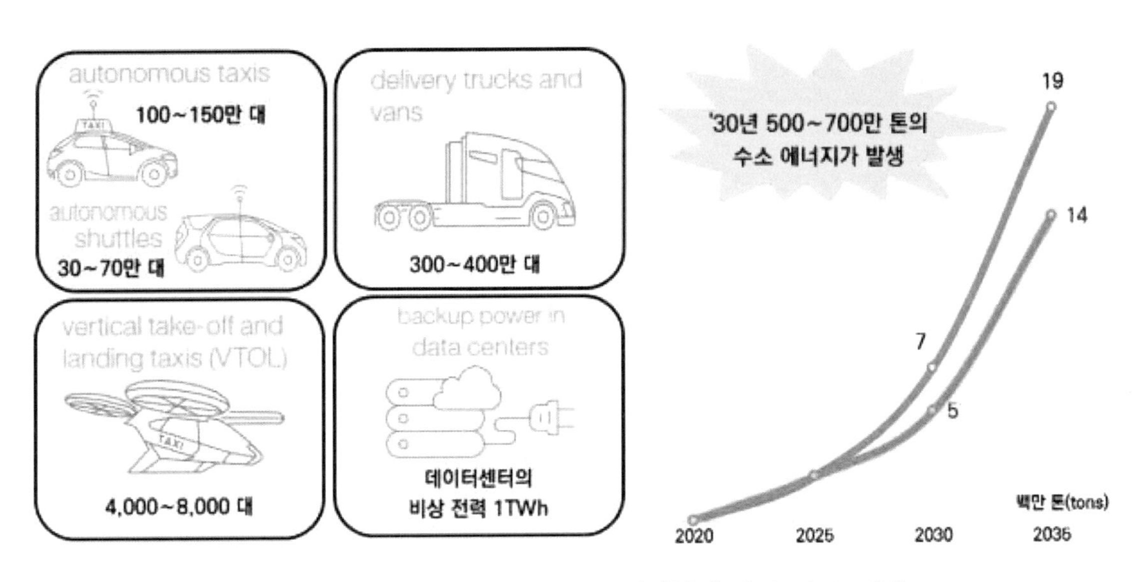

[그림 79] McKinsey&Company의 '30년 수소 수요 예측

나) 연료전지시장

110) ICT Brie, 정보통신기획평가원, 2019.03

전 세계 연료전지 시장은 빠른 성장세를 보이고 있으며, 2017년 기준 50억 3,420만 달러를 기록하였다. 이는 2015년 총 17억 7,440만 달러 대비 184% 성장한 수치이다. 일본 후지경제는 2030년 글로벌 연료전지 시장은 4조9,275억엔(약 50조원) 규모로 2017년 대비 28배 성장할 것으로 전망했고, 지역별로는 한국, 중국, 일본 등 아시아 비중이 2018년 45%에서 2030년 58%로 절반 이상을 차지할 것으로 전망했다.

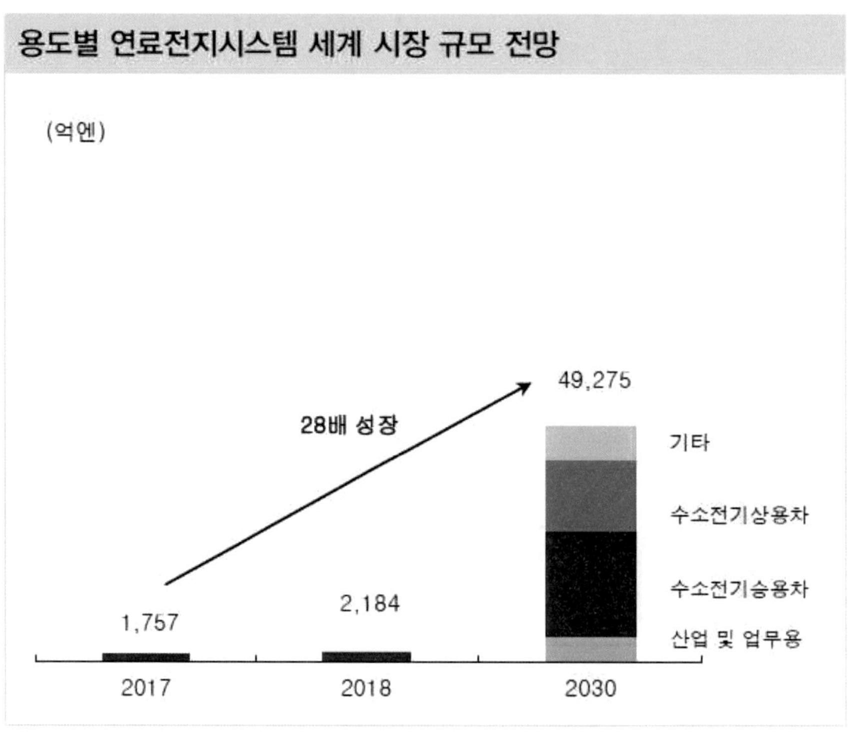

자료: 후지경제(2018), 월간수소경제, IBK투자증권

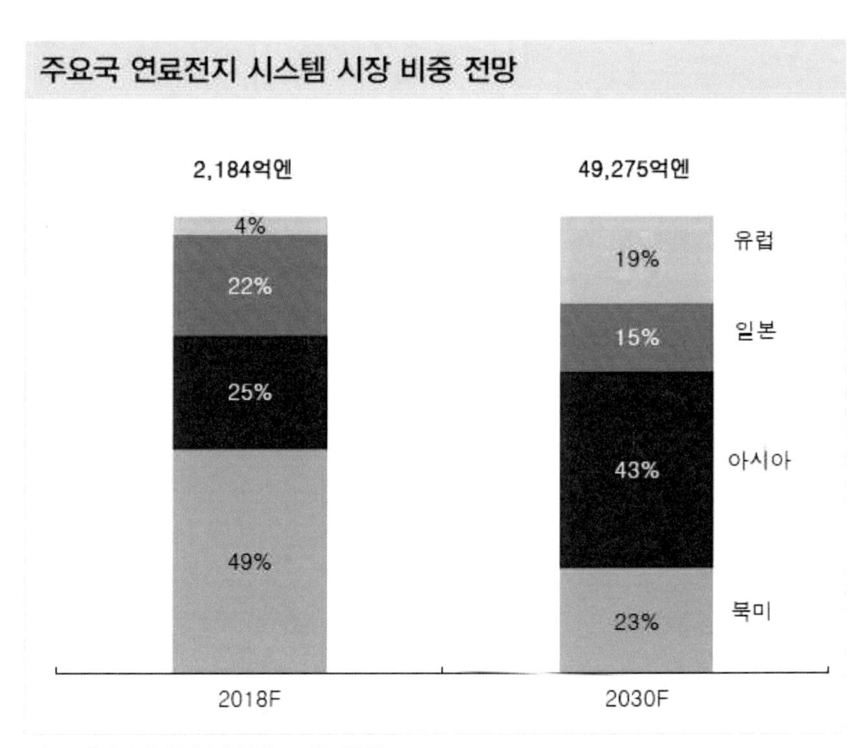

자료: 후지경제, 월간수소경제, IBK투자증권

연료전지는 응용 형태에 따라서 발전용, 수송용, 가정/상업용, 휴대용으로 세분화할 수 있는데, 특히 2013년/2015년/2017년에 각각 215MW / 299MW / 670MW로 연평균 33% 성장을 보였던 글로벌 발전용 연료전지 시장은 2030년/2050년에 각각 12.7~25.4GW / 95GW로 연평균 7~11% 성장을 보일것으로 전망된다.

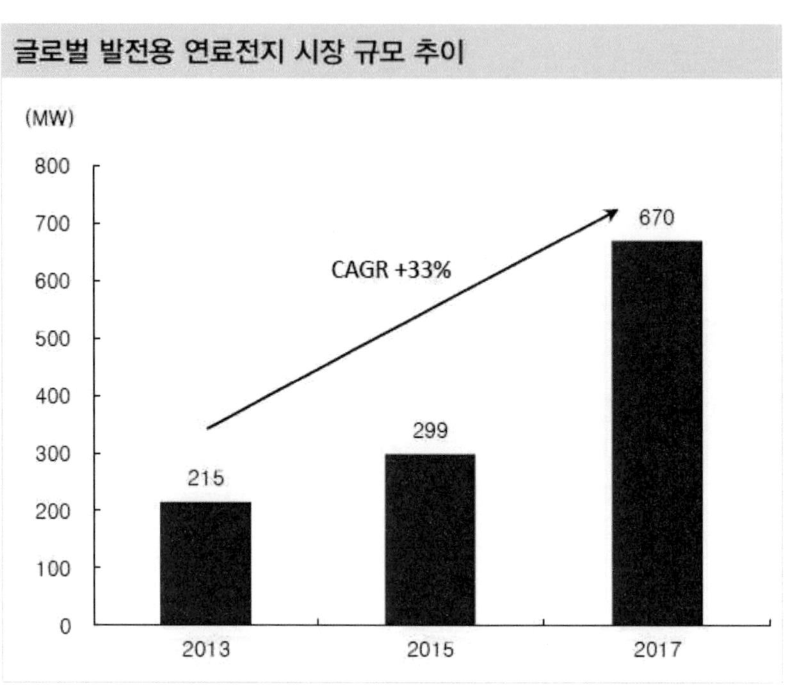

자료: Hydrogen Council, IBK투자증권

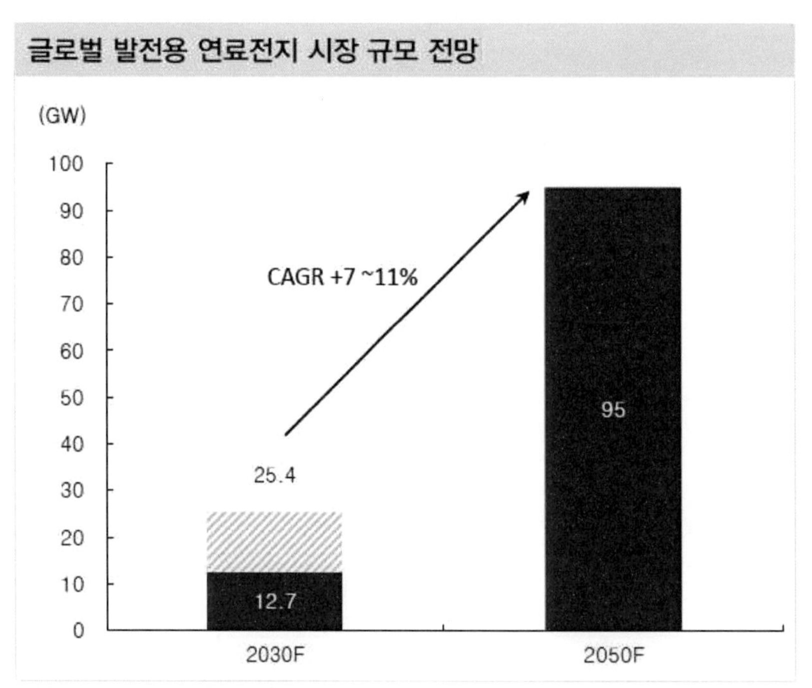

자료: Hydrogen Council, IBK투자증권

또한 고정형과 수송형의 전체적인 성장세가 두드러진다. 특히, 2015년까지는 발전용 연료전지를 위주로 고정형이 전체 연료전지 시장의 약 68% 이상의 시장을 점유하였으나, 자동차용 시장의 급격한 성장으로 2017년 이후부터는 수송형의 시장 점유율이 크게 성장하여 고정형과 비슷한 규모로 시장이 형성되고 있는 추세에 있다(고정형

51.2%, 수송형 48.6%). 이에 비해 시장의 규모가 상대적으로 미미한 휴대형 연료전지 시장은 2013년 이후 빠른 성장세를 보이며 2015년에는 940만 달러로 전체 시장의 0.5%를 차지하였다. 이후에도 휴대형 연료전지는 계속해서 규모를 키워가며 성장하고 있지만, 상대적으로 작은 시장규모로 인해 전체 연료전지 시장에서 차지하는 비중은 0.1%에 머물것으로 예상된다.

2) 국내 현황[111)]

한국 수소경제 활성화 로드맵 요약(2019.1.16)

구 분			2018년	→	2022년	→	2040년
활용	모빌리티	수소차	1.8천대 (0.9천대)		**8.1만대** (6.7만대)	< 2030 > 全 차종 생산라인 구축	**620만대** (290만대)
		승용차	1.8천대 (0.9천대)	< ~ 2022 > 핵심부품 100% 국산화 年 생산량 3.5만대	**7.9만대** (6.5만대)	< 2023 > 전기차 가격수준 < 2025 > 상업적 양산 (年 10만대 생산) 내연차 가격수준	**590만대** (275만대)
		버스	2대		**2천대**	80만km 이상 내구성 확보	**6만대** (4만대)
		택시	-	<2019> 10대 시범사업 < 2021 > 주요 대도시 적용	-	전국 확대 50만km 이상 내구성 확보	**12만대** (8만대)
		트럭	-	5톤 트럭 출시	10톤 트럭	핵심부품 100% 국산화	**12만대** (3만대)
		수소충전소	14개소 (1,000만원/kg)		**310개소**	300만원/kg 핵심부품 100% 국산화	**1,200개소**
		선박, 열차, 드론, 기계 등		R&D 및 실증		'30년까지 상용화 및 수출	
	에너지	연료전지					
		발전용	307MW	< 2019 > 전용 LNG 요금제 신설 < 2022 > 설치비 380만원/kW	**1.5GW** (1GW)	< 2025 > 중소형 가스터빈 발전단가 수준 < ~ 2040 > 설치비 35% 발전단가 50%	**15GW** (8GW)
		가정·건물용	7MW	설치비 1,700만원/kW	**50MW**	설치비 600만원/kW	**2.1GW**
		수소가스터빈		R&D		실증 '30년 이후 상용화 추진	
수소공급	수소공급량		13만톤/年		**47만톤/年**		**526만톤/年**
	생산방식		화석연료 기반 부생수소 추출수소	수요처 인근 대규모 생산	수전해 활용	수전해 수소의 대용량 장기 저장 기술개발 해외수소 도입 대규모 수전해 플랜트 상용화	그린 수소 활용 (수전해+해외생산)
수소가격			-		**6,000원/kg** (現 휘발유의 50%)	4,000원/kg	**3,000원/kg**

자료:산업통상자원부, IBK투자증권

2019년 1월 발표된 한국 정부의 수소경제활성화 로드맵에 따르면 2018년 발전용 연료전지는 307.6MW(41개소)가 보급되었으며, 정부는 2022년까지 1.5GW(내수 1GW) 보급으로 규모의 경제를 달성하고, 2025년까지 중소형 LNG발전과 대등한 수준으로 발전단가를 하락시켜 중장기적으로 설치비 65%, 발전단가 50% 수준으로 하락을 목표로 하고 있다. 또한 중장기로는 2040년까지15GW(내수 8GW)를 목표로 한다.

111) 연료전지, 신재생에너지 시장의 다크호스를 꿈꾸다, IBK투자증권

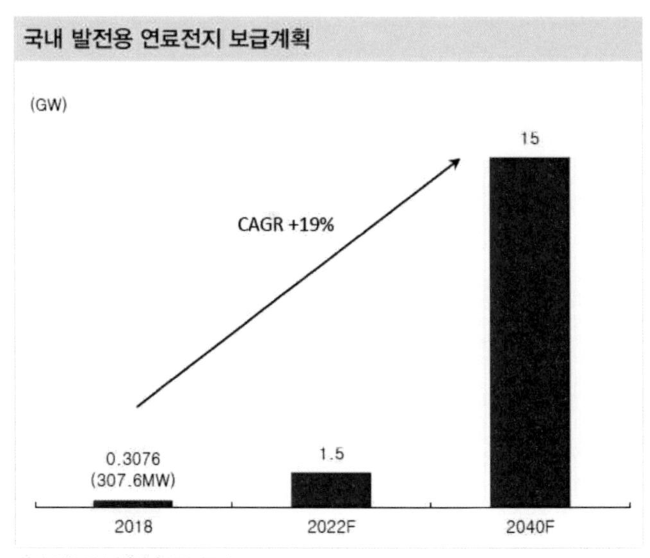

자료 : 산업통상자원부, IBK투자증권

또한 가정•건물용의 경우 2018년 7MW(3,167개소)가 보급되었으며, 2022년과 2040년 보급목표는 각각 50MW와 2.1GW를 목표로 하고 있다. 정부는 보급 활성화를 위해 공공기관, 민간 신축 건물에 연료전지 의무화를 검토 중이다.

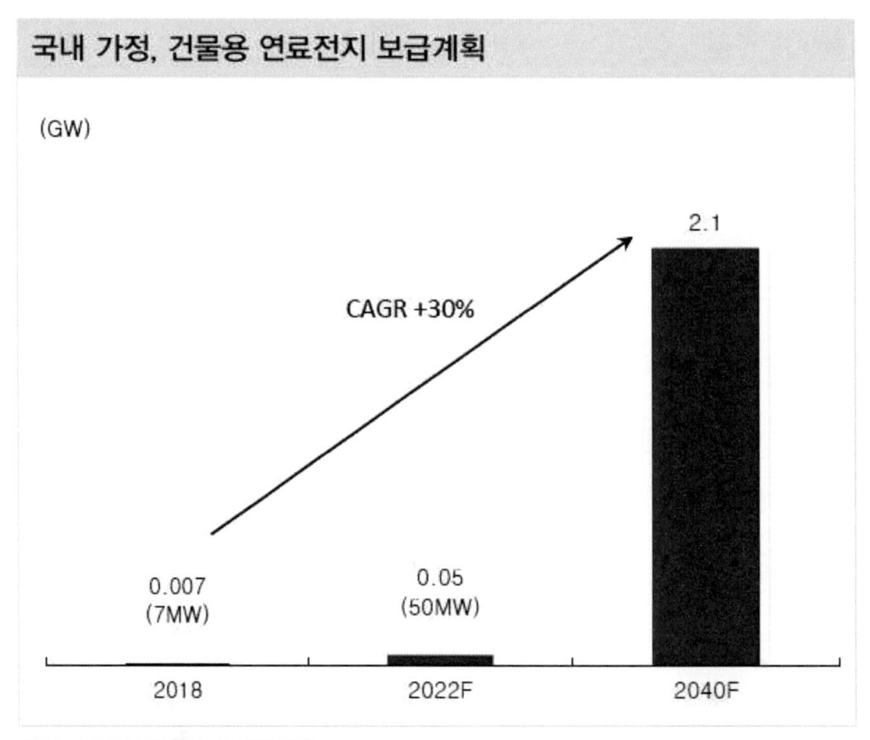

자료: 산업통상자원부, IBK투자증권

특히 RPS 정책에 힘입어 발전용 연료전지 설치량이 증가하였고 평균 이용률 90% 이상 유지하고 있어 신뢰성이 높은 신·재생에너지 수단임을 입증하고 있다. 주택·건물용 연료전지의 경우 주택지원사업(그린홈 100만호 사업)을 중심으로 가정용 연료전지 열병합 시스템의 보급이 이루어지면서 1kW 급 소형 PEMFC 누적 설치량은 3천대 수준으로 보조금 시장에 전적으로 의존하는 상황으로 정책 시장 규모가 작고 시장 성장률이 낮아 산업체의 가격저감 속도가 낮은 편이다.

신재생에너지 공급의무화(RPS)제도란, 일정규모(50MW) 이상의 발전설비(신재생에너지 설비는 제외)를 보유한 발전사업자(공급의무자)에게 총 발전량의 일정 비율 이상을 신재생에너지를 이용하여 공급토록 의무화한 제도로, '18년 기준 총 21개사(한국수력원자력, 남동발전, 중부발전, 서부발전, 남부발전, 동서발전, 지역난방공사, 수자원공사, SK E&S, GS EPS, GS 파워, 포스코에너지, 씨지앤율촌전력, 평택에너지서비스, 대륜발전, 에스파워, 포천파워, 동두천드림파워, 파주에너지서비스, GS동해전력, 포천민자발전)가 공급의무자 범위에 속했다.

신재생에너지 발전사업자는 신재생 설비로 발전한 경우 공급인증서(REC)를 발급받으며, 부족한 사업자는 구매하여 충당이 가능한다. 현재 연료전지의 REC 가중치는 “2”이다.

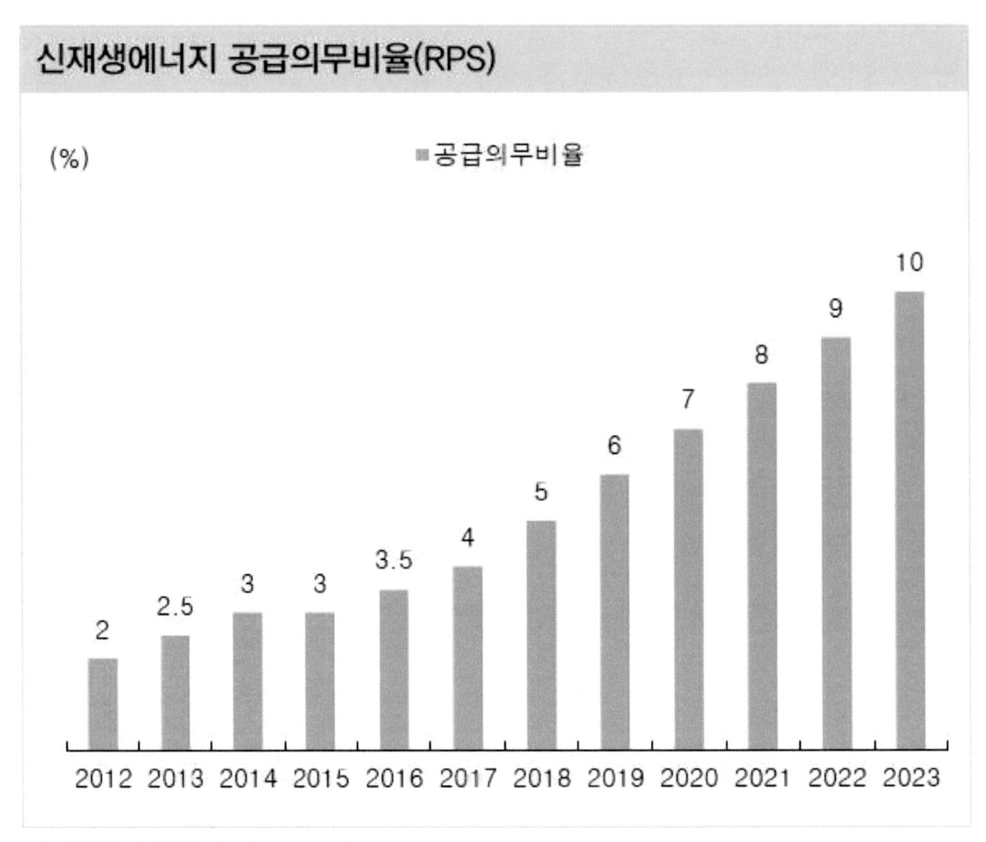

자료:한국에너지공단, IBK투자증권

또한 공공,민간건축물 의무비율도 확대되고 있는 추세이다. 공공건물(1천제곱미터 이상)들은 신재생 의무화비율에 따라 대부분을 태양광으로 채우고 나머지는 대부분 연료전지로 채우고 있다. 민간건축물(3천제곱미터 이상)도 서울, 부산, 세종시만 시행하고 있는데 2019년 서울 11%, 부산 5%, 세종 2.5% 비율 채워야 한다. 수소경제법 통과되면 현재 민간건축물 의무비율 적용 이 서울, 부산, 세종시에서 전국적으로 확대될 것으로 기대된다.

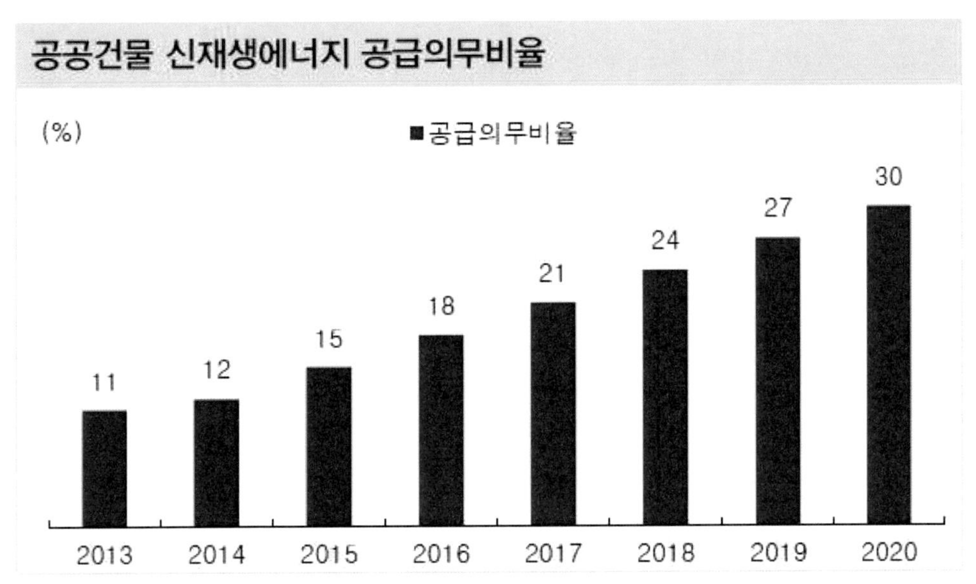

자료: 한국에너지공단, IBK투자증권

3) 글로벌 현황

가) 미국[112]

북미는 연료전지 시장을 이끌고 있으며, 친환경성, 고효율 등의 장점에 대한 산업계의 인식이 높아지면서 수요도 동반 상승 중이다. 미국은 연료전지 지원을 위한 각종 법률 제정을 통하여 수소에너지 및 연료전지 기술과 관련된 정책을 포함하여 연구보조금 지원, 설치 및 활용을 장려하기 위한 인센티브 제공 등 제도적인 지원을 지속하고 있으며 상업 건물들의 대형 UPS[113] 연료전지 설치에 따라 발전량이 지속적으로 증가하고 있다. 미국 에너지부에서 발표한 2019년 연차 보고서에 따르면, 미국에서는 현재 약 60여개의 수소 연료 공급소가 가동 중인 것으로 나타났다. 미국 내 설치된 수소 연료 공급소의 절반 이상이 캘리포니아에 위치하고 있으며, 캘리포니아는 향후 공공 수소 연료 공급소를 2023년까지 123개 규모로 구축할 예정이다. 이 경우 캘리포니아주 북부에서 남부까지 수소자동차가 수소 충전의 어려움없이 운행할 수 있을 것으로 보인다.

미국에서는 친환경 대체에너지에 대한 관심 재고로 미국 에너지부와 연료전지 및

112) 미국 연료전지 시장동향, kotra해외시장뉴스, 2020.06.15
113) UPS (Uninterruptible Power Supply) : 무정전전원

수소 교육 협회(FCHEA) 주도로 연료전지 개발 및 사용이 촉진되고 있다. 특히 발전용에 사용되는 고정식 연료전지는 수백 kW이상의 전력 생산을 통해 기존의 발전설비를 대체할 수 있다는 이점이 있어 각종 상업 시설이나 기관으로 빠르게 진출하고 있다. 미국 국제 무역 위원회가(USITC) 2019년에 발표한 '성장하는 고정식 연료전지 시장의 주요 공급업체 중 미국 제조업체'보고서에 의하면 글로벌 고정식 연료전지 출하량은 2012년 125MW에서 2018년 240MW로 증가하여 92% 증가한 것으로 나타났다. 이러한 수요 증가는 미국 정부의 지원정책, 연료전지의 신뢰성 및 복원력에 대한 기업의 관심 증가, 비용의 감소(규모 경제의 성장 및 기술 개선과 같은 요인으로 인한)로 인하여 발생한 것으로 보인다.

한편, 미국 국제 무역 위원회가 발표한 연료전지 시장 보고서에 의하면 미국은 캐나다, 유럽, 일본, 한국, 대만 등의 주요 연료전지 생산국 기업과도 전략적인 연계활동을 활발히 전개하고 있다.

나) 독일[114)]

독일은 수소 경제를 활성화하기 위해 정부와 기업이 합작해 'H2 Mobility Industry Initiative'를 설립하고 2030년까지 수소전기차 180만 대, 수소 충전소 1000개소 보급을 목표로 하고 있다. 수소 모빌리티(H2 Mobility)는 독일 정부와 유럽연합에서 수소충전소 건설비용의 3분의 2를 지원받아 인프라 구축 중으로 전체적인 투자액 규모는 약 3억5000만 유로 수준이며 대도시에는 10개소 이상, 대도시를 잇는 고속도로는 최소 90km당 1개의 충전소를 설치할 계획이다. 또한, 2030년까지 발전량의 절반을 신재생에너지로 충당하는 정책과 태양광 및 풍력의 잉여전력을 수전해방식을 통해 수소로 변환해 생산부터 운송, 저장, 활용까지 완전한 친환경 에너지 체계인 수소 경제를 구축하겠다는 계획이다.

하이드로젠 유럽(Hydrogen Europe)에서 발표한 연료전지 시장 보고서에 의하면 글로벌 연료전지 시장은 2020~2025년 동안 연평균 성장률이 약 14.97%가 될 것이며, 2030년까지 단기적으로 계획된 수소 연료 보급소(HRS: Hydrogen Refueling Station)의 수도 빠른 속도로 증가하는 등 수소 경제의 인프라 구성 성장은 연료 전지 차량에 대한 수요를 선도할 것으로 전망하고 있다.

114) 독일 수소 연료전지 시장동향 , kotra해외시장뉴스, 2020.06.15

독일 수소 연료 보급소 설치 현황 및 수소 수요량

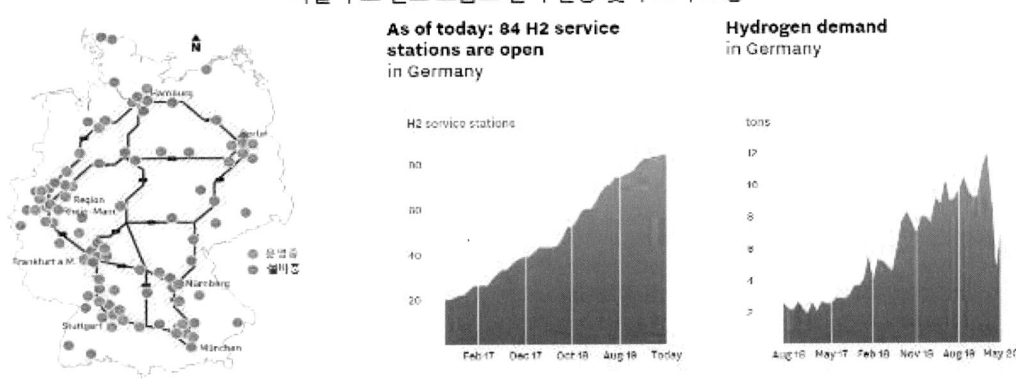

자료: VDA, H2 Mobility

현재 독일 내 수소 연료 보급소는 84개소로, 바이에른주에는 현재까지 19개소가 운영 중이라고 한다. 독일 보쉬 수소 연료전지 기술자 피셔(Mr. Fischer)씨는 초기에 계획한 진행속도보다 느린 편이기는 하나 독일 정부에서 궁극적으로 지향하는 탈탄소화 정책을 지원하기 위해서 수소 연료전지 기술들은 꾸준히 보완, 성장 중이라고 설명했다.

연료전지는 응용 형태에 따라서 모빌리티용뿐만 아니라 발전용, 수송용, 가정·상업용, 휴대용으로 세분화할 수 있는데 이 중에서도 특히 발전용에 사용되는 고정식 연료전지는 시간당 수백kW 이상의 전력 생산을 통해 기존의 발전 설비를 대체할 수 있다는 이점이 있어 각종 전기 생산 공급 기업(eOn, Vattenfall, RWE 등)이나 발전소들로 빠르게 진출하고 있다.

2019년에 출범한 바이에른주 수소 경제 집합체인 H2.B(h2.bayern)에서도 현재 바이에른 지역의 주요 수소 선도기업들을 지원함과 동시에 미국, 캐나다, 일본, 한국, 대만 등의 주요 연료전지 생산국 기업과도 전략적인 연계활동을 활발히 전개 중이라고 한다.

다) 중국[115][116]

중국의 연료전지 시스템은 2019년 기준, 5개사가 거의 80%를 공급하고 있었으며, 이들의 대부분은 외국 기업과 제휴를 맺었다.

Re-fire	점유율 28%	연료전지 시스템 제조 기업이다. 연료전지 차의 운행 데이터 등을 분석하여 적극적으로 발표하고 있다. 도요타와도 제휴했다.
SynoHytec	점유율 19%	2015년부터 캐나다 Hydrogenics사와 중대형 자동차를 위한 연료전지 시스템을 개발하고 있다. 2016년 선리테크의 주식 31.88%를 취득했다. 2019년 4월, 베이징 기차를 위한 시스템에 도요타의 스택을 탑재할 것임을 발표하였다.
Horizon	점유율 16%	싱가포르 기업. 장쑤성 루가오시, 장자강시, 상하이시에 생산 공장을 두고 있다.
Sinosynergy Re-fire	점유율 8%	Sinosynergy와 Re-fire의 합병회사이다. Sinosynergy 연료전지 스택 제조 기업. 발라드사와의 합병회사가 스택 FCvelocity-9SSL을 생산하였다.
Sunrise Power	점유율 8%	2001년에 중국 과학원 대련 화학물리 연구소 등에 의해 설립되었다. 대련에 위치해 있다.

중국에서는 지방 정부에 의한 수소·연료전지 산업의 진흥이 성행하고 있으며 규모도 크다. 성행하고 있는 지역으로는 상하이·장강 델타 에리어 / 광둥성 /우한시 / 베이징시·허베이성 등이 있으며, 그 밖의 지역도 매우 많다.

2019년 말까지 중국에서 누적 약 6200대의 연료전지 자동차가 판매되었는데, 이러한 연료전지 자동차는 대부분 상업용 차(버스, 트럭)였다. 향후 수소에너지는 중국 에너지의 주요한 원천이 될 것이며, 2050년에는 전체의 10% 차지 및 경제총생산가치가 연 10조 위안을 초과할 전망이다.

115) 중국, 수소에너지 및 연료전지 산업 현황 조사, S&T GPS, 2019.06.27
116) [에너지/환경] 중국의 수소·연료전지 산업 현황, IRS Global, 2020.10.28

< 중국 수소에너지 및 연료전지 산업 목표 >

산업목표	현황('19)	단기목표 ('20~'25)	중기목표 ('26~'35)	장기목표 ('36~'50)
수소에너지 비율(%)	2.7%	4%	5.9%	10%
산업가치액(억위안)	3,000	10,000	50,000	120,000
수소가스 충전소	23	200	1,500	10,000
연료전기차(만대)	0.2	5	130	500
연료전지차충전소(개)	200	1,000	5,000	20,000
연료전지시스템(만세트)	1	6	150	550

라) 일본[117]

일본 동북지방의 대지진 후, 갑작스러운 사고나 공급제약 사태가 발생했을 경우 대규모 집중식 시스템의 손상에 따른 피해수준의 심각성은 널리 알려진 바와 같다. 따라서 분산형 시스템과 대규모 집중시스템을 병행함으로써 재난시의 위기대응능력을 향상시켜야한다는 공감대를 가지고 주택·건물용 연료전지에 대한 활발한 연구개발이 이루어졌다.

현재 주택·건물용 연료전지의 최대강국인 일본은 2009년 5월 파나소닉, 도시바, 일본 석유 사의 통합 브랜드 'ENE-FARM'을 출시하여 지속적인 연구개발, 대규모실증 및 보급을 통하여 제품의 고효율화, 장수명화, 저가화를 진행하여 2015년 말 약 150,000 대의 시스템을 보급하였다.

일본에서는 1990년대 후반부터 가정용 연료전지의 본격적인 상품화 연구를 시작해 2009년 5월부터 일반 소비자를 대상으로 가정용 연료전지를 판매하기 시작했다. 일본경제 산업성의 2020년 에너지 백서에 따르면, 2019년 12월 말 기준, 전국에 보급된 에네팜은 약 33만6000대로 2009년 3000대 대비 보급대수가 100배 이상 증가했다.

117) 수소사회 여는 일본, 가정용 연료전지 보급 빠르게 확대 , kotra해외시장뉴스, 2020.07.31

일본 가정용 연료전지 보급현황

(단위: 만 대)

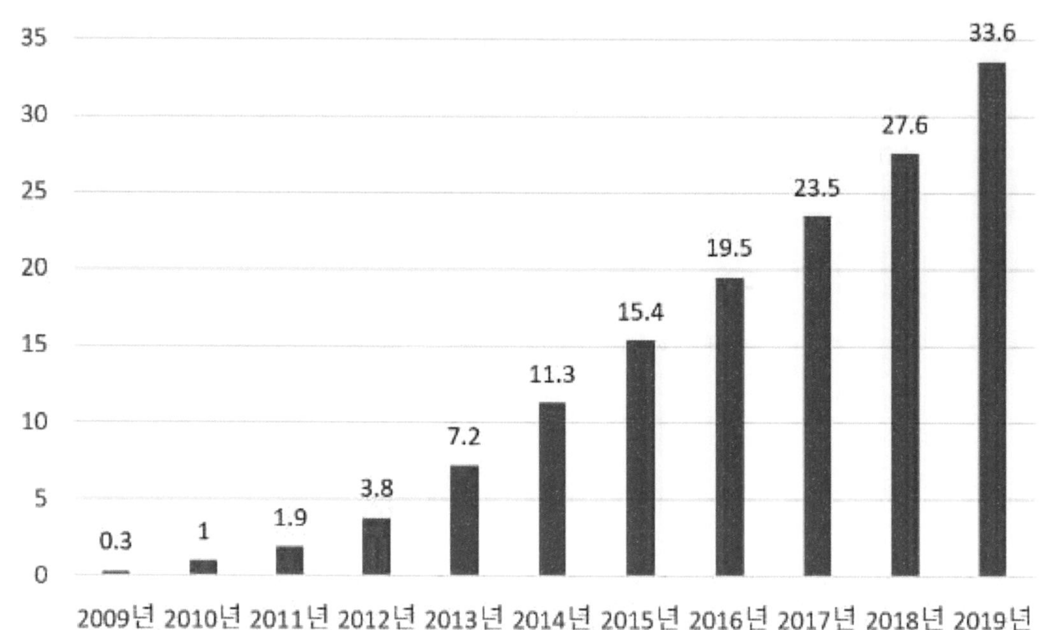

자료: 경제산업성 2020년 에너지 백서

경제산업성이 2019년 3월 발표한 수소연료전지전략 로드맵에 따르면, 2030년까지 에네팜의 보급대수를 530만 대까지 늘리고 더 나아가 2050년까지 5300만 대의 종래형 에너지 시스템을 대체하는 것을 목표로 하고 있다.

5

신재생 에너지 관련 기술 동향 및 응용분야

5. 신재생 에너지 관련 기술 동향 및 응용분야

가. 태양광

1) 태양광 기술동향[118]

전 세계적으로 태양광은 상대적으로 우수한 경제성과 응용성, 확장성 등에 힘입어 기존 전통에너지를 대체하는 주력 재생에너지 자원으로 자리매김하고 있다. 태양광 발전은 특정 에너지 이상의 빛을 만나면 전자를 활성화하는 반도체 소재의 특성을 활용한다는 점에서 다른 발전원과 큰 차이가 있다. 태양광발전은 빛을 받는 것만으로도 전기를 생산할 수 있는 것이다. 따라서 전기 생산을 위한 별도의 원료도 필요하지 않고 유해물질도 만들지 않는다. 여러 개의 태양전지를 붙여서 제작되는 태양광 모듈도 유리가 주재료이기 때문에 별도의 독성 물질은 거의 존재하지 않는다. 수명이 다한 폐모듈의 경우에도 유리, 알루미늄, 실리콘, 구리 등과 같이 유용한 소재가 90% 정도 포함돼 있어 재활용이 가능하다.

본장에서는 핵심 기술인 결정질 실리콘 태양전지를 중심으로 국내외 태양전지 제조기술이 벨류체인별로 어떻게 연구가 되고 있는지 설명하고자 한다.

가) 태양전지

태양전지는 빛을 흡수하는 소재의 종류에 따라 Si계, 화합물반도체계, 유기계 등으로 분류될 수 있으며, 상용화 순서에 따라서는 1세대(결정질 실리콘), 2세대(실리콘박막, CIGS 및 CdTe 박막), 3세대(염료감응, 유기) 및 차세대(양자점, 플라즈몬 등)로 분류할 수 있다.

태양전지	결정질실리콘 태양전지 (1세대)	단결정질 실리콘 태양전지
		다결정질 실리콘 태양전지
	박막형 태양전지 (2세대)	비정질 실리콘 태양전지(a-si)
		미크론급 실리콘 박막형 태양전지(uc-si)
		CIGS계 화합물 박막형 태양전지
		CaTe계 화합물 박막형 태양전지
		기타 화합물 박막형 태양전지
		적층형 박막형 태양전지
	3세대 태양전지	염료감응형 태양전지
		유기물 태양전지
		나노구조 태양전지

표 25 태양전지 종류

118) 그린 뉴딜을 위한 태양광 혁신기술 개발, 에너지신문, 2020.10.06

이 중 결정질 실리콘 태양전지가 가장 먼저 상용화되어 태양광 시장의 90% 이상을 차지하고 있고, 박막 태양전지 (CdTe, CIGS 등)는 8% 수준의 시장 점유율을 보이고 있다. 염료감응 태양전지나 유기태양전지는 BIPV나 모바일 기기 등 다양한 적용이 가능하여 지속적으로 연구되고 있으며, 최근에는 페로브스카이트를 이용한 태양전지가 실리콘 태양전지를 대체할 태양전지로 각광을 받으며 연구되고 있다.[119]

(1) 결정질 실리콘 태양전지

특히 결정질 실리콘 태양전지는 세계 시장의 90% 이상을 점유하며 시장을 주도하고 있으며, 이는 실리콘을 주 원료로 사용하는 것으로, 카드뮴과 같은 독성물질은 포함하고 있지 않다. 최근 태양광 시장은 생산량 증가와 제조단가 하락이 동시에 이루어지고 있으며 그중에서도 결정질 실리콘 태양전지는 제조단가의 40% 이상을 차지하는 실리콘 원자재비용을 줄이기 위해 두께를 줄이고자 하는 기술개발에 관심이 집중되고 있다. [120]

기본적으로 결정질 실리콘 태양전지의 소재는 폴리실리콘과 잉곳·웨이퍼로 구성된다. 소재를 바탕으로 태양전지(셀)가 제조되고, 셀을 이용해 모듈을 만드는 구조다. 다양한 종류의 태양전지 중에서 현재 시장의 90% 이상을 차지하고 있는 결정질 실리콘 태양전지의 경우 그 벨류체인을 고순도 실리콘 원료로부터, 잉곳 및 기판(Wafer),태양전지 및 모듈로 나눌 수 있다.[121]

---

119)출처: http://m.blog.daum.net/_blog/_m/articleView.do?blogid=0UVDb&articleno=20

120) 지식경제부 2007 신.재생에너지R&D전략 2030(환경부, 지자체 기후변화대응 업무안내서에서 재인용)

121) 출처 : 한국태양광산업협회

	원재료	소재	태양전지	모듈	시스템
	폴리실리콘	잉곳/웨이퍼	셀	모듈	시스템
개요	태양전지 핵심소재	고순도 실리콘들을 녹여 블록형태로 만든 후(잉곳), 얇은 막 형태로 자름(웨이퍼)	빛을 조사하면 셀 표면에 음극과 양극을 띤 캐리어가 생성되며 이러한 캐리어의 이동으로 전류 발생	연결된 여러 장의 셀들에 시트, 유리, 부품 등과 함께 압력을 가해 넓은 판 형태로 제작	
진입장벽	높음				낮음
시장형태	과점				다수경쟁

그림 93 태양광산업 벨류체인

이 중에서, 제조단가(모듈 기준)의 35% 정도를 차지하는 잉곳 및 기판은 가격을 결정하는 가장 중요한 구성 요소이다. 현재 상용화된 170~180μm의 두께가 지속적으로 감소하여 2026년도에는 140μm 까지도 두께가 감소할 것으로 예상하고 있다. 이와 같은 실리콘 기판의 두께 감소는 태양전지 저가화를 위한 핵심기술 중 하나이며, 일반적으로 초박형 실리콘 기판이란 100μm 이하의 두께를 갖는 기판을 의미한다. 현재 태양전지 단가인하 및 고효율화를 위해 원소재, 박형 웨이퍼, 모듈, 장비, 주변기기, 시스템 등 벨류체인별 다양한 기술개발을 추진 중에 있다.

또한 구체적으로 결정질 실리콘 태양전지는 단결정과 다결정으로 나뉘는데, 단결정 실리콘 태양전지는 순도가 높고 결정결함밀도가 낮아 효율이 높지만 고가이다. 다결정 실리콘 태양 전지는 상대적으로 품위가 낮아 효율은 떨어지지만 제조가 쉽고 저가로 생산할 수 있는 장점이 있어 실리콘 태양 전지 수요의 80%를 차지하고 있다. 현재 상용화된 통상적인 결정질 실리콘 태양전지는 P-type의 실리콘 기판에 전극이 screen print된 형태로, 단결정 태양전지의 평균 효율은 18~19%, 다결정은 16~17%의 효율을 보이고 있다. 결정질 실리콘 태양전지 시장은 중국의 저가 공략으로 중국 기업이 시장의 대 부분을 점유하고 있어, 대부분의 기업에서는 N-type, PERC(Passivated Emitter and Rear Contact), 후 면전극, HIT(Heterojunction with Intrinsic Thinlayer) 등 고효율 태양전지 중심으로 개발하고 있다. LG 전자는 N-type 단결정 양면수광형 셀을 개발하여 22% 의 효율을 달성하였으며, 일본의 Panasonic는 21~22% 수준의 N-type HIT 셀을, 미국의 Sunpower사는 22~23% 수준의 N-type IBC(Interdigitated Back Contact) 셀을 생산하고 있다.

(가) 웨이퍼 공정

다음으로, 결정질 실리콘 태양전지의 공정 과정 중 웨이퍼 공정에 대해서 설명 하도록 한다.

잉곳으로부터 웨이퍼를 생산하는 기존의 공정은 다중와이어절단 공정이었다. 이 공정은 가이드롤러에 감겨있는 수백 가닥의 금속 와이어 웹(web) 표면에 실리콘보다 강도가 높은 입자를 붙여 고속으로 회전시키는 기술이다. 그에 따라 실리콘 잉곳을 톱질하듯 한꺼번에 수백 장의 웨이퍼로 절단할 수 있다. 그러나 이 기술은 실리콘의 물리적 파손을 쉽게 유발하기 때문에 태양전지 단가를 낮추는 데 걸림돌이 되고 있다. 또한, 해당 기술을 사용하여 웨이퍼의 두께를 줄이면 그 파손이 더욱 빈번해지는 약점을 가지고 있다. [122]

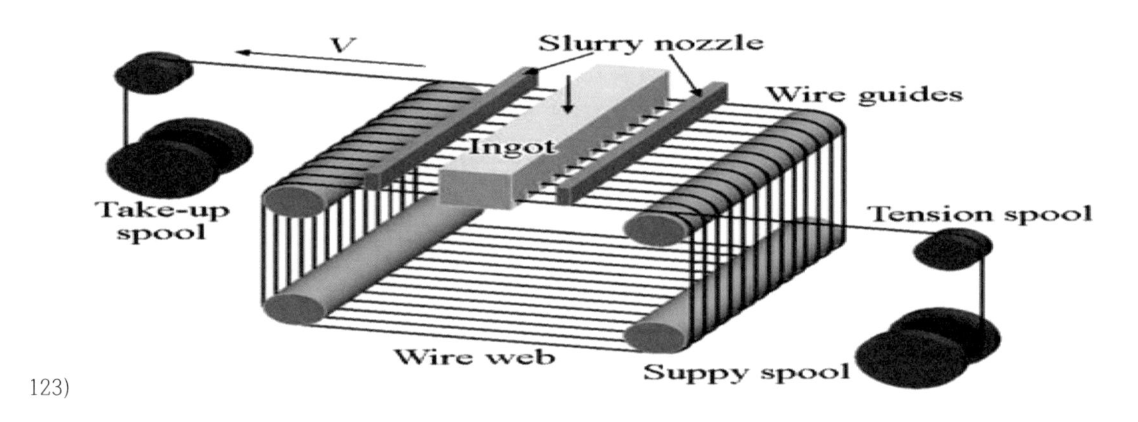

[123]

그림 94 다중와이어 절단의 개념도

한국 에너지 기술원에서는 기존 상용화두께(180μm)로부터 80μm까지 감소시키는 데 성공하였으며, 추가적인 공정수율 향상에 대해 활발히 연구하고 있다. 하지만 다중와이어 공정에서 생산 단가를 줄이기에는 한계가 있어, 실리콘의 두께를 줄이면서 파손을 최소화 하여 제조 단가를 줄이는 웨이퍼 공정에 대한 연구가 시행되고 있다.

(나) 무 절단손실 결정질 실리콘 기판 제조기술

- 박리법 (exfoliation)

2008년 벨기에 IMEC에서 제안된 제조기술이다. 실리콘 잉곳의 상부에 Al, Cu, Ni

122) 참조 : 실리콘 웨이퍼 결정의 방향성에 따른 도금에 의한 박리현상 시뮬레이션, 2016, 이상훈,박진호(영남대학교)
123) 출처 : 박형 결정질 실리콘 태양전지 기술 동향, 2016, 한국태양광발전학회지

혹은 에폭시(epoxy) 같은 실리콘과열팽창계수의 차이가 큰 물질을 도포하고, 레이저 혹은 압자(Indenter) 등으로 균열 시작점을 형성한 후 열처리를 통해 미리 도포된 응력 유도층(Stress-induced layer)을 따라 기판을 박리시키는 공정이다.

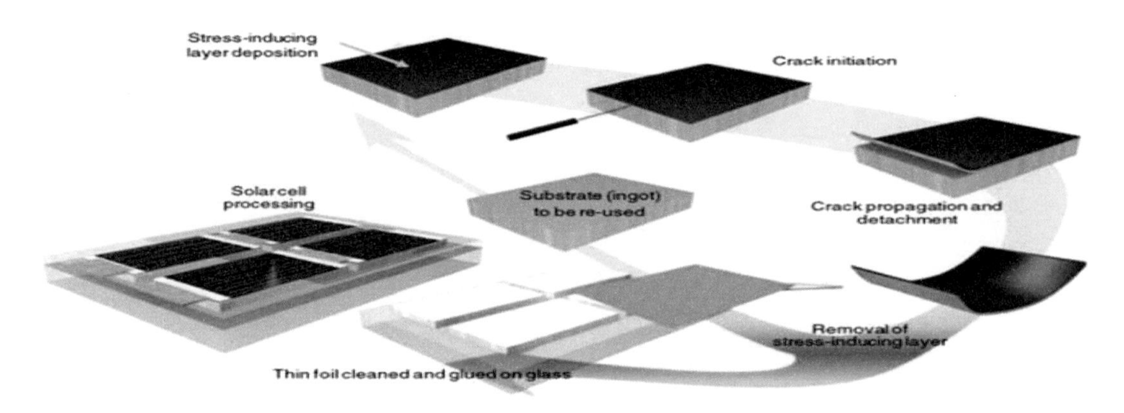

그림 10 박리법 (exfoliation) 공정 개념도

124)

- 이온 주입법 (Ion-implantation)

양성자(Proton)를 이온가속기를 통해 단결정 실리콘잉곳의 표면에 고밀도로 주입시키는 방법이다. 이때 양성자가 실리콘의 내부로 침투함으로써 실리콘표면으로부터 50μm의 깊이에 이온층이 형성된다. 주입된 양성자는 내부에 공극을 형성하고, 발생하는 공극들 사이의 균열과 균열의 전파로 인해 최종적으로 웨이퍼가 박리된다.

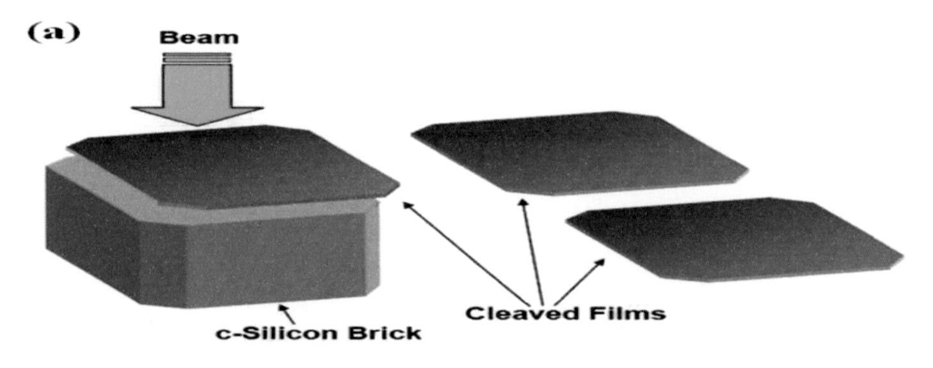

그림 11 이온 주입법 (Ion-implantation) 공정 개념도

(다) 무 절단 손실 결정질 실리콘 웨이퍼 보완 기술

잉곳으로부터 박리한 웨이퍼가 얇아지면 얇아질수록 생산단가는 떨어지지만 다른 문제가 발생한다. 앞서 설명한 무 절단손실 결정질 실리콘 기판(웨이퍼) 제조기술을

124) 출처 : 박형 결정질 실리콘 태양전지 기술 동향, 2016, 한국태양광발전학회지

사용해 웨이퍼를 생산하면 웨이퍼가 얇아지는 대신 태양광 흡수 효율이 떨어지고 휨 현상이 생기는 단점이 있다.[125)]

또한, 태양전지를 이어 붙여 모듈을 생산하는 공정에서 파손이 생긴다. 다음은 이러한 문제점을 보완하기 위한 기술들이다.

-양면 수광형 태양 전지

소개한 두 가지 공정으로 인해 웨이퍼를 얇게 만들었을 때 문제점은 태양전지(Cell)의 휨 현상이다. 웨이퍼가 얇을수록 태양전지의 휨 현상이 늘어나면서 파손이 생기게 되는데, 이를 방지하기 위해 기존 태양전지에서 단면에만 적용된 전극을 양면에 모두 적용하는 방식이 있다. 이는 열팽창 계수 차이에 의한 휨 현상을 방지하는 양면수광형 태양전지이다. 이외 완성된 태양전지를 저온 처리하여 소성 공정 중 발생한 휨 현상을 제거할 수 있다.

- 태양광 에너지 흡수효율 개선 기술

두께가 얇아져 빛 흡수가 작아지는 것을 극복하는 방법으로는 빛의 경로를 수직방향에서 사선방향으로 바꾸어주는 방법과 태양전지의 후면에 도달한 빛을 반사시켜 빛의 경로를 늘려주는 후면 반사막 형성법이 있다. 빛의 경로는 바꾸는 방법으로는 텍스쳐링법이 있는데 단결정 태양전지의 경우 습식 텍스쳐링법을 이용하기 때문에 빛의 입사 각도를 바꾸는 것이 어렵다. 따라서 박형 실리콘 태양전지에서는 후면 반사율을 높여 빛의 흡수를 높이는 방법을 사용한다.

- 전도성 페이스트 기술

마지막으로 생산 벨류체인중 모듈부분에서는 초박형 태양전지에 기존의 이어붙이는(tabbing) 공정을 사용했을 시 문제가 발생한다. 모듈 생산중 태양전지의 리본전극을 납땜하는 과정에서 열에 의한 파손이 많기 때문에 전도성 페이스트를 이용한 연구가 진행되고 있다. 전도성 페이스트를 활용하면 더 낮은 온도에서 모듈 생산이 가능하여 박형 태양전지 파손을 최소화 할 수 있다.[126)]

국내의 경우, 결정질 실리콘 태양전지 분야 업체들이 수익성 개선에 따른 증설 등의 순조로운 진행으로 실리콘 소재, 단결정 기판과 태양전지, 태양광 모듈, 시스템

---

125) 출처 : 박형 결정질 실리콘 태양전지 기술 동향, 2016, 한국태양광발전학회지
126) 박형 결정질 실리콘 태양전지 기술 동향, 2016, 한국태양광발전학회지

및 시공 관련 분야에서 설계 및 생산 기술의 국산화율과 해외 선진 기업 대비 국내 기업의 기술수준 등에서 모두 높은 것으로 분석되고 있다.

2008년 이후 지속되어 온 선진국 기술을 따라하던 방식에서 벗어나 고효율 셀/모듈기술에서 선진국을 추월하고, 중국대비 원가경쟁력을 갖추기 위한 연구개발과 함께 실증개발 또는 보급과 연계한 시장대응 지원프로그램도 매우 활발히 진행 중이다. 아래 자료는 태양광발전 보급을 위한 연구와 관련하여 성공사례를 소개했다.[127]

- PERL(Passivated Emitter, Rear Locally-Diffused Cell) 구조를 적용한 고효율 셀/모듈 기술 개발 진행 중(신성솔라에너지, 셀 효율 22% 달성 목표)
- 반도체 및 디스플레이 부문의 장비 산업 경험을 통해 축적된 기술을 태양전지 제조기술에 적용하기위한 기술 개발 완료 및 고효율 장비 개발(디엠에스)
- 디자인적 요소가 가미된 건축 외장형 대면적(4㎡이상) BIPV 시스템(20kW 태양전지 실증) 상용화 개발(이건창호)
- 6인치 N-type 120㎛ 박형 태양전지 실리콘 웨이퍼 제조공정 기술개발(SKC솔믹스)
- SoC기반 보급형 발전효율 95%이상 고효율, $0.3/W이하 저가형 MiC 스마트 태양광발전 시스템개발(다쓰테크)
- 중동지역 사막형 태양광 특수발전 시스템 및 비즈니스모델(BM)개발(광명전기)

표 26 태양광발전 보급 연구 성공사례

(2) 박막형 태양전지

또한 정부는 시장성을 갖추고 있는 결정질 실리콘 태양전지 이외에 2세대인 박막형 태양전지 분야에서 미래시장 선점을 위한 조기 상용화 기술개발 추진 중이다. 박막형 태양전지를 디스플레이 등 기존기술과 융합을 통한 건물일체형태양전지(BIPV) 및 이동전원용 등 다양한 응용분야로 확장할 계획이다.

박막 태양전지는 실리콘 기판 전체를 태양광 흡수에 쓰는 결정질 실리콘 태양전지와 달리 유리나 플렉서블 기판 위에 빛을 흡수하는 반도체 소재를 얇게 증착하는 방식으로 제작하는 태양전지로 실리콘 박막, CIGS, CdTe 등이 있다. 박막 태양전지는 저가의 기판을 사용 할 수 있고 공정이 상대적으로 단순하여 단가 절감과 다 양한 응용이 가능하여 많은 연구가 진행되고 있으나, 결 정질 실리콘 태양전지 가격의 지속적인 하락으로 박막 태양전지를 비롯한 다른 종류의 태양전지 경쟁력이 크게 약화됨에 따라 시장 진입이 지연되고 있다. 특히 실리 콘박막 태양전지는 결정질 실리콘 태양전지 제조 단가의 절대적 비중을 차지하는 실리콘의 양을 줄일 수 있어

127) 2016신재생에너지 백서, 한국산업통상자원부

실 리콘 태양전지의 가격을 낮추기 위한 대안으로 많은 연구가 진행되었으나, 결정질 실리콘 태양전지 가격의 급락으로 시장이 크게 축소되었다. 이에 따라 삼중접합구 조를 활용한 실리콘 박막 태양전지로 13.4%의 세계 최고 효율을 달성한 LG전자 또한 실리콘 박막 태양전지 사업을 중단하였다. CIGS 박막 태양전지는 구리(Cu), 인듐(In), 갈륨(Ga), 셀레늄(Se) 등으로 구성된 화합물 반도체를 사용하는 태양전지로, 결정질 실리콘에 비해 광흡수율이 높아 1~2 ㎛의 두께만으로도 고효율의 태양전지 제조가 가능하 고 제조 공정이 결정질 실리콘 태양전지에 비해 단순하여 제조단가를 절감할 수 있는 등 많은 장점을 갖고 있어 삼성SDI, LG이노텍, Solibro, 등 반도체 및 디스플레이 제조기술을 보유한 기업에서 개발을 시도하였다. 그러나 태양광 시장 침체로 대부분의 기업들이 사업을 중단하였으며, 일본의 Solar Frontier만이 상용화에 성공하여 14% 수준의 제품을 생산하고 있다. 삼성SDI는 5G급 대면적 모듈에서 세계 최고 수준인 16% 효율을 달성하였으나 상용화에 이르지 못하고 사업을 중단하였으나, Solar Frontier는 최근 22.3%의 최고효율을 발표하고 1GW급 양산설비 구축 계획을 발표하는 등 사업을 확장하고 있다.

(3) 염료감응형 태양전지

이어 3세대 태양전지는 태양광발전의 경제성을 근원적으로 해결하고 나노/양자점/유무기 하이브리드 등 태양전지 원천기술 및 상용화 요소기술개발을 위해 힘쓰고 있다.[128]

염료감응 태양전지(DSSC, Dye Sensitized Solar Cell)는 1991년 스위스의 Gratzel 교수가 식물의 광합성 원리를 모방하여 고안한 태양전지로, TiO2 표면에 흡착 된 염료가 빛을 흡수하여 여기시킨 전자를 TiO2가 받아 외부로 전달하는 전기화학적 반응을 이용한 태양전지이 다. 제조과정이 간단하고 구성 재료의 가격도 저렴하며, 사용하는 염료의 색상에 따라 색상변경이 가능하고 투명하여 BIPV(Building Integrated PhotoVoltaic) 등 다양하게 활용될 수 있어 많은 연구가 진행되고 있다. 그러나 2011년 12.3%의 세계최고효율이 발표된 이후로도 10% 정도의 낮은 모듈 효율을 보이고 있으며, 액체 전해질의 누수와 용매 증발로 인한 낮은 내구성 개선을 위 해 고체/준고체 전해질로 대체하기 위한 연구가 계속되고 있으나 상용화 단계에는 미치지 못하고 있다. 국내에 서는 동진세미켐, 이건창호, 상보가, 해외에서는 호주의 Dyesol, 일본의 Fujikura 등에서 상용화 개발을 추진하고 있다. 유기박

128) 신재생에너지 백서, 2016, 산업통상자원부

막 태양전지(OPV, Organic PhotoVoltaic)는 유기반도체 물질 기반의 P-N 접합구조를 이용하며, 흡 수층의 재료 구성에 따라 고분자계와 유기단분자계로 나누어진다. 유기 태양전지는 재료가 저렴하고 인쇄나 잉크젯 등의 도포 공정으로 대면적 태양전지를 제조할 수 있어 제작 단가가 낮고, 플라스틱 필름 위에도 막을 형성 할 수 있어 이동용 전자기기나 wearable 등 다양한 적용이 가능하다는 장점이 있다. 그러나 2000년대에 들어 10%대의 효율을 보이고는 있으나 실용화 개발에 선두 역 할을 했던 미국의 Konarka사의 도산과 태양광 시장 침체로 발전 속도가 다소 지연되고 있는 상태이다. 해외에 서는 독일 Heliatek가 탠덤구조로 12%의 효율을 달성하였고, 일본 Mitsybishi Chemical은 롤투롤 인쇄공정을 이용한 플렉서블 제품의 상용화를 진행하고 있으며, 국내는 코오롱인더스트리에서 롤투롤 연속 인쇄공정 기반 으로 wearable, 아웃도어 용품에 적용하기 위한 제품을 개발하고 있다.

(4) 페로브스카이트 태양전지

페로브스카이트는 ABX3 구조를 가지는 유무기 하이브리드 적층 물질로, 최근 페로브스카이트를 염료로 사용 한 태양전지에서 실리콘 태양전지보다 높은 효율을 보이며 전 세계의 주목을 받고 있다. 2009년 일본에서 염료 감응 태양전지에 유기염료 대신 페로브스카이트를 코팅 하여 3.8% 효율을 보고한 이후 5년 만에 20%대의 효율 에 진입하는 빠른 속도의 효율 향상을 보이고 있으며, 높은 광흡수율과 단순한 제조공정, 낮은 원가, 유연성 등의 장점으로 결정질 실리콘 태양전지를 대체할 차세대 태양전지로서의 입지가 강화되고 있다. 우리나라에서도 활발하게 연구가 진행되어 2014년 한국화학연구원에서 18.4%의 세계최고수준의 효율을 발표한 이후 20.1%까 지 향상시켰으며, 최근 스위스 EPFL(로잔연방공과대학 교)에서 21%의 최고효율을 경신하였다. 향후 상용화 단계에 도달하기 위해서는 페로브스카이트의 중요 구성요소 중 하나인 납(Pb)을 대체할 수 있는 소재 개발과 수분 및 광조사에 대한 장기안정성 확보가 필요하며, 이를 위해 전 세계적으로 Pb-free, 장수명화, 플렉서블화 등의 연구가 경쟁적으로 진행되고 있다.

(5) ‘이중접합 태양전지’를 비롯한 고효율 태양전지 기술

최근에는 태양광 발전의 성능 개선과 응용 확대 측면에서 다양한 혁신 기술들이 개발되고 있어 그에 따른 파급효과가 기대된다. 먼저 현재 각광받고 있는 태양광 혁신 기술 중 하나는 기존의 효율 한계를 뛰어넘는 초고효율 태양전지 기술이다. 보통

의 태양전지는 빛 흡수층으로 단일 물질을 사용함에 따라 흡수할 수 있는 빛 파장 영역의 한계가 있다. 초고효율 태양전지 기술 중 하나인 '이중접합 태양전지'의 경우 광흡수 층으로 두 가지 이상의 물질을 사용하게 되는데 서로 다른 흡수층 물질이 받아들이는 태양광 파장이 다르므로 흡수할 수 있는 에너지가 많고, 따라서 태양광의 이용률(효율)을 높일 수 있다. 개념적으로는 이미 소개되어 일부 태양전지에 적용되긴 했지만, 제조단가가 너무 높거나 효율이 낮아 상업적으로 크게 적용되지는 못했다. 하지만 고효율 결정질 실리콘 태양전지의 개발과 함께, 낮은 온도에서도 저렴하게 제조 가능한 페로브스카이트 태양전지의 출현으로 이중접합 태양전지 기술은 새로운 국면을 맞이하게 됐다. 즉 실리콘과 페로브스카이트 재료를 활용해 태양전지를 만들게 되면 단파장 빛은 페로브스카이트 물질이 흡수하고 장파장 빛은 실리콘이 흡수해 고효율 태양전지를 가능하게 만드는 것이다. 다만 최근 언론에서 '꿈의 소재'로 찬사 받으며 국내 다수 연구진들이 앞다퉈 25% 이상의 효율 달성으로 세계 최고 경쟁을 벌이고 있는 페로브스카이트 태양전지의 면적은 0.1cm²에 불과해 79cm² 크기의 대면적에서 26.7% 고효율로 공정이론효율(약 29%)에 근접해 있는 결정질 실리콘 태양전지에 비해 아직 그 기술격차가 크다. 이의 극복과 함께 접합계면 특성 최적화가 이뤄지면 최대 35% 정도의 광전 변환효율 달성으로 단일접합 효율의 한계돌파가 가능해지며, 고효율 페로브스카이트 태양전지 소재의 내구성 향상과 양산가능한 공정기술이 결합된다면 이중접합 구조를 이용한 고효율 태양전지 기술로 시장 주도가 가능할 것이다.

고효율 태양전지 기술과 함께 고출력 모듈 기술도 최근에 나타난 기술적 특징 중 하나이다. 동일한 면적에서 보다 많은 출력을 내기 위해 실리콘 태양전지들 사이의 간극을 좁힌다거나, 태양전지들을 서로 겹쳐서 간극을 완전히 없애는 모듈 형태까지 개발되고 있다. 또한 모듈의 후면으로도 빛의 흡수가 가능한 양면 수광형 태양광 모듈 역시 출력 향상을 위한 혁신 기술이며, 그 외에 태양전지를 이등분 이상 여러 개로 잘라 붙임으로서 출력을 높이고 음영에 대한 특성을 개선하는 기술도 개발 중에 있다.

한편 태양전지의 효율과 태양광 모듈의 출력 개선뿐만 아니라 실제 모듈의 적용 측면에서도 여러 가지 시도가 진행되고 있다. 탄소중립 뿐 아니라 나아가 RE100 실현을 위해서는 다양한 형태의 태양광 적용은 필수적이다. 그 대표적인 사례인 건물형 태양광은 건축물 표면에 태양광 모듈을 붙이거나 건자재 일체형 태양광 모듈을 활용하는 것을 의미하며 이는 제로에너지 건물, 그린 산단, 그린 스마트 스쿨뿐만 아니라 스마트 에너지 시티 구현을 위한 핵심 기술이다. 그러나 건물형 태양광의 경우 건물 옥상, 벽면 등에 적용함으로써 별도의 설치 부지가 필요 없다는 장점이 있지만, 단가가 높고 발전량이 줄어든다는 단점 또한 존재한다. 하지만 최근 컬러 모듈 등을 이용해 심미성을 고려한 다양한 디자인 구현이 가능하게 됨으로써 건축 외장재로서의 발전 가능성이 기대되고 있다. 또한 앞서 설명한 바와 같이 태양광 모듈의 고효율 저가화가 급속하게 진행되고 있는 상황에서 건물형 태양광 시스템의 경제성 또한 지속적으로 개선될 것으로 기대된다. 도심공간에서의 건물형 태양광이 개발되고 있다면, 농지를 활용하는 영농형 태양광도 태양광 발전 시스템 설치 부지 확보와 농가의 소득 증대 측면에서 주목받고 있다. 영농형 태양광은 식물 생육에 필요한 일조량을 투과할 수 있도록 설계된 시스템을 의미하며, 농사와 태양광 발전을 병행 할 수 있다는 장점을 지니고 있다. 나아가 향후 재생에너지가 주 발전원이 될 미래에는 건물형 태양광과 영농형 태양광이 결합한 도시농업용 태양광도 선보일 것으로 예측된다. 뿐만 아니라 향후 전기자동차나, 항공기, 모바일 기기 등 생활밀착형 기기들에 적용하는 태양광 모듈도 확대될 것으로 기대된다. 지금까지의 태양광 발전 시스템은 상대적으로 좁은 설치 면적에 의해 응용에 제약이 많았지만 고효율 태양전지 기술의 개발로 인해 보다 의미 있는 활용이 기대되고 있다. 효율이 높고 가벼우면서도 다양한 모양과 색깔을 가지는 태양광 모듈은 사람들의 생활공간에 자연스럽게 녹아들어가 대량의 보급을 가능하게 할 것이다. 결국 보급의 확대는 기술 발전의 원동력이 되고, 개발된 기술을 통해 보다 더 다양한 형태의 보급이 가능하게 될 것이다. 그리고 이 과정에서 새로운 혁신기술들이 글로벌 시장을 주도하게 될 것이다.

나) 국내 기술 동향 [129][130][131]

현재 국내 태양광발전사업태양광 산업은 정부의 야심찬 그린 뉴딜 정책 추진으로 퀀텀점프의 기로에 섰다. 한국에너지기술평가원 제출 자료에 따르면 원전, 화력, 태양광, 풍력, 연료전지, ESS 등 6대 에너지 발전기술 중에 국내 태양광 발전기술이 가장 앞선 것으로 평가됐다. 화력과 원전의 기술보유국인 미국과 비교했을 때 화력발전은 4.2년, 원전은 3.7년의 기술격차를 보인 데 비해, 태양광은 기술보유국인 EU와의 기술격차가 0.4년인 것으로 나타났다. 보고서에 따르면 태양광 기술수준은 시스템과 운영 및 유지보수 부문은 기술보유국인 EU와 기술격차가 없었다. 단지개발 기술부문은

129) 국내외 태양광 기술개발 및 시장 동향, 한국에너지기술평가원, 2016
130) 어디든 설치되는 박막 태양광…한수원, 국내최초 개발, 머니투데이, 2021.01.25
131) "국내 태양광, EU와 기술격차 0.4년 불과, 투데이에너지, 2020.10.12

1년, 원료·소재는 0.8년, 부품·기기·설비는 0.3년이고 운송·설치·시공·건설분야가 2.7년의 기술격차가 나는 등 전 분야의 기술격차는 3년 이내였다.

(1) 섬유 형태 염료 감응형 태양전지[132]

2018년, 국내 연구진이 뛰어난 성능의 염료감응형 태양전지를 섬유실 모양(Yarn type)으로 제작하는 기술을 개발했다. 이중기 한국과학기술연구원(KIST) 에너지저장연구단 책임연구원 팀은 티타늄와이어(Ti wire)의 표면 형질을 화학반응을 통해 변화시키는 방법으로 성능이 우수하고 변형이 자유로운 실 형태의 염료감응형 태양전지를 개발했으며, KIST 기관고유사업과 한국연구재단 중견연구사업 및 한-중(NRF-NSFC) 협력연구사업으로 수행된 이 연구 결과는 물리 응용 분야 국제학술지 '나노에너지'(Nano Energy)에 게재됐다. 이 기술을 활용하면 태양전지를 천 형태로 제작해 접어서 가지고 다니거나 옷처럼 만들어 입고 다닐 수 있을 것으로 기대된다.

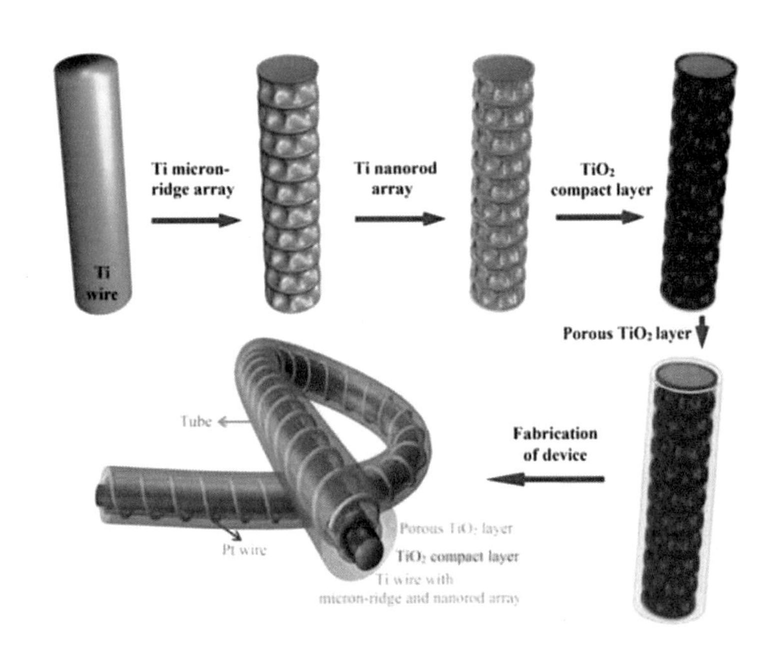

그림 97 섬유 모양의 염료감응형 태양전지 제작 과정

유기염료를 이용해 햇빛을 전기로 바꾸는 염료감응형 태양전지는 보통 평면으로 제작해 건물이나 유리창 등에 부착하는 창호형 태양전지로 이용될 수 있지만 신축성이나 유연성 등이 부족해 세탁까지 가능한 웨어러블 태양전지로 활용하는 데는 한계가 있었다. 연구진은 지름 250㎛(마이크로미터=100만분의 1m)의 티타늄와이어로 만든 태양전지 전극의 표면을 황산 용액을 이용해 전기화학적으로 산화시키는 방법으로 티

132) 섬유형태 고성능 태양전지 개발…웨어러블 기기 전원 활용 기대, 연합뉴스, 2018.08.06

타늄 산화층 간의 광전자 이동 거리를 최소화하고 접촉면적을 증가시켜 전하 수집을 높이고, 티타늄 산화층으로 입사된 빛을 수집·산란시켜 빛의 활용도를 끌어올렸다. 이렇게 제작한 섬유 형상의 염료감응형 태양전지는 광전변환 효율이 8.128%, 광전자 집전효율이 93.1%를 보이는 등 기존의 나노구조체 기반의 염료감응형 태양전지보다 훨씬 우수한 성능을 보였다. 또 실 형태의 이 염료감응형 태양전지는 지름 1㎝로 말아도 태양전지 성능이 95% 이상 유지될 정도로 기계적으로도 안전한 유연성을 지닌 것으로 확인됐다.

(2) 저조도 고효율 유연 반투광 태양전지[133)]

실제로 태양전지는 광(光)량, 빛이 입사하는 각도 등 조건에 따라 효율이 크게 달라진다. 때문에 기존 태양전지를 포함한 태양광 발전설비는, 공장이나 주택 내부에 태양광 발전 설비나 태양전지를 설치할 패널이 태양광을 일직선으로 받지 못하거나 실내 광량이 적으면 광흡수 효율은 떨어질 수 밖에 없는 단점을 지니고 있었다.

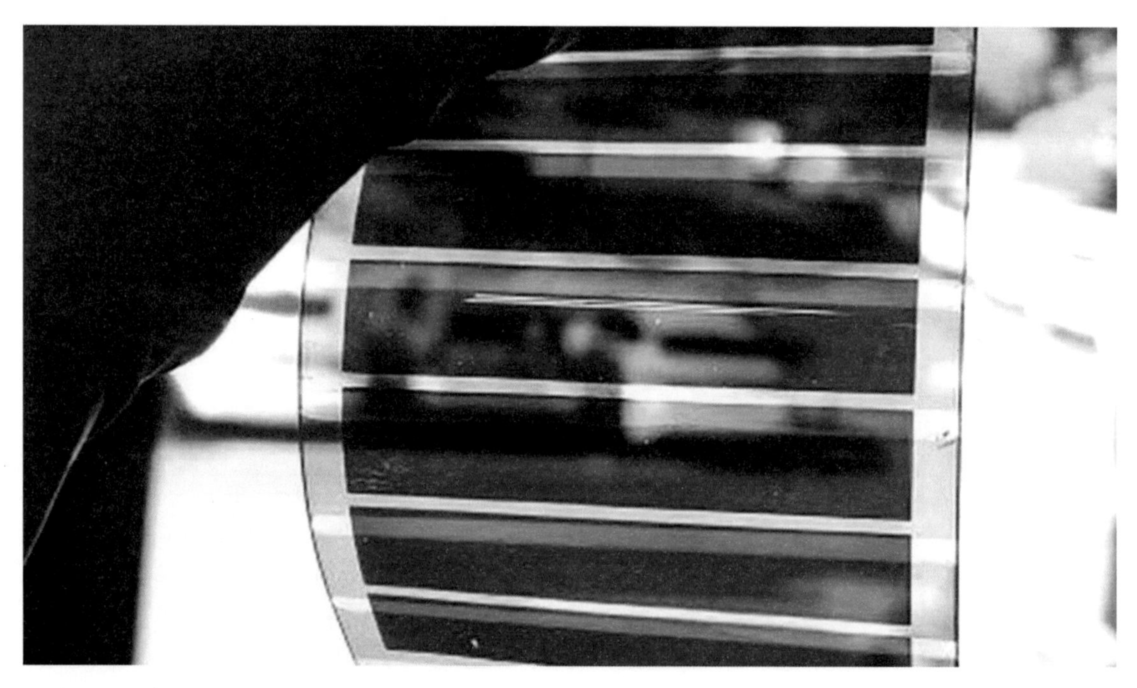

그림 98 저조도 고효율 유연 반 투광 태양전지/KIMS

재료연구소(KIMS)은 이 한계를 벗어날 새로운 태양전지인 '저조도 고효율 유연 반투광 태양전지'를 개발했는데, 연구진이 개발한 '저고도 고효율 반투광 태양전지'는 흐리거나 비 오는 날에 실내에서 전기에너지를 생산할 수 있는 자가발전 소재기술이다. 연구팀은 유기 태양전지에 원자 개수를 조절한 골드 양자 클러스터 입자를 혼합하는

133) [삶을 바꾸는 소재기술]<3> 저고도 고효율 반투광형 태양전지, 2018.07.09

기술로 유연하고 투광 특성도 제어할 수 있는 태양전지를 개발하여, 문제를 해결하였다. 태양전지에 사용되는 반도체의 구조를 바꿔 형광등의 작은 불빛도 흡수해 발전에 사용하도록 한 것이다. 연구진은 유기 태양전지의 내부에 양자클러스터 입자를 혼합해 새로운 태양전지를 개발하여 양자 클러스터가 기존 모듈이 흡수하지 못했던 빛까지 흡수하도록 만들었다. 이 기술은 태양전지 사용 범위를 대폭 확장할 수 있다는 것이 가장 큰 특징이다. 이 저조도 고효율 유연 반 투광 태양전지가 상용화되면 지금까지 실외 혹은 맑은 날에만 사용할 수 있었던 태양전지를 실내 형광등과 같이 낮은 광량의 인공 광원 아래에서도 사용할 수 있을 것으로 보인다.

(3) CIGS 박막 태양광 모듈

2021년, 한국수력원자력이 국내 최초로 CIGS(구리, 인듐, 갈륨, 셀레늄으로 구성된 화합물 반도체 태양전지) 박막 태양광 모듈 국산화 기술 개발에 성공했다. 한수원은 솔란드와 함께 CIGS 박막 태양광 모듈 국산화를 완료하고 한국산업규격(KS) 인증을 국채 최초로 획득했다. 이번 박막 태양광 모듈 국산화는 한수원과 중소기업, 연구기관 간 협력을 통해 완료됐다.

그림 99 CIGS 박막 태양광 모듈 / 한국수력원자력

CIGS는 구리, 인듐, 갈륨, 셀레늄으로 구성된 화합물 반도체 태양전지를 말하며, 기존 실리콘 태양광 모듈에 비해 발전효율은 약 15% 정도 낮지만 가볍고 유연해 설치 가능한 곳이 많은 차세대 제품이다. 한수원은 지난해 6월부터 공동연구 수행기관인 한국에너지기술연구원 내부 건물 지붕에 3kW규모로 박막 태양광발전을 실증하고 있다. 올해 상반기 중 건물 수직 벽면을 활용한 3kW 규모 태양광, 10 kW 규모 건물 지붕 태양광 설비 실증설비를 추가로 설치할 계획이다. 한수원은 이를 계기로 한수원은 정부의 제로에너지건축물 의무화와 그린뉴딜 성공적 달성을 위해 건물에 적용 가능한 태양광발전 사업(Building Integrated Photovoltaic system·BIPV)을 지속적으로 확대할 계획이다.

(4) 페로브스카이트 태양전지[134)]

페로브스카이트로 만든 태양전지는 현재 널리 사용되는 실리콘 태양전지보다 저렴하고, 많은 전력을 생산할 수 있어 차세대 태양광 소재로 꼽힌다. 태양광은 온실가스를 배출하지 않는 친환경 에너지원이지만, 그동안 석탄 등 화석연료 발전에 비해 에너지 효율과 경제성이 떨어진다는 비판을 받았다. 각국 정부와 에너지 기업들은 태양광의 이런 한계를 극복하기 위해 페로브스카이트 태양전지 상용화에 박차를 가하고 있다. 페로브스카이트는 전기전도성이 뛰어난 결정구조를 보유한 소재로, 무기물과 유기물 등을 섞어 만든다. 지난 2009년에 처음 태양전지에 활용됐지만, 당시 광전효율(빛을 전기로 바꾸는 효율)은 3.8%에 그쳤다. 이후 10여년간 연구가 이뤄지면서 페로브스카이트 태양전지 광전효율도 지난해 기준 약 25%까지 높아졌다. 그러나 페로브스카이트 전지는 수분과 열 등에 노출되면 성능이 급격히 떨어지는 단점을 극복하지 못해 여전히 상용화에 어려움을 겪고 있다. 전문가들은 안정성을 갖춘 기존 실리콘 전지에 페로브스카이트를 접목하는 방법으로 이런 문제를 해결하려고 노력하고 있다.

국내에서 페로브스카이트 태양전지를 연구하는 주요 연구소 및 대학으로는 한국화학연구원(서장원 박사), 성균관대학교(박남규 교수), UNIST(석상일 교수), 고려대학교(노준홍 교수), 서울대학교(김진영 교수), KAIST(신병하 교수), 경희대학교(임상혁 교수) 등을 들 수 있으며, 이 외에도 많은 연구자들이 최근에 페로브스카이트 태양전지의 개발에 뛰어들고 있는 상황이다. 특히, 한화솔루션의 태양광 부문 한화큐셀이 2020년 말 페로브스카이트 태양광 셀(텐덤 셀) 개발에 본격적으로 돌입했다. 한화큐셀은 성균

134) 성능좋고 값싼 차세대 태양전지 '페로브스카이트'… 한화·美·英, 상용화 경쟁, 조선비즈, 2021.01.06

관대, 고려대, 숙명여대, 충남대, ㈜엔씨디, ㈜야스, 대주전자재료등과 컨소시엄을 구성해 향후 3년간 탠덤 셀 원천기술 확보와 상업화에 나선다는 계획이다. 이 연구에 약 200억원을 투입한다.

현재 기초 및 응용연구의 측면에서 해외와의 개발 격차는 거의 없으며, 한국이 이들보다 약간 앞선 실정이라고 할 수 있다. 다만, 상용화 개발 측면에서는 기업 참여가 아직까지는 다소 미온적이라 해외에서 생겨나고 있는 스타트업 기업들에 비해 한국에서의 개발 움직임은 다소 미진한 상태라 하겠다. 향후 정부의 적극적인 지원과 산학연관 협력을 통해 우리나라에서의 페로브스카이트 태양전지 상용화도 가속화될 것으로 전망된다

(5) 수상태양광

정부의 '그린뉴딜' 정책에 맞춰 수상태양광이 주목받고 있다. 육상태양광 대비 발전효율이 높고 환경 훼손 우려에서 상대적으로 자유롭기 때문이다.

한국수자원공사는 지난 2009년 전남 순천시 주암댐에 실험모델을 만들어 수상태양광을 처음 시작했다. 이후 2012년 0.5MW급의 경남 합천군 합천댐에 국내 최초로 수상태양광 발전을 상용화했다. 합천댐 수상태양광은 약 8년간의 환경모니터링을 진행하며 환경적 안전성에 대한 객관적 검증 절차를 거쳤다. 그 결과, 보령댐(2016년·2MW)과 충주댐(2017년)에도 수상 태양광이 운영되고 있다. 충북 제천시 충주댐의 청풍호 수상태양광에는 청풍호 수상태양광은 3MW발전용량으로 연간 약 4000MWh 전력을 생산한다. 이는 연간 950가구에 전기를 공급할 수 있는 규모다.

수상태양광은 전반적으로 육상태양광보다 발전효율이 높다는 평가다. 태양광 모듈을 수면에 설치함에 따라 냉각 효과가 가능하다. 태양이 뜨거운 시기에도 물이 패널을 식혀주는 일종의 '완충제' 역할을 하기 때문이다. 설비 안전성도 입증됐다. 강한 지지 구조물로 사용해 안전하고 태풍에도 끄떡없도록 설계됐다. 실제 최대 풍속이 1초당 24~40m에 달한 2012년 태풍 볼라벤과 산바, 2019년 링링 때에도 패널이나 구조물의 안전성에는 문제가 없었다. 환경 친화성도 우수하다. 태양광 모듈, 구조체, 부유체 등 모든 기자재는 '수도용 기자재 위생안전기준'에 따라 납, 카드뮴 등 44개 시험 전 항목을 만족시킨 제품만이 사용된다. 지난 2017년 한국화학융합시험연구원이 실시한 패널 파손 후 용출 실험에서 납이나 카드뮴 등 유해물질이 나오지 않아 수질오염이

거의 없는 것으로 조사됐다. 수질 생태계에 대한 우려도 크게 발생하지 않았다. 공사는 2011년부터 현재까지 수상태양광 설치 댐에서 태양광 패널을 설치하기 전후의 수질, 퇴적물, 어류 등의 생태계 변화를 관찰했다. 그 결과 수질과 퇴적물 변화는 없었고 시설물 하부에 치어가 모여 먹이사슬을 갖는 어종들도 늘어났다.

한국수자원공사는 앞으로 수상태양광 설비를 2030년까지 2.1GW로 늘릴 계획이다. 이럴 경우 연간 92만 가구가 사용할 수 있는 에너지(2745GWh)를 생산할 수 있다. 이는 미세먼지 1482톤, 온실가스 128만톤을 각각 감축할 수 있는 규모다.

다) 해외 기술 동향

1954년 미국의 벨연구소에서 세계 최초 실리콘 태양전지를 개발한 후 60여 년. 태양전지의 효율은 4%대에서 출발해 20% 중반까지 꾸준히 성장했다. 하지만 여기서 그치지 않고 더 효율적이고, 저렴한 기술을 누리기 위해 과학자들의 연구는 아직도 진행형이다.

단결정 실리콘 태양전지의 세계 최고 변환 효율은 2014년 일본의 Panasonic사(전 Sanyo사 합병)의 후면전극형 이종접합(Back Contact HIT) 태양전지다. 후면전극형 이중접합 태양전지는 변환 효율이 25.6%(143.7㎠)에 달한다. 다결정 실리콘 태양전지의 최고 변환 효율은 2015년 중국의 Trina Solar사에서 발표한 21.25%(156mm × 156mm)이다. Panasonic사는 HIT셀을 개발하여 2013년 당시 세계 최고의 셀 효율 24.7%(101.8㎠)를 기록한 바 있으며, 72셀로 구성된 모듈에서도 23.8%의 세계 최고 효율기록을 달성하였다고 2016년3월 보고하였다. 일본의 Panasonic사는 테슬라와의 협약을 통해 4년간 태양전지와 모듈 생산에 협력해왔으며, 최근 2020년에 양사간의 제휴를 종료했다.[135)]

한편, 미국의 Sunpower사는 태양광이 입사하는 전면에 위치한 전극이 없는 후면전극형 IBC셀을 개발하여 현재 효율 20% 이상의 양산용 셀(125mm × 125mm)을 생산하고 있으며, 2015년 셀 효율을 최고 25.2%(153.5㎠)까지 달성한 바 있다. 현재 전 세계 결정질 실리콘 태양전지 생산량의 90% 이상을 점유하고 있는 셀은 후면전계 기술을 이용한 p형 인쇄전극방식(Screen Printed) 셀로서, 생산되고 있는

135) https://zdnet.co.kr/view/?no=20200227083529 참고.

단결정 셀(156mm×156mm)의 평균효율은 19.5~20%이며, 다결정 셀의 평균 효율은 18%~19%이다.

최근 고효율 양산용 셀을 제조하기 위한 기술로 후면 패시베이션, 후면 국부전극 등이 주목을 받고 있으며, 이를 위한 증착기술, 프린팅기술 등이 개발됨으로써 태양전지의 효율 향상에 크게 기여하고 있다. 결정질 실리콘 태양전지는 이미 그 효율이 이론적 최대치에 가까워져 R&D를 통해 성능을 획기적으로 개선할 수 있는 여지는 비교적 작은 상황으로, 효율 증대보다는 소재개발 및 생산기술 개선을 통한 원가절감에 초점을 맞추면서 다양한 연구개발이 이루어지고 있다. 전지수명 향상을 위한 보호소재 연구도 진행 중이다. 또한, 웨이퍼 두께를 줄여 폴리실리콘의 소모량을 줄이는 연구와, 모듈제작 시 효율이 저하되는 문제를 해결하기 위한 연구도 활발히 진행 중이다.

또한 상업용 p-type Screen Printed 셀은 약 180㎛ 두께의 웨이퍼를 이용하여 제조하고 있는데, 원가 절감을 위해 박형화 셀의 제조에 관련한 연구개발이 많이 진행되고 있다. 이 경우, 기존의 셀 제조공정 중 일부 공정의 변화가 불가피하며, 특히 기존의 상업용셀 제조에서 전후면 전극을 형성하기 위해 사용되는 고온 열처리 공정을 대체할 수 있는 기술도 필요하다. 현재 상용화된 태양전지의 실리콘 웨이퍼 두께는 평균 160㎛ 수준이다. 최근 150㎛ 두께를 갖는 웨이퍼를 이용하여 양산을 시도하고 있으며, 실험실 기준에서는 100~120㎛ 초박형 셀 기술개발을 위한 선행연구가 진행되고 있어, 앞으로는 100㎛ 이하의 웨이퍼가 양산에 사용될 것으로 예측되고 있다.[136] 실제로 미국 매사추세츠공대(MIT)와 국립재생에너지연구소(NREL) 연구진은 지난 2020년 1월 국제학술지 '에너지와 환경과학(Energy & Environmental Science)'에 게재한 논문을 통해 공정을 조금만 개선하면 태양전지에 사용되는 실리콘 웨이퍼의 두께를 100㎛까지 줄일 수 있다고 분석했다. 같은 면적의 웨이퍼를 만든다고 치면 실리콘 사용량을 40%가량 줄일 수 있게 되는 셈이다.

136) 2016신재생에너지백서, 산업통상자원부

2) 태양광 기술 응용분야

그림 12 태양 전지 응용분야

137)

최근 태양전지 보급과 시장 조성을 위한 응용분야가 활발하게 연구되고 있다. 현재는 주로 태양광 발전기를 가정이나 기관에 전기를 공급하는 정도로만 사용하고 있지만, 휴대용 전자·통신 기기의 전원 공급 장치, 인공위성, 위성탐사선, 이동통신 기지국 등 여러 방면으로 응용할 수 있다.

가) 우주 태양광 발전

우주 공간에서 축적한 태양광 에너지를 지상에 마이크로파 형태로 전송하는 우주 태양광 발전도 가능하다고 보고 있다. 일본우주항공연구개발기구(JAXA)는 세계 최초로 2030년까지 1GW급 우주 태양광발전위성을 올리겠다고 밝혔다.[138]

137) 출처 : 태양전지 기술 및 시장동향, 2001, 한국전자정보통신산업진흥회
138) 참조 : 우주태양광 발전 2040년? 일본 JAXA의 놀라운 발표, 2014, 인데일리

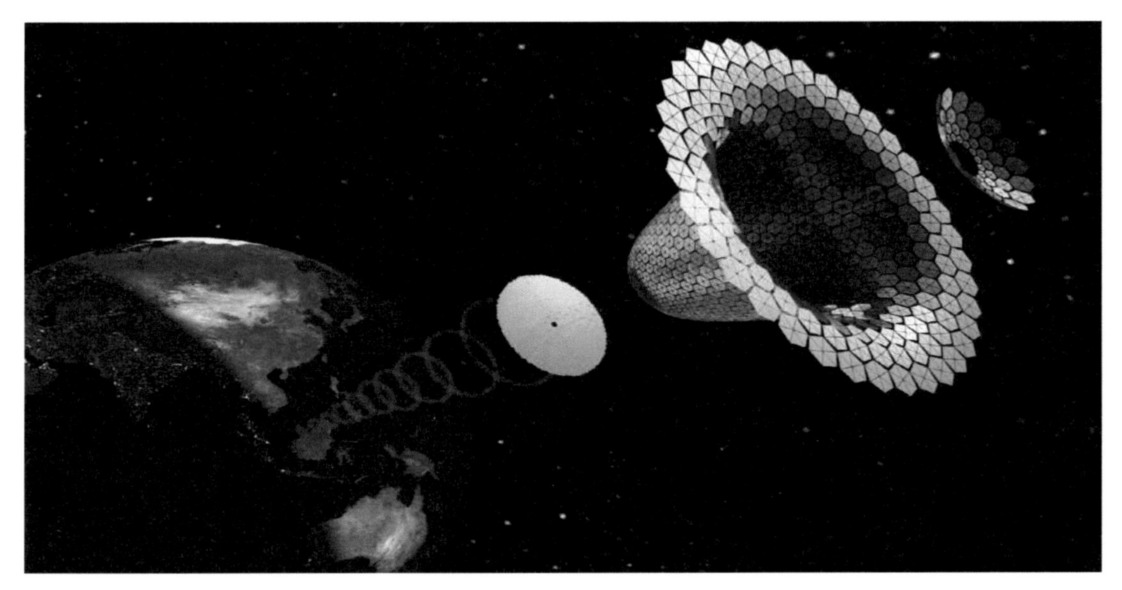

그림 13 우주태양광 발전

139)

우주 태양 발전 시스템(SSPS) 프로젝트'로 명명된 계획의 핵심은 적도 3만 6,000km 상공의 정지궤도에 태양광 발전이 가능한 위성을 쏘아 올리는 것이다. 여기서 생산된 전기 에너지는 극초단파를 이용해 지상의 수신기지전력을 생산할 수 있다. 물론 단기적으로는 비싼 위성의 가격으로 인해 경제성을 갖추기 힘들지만, 2030년경이 되면 위성의 가격은 낮아지고, 원유 가격은 올라서 충분히 경제성이 있을 것으로 내다보고 있다.

나) 솔라 로드웨이

도로에 태양전지 패널을 깔아 태양광 발전을 하는 프로젝트도 진행되고 있다. 캘리포니아공대의 에너지 전문가 네이트 루이스 교수는 "미 대륙의 1.7%만 태양광 패널로 덮으면 미 전체 에너지를 충족시킬 수 있다."고 주장해 왔다. 미국의 도로 면적이 미국 국토의 1.7%인 점에 착안하여 전국 도로에 태양전지 패널을 깔자는 제안을 실행하고 있는 것이다. 전기 엔지니어인 스캇 브루소가 이 프로젝트를 실행하기 위해 도로용 태양전지 패널을 제작하는 회사인 솔라 로드웨이를 설립하였다. 도로용 태양전지 패널은 투명하고 강한 표면층, 태양전지층, 전기송전층의 3개 층으로 구성되어 있다. 표면층은 재료공학으로 유명한 펜스테이트 대학과 데이턴 대학이, 전기송전층은 아이다호 대학 건축과 교수들이 연구에 참여하고 있다. 솔라 로드웨이는 아이다호 주의 코에르 달린느와 샌드 포인트를 잇는 45마일 도로 구간에서 시범 프

139) 출처 : 테크홀릭, 이원영 IT칼럼니스트, 2014

로젝트를 진행 중에 있다.140) 또한 미국 미주리주는 태양광 도로를 설치할 계획도 세우고 있다. 강화유리로 코팅된 태양광 패널을 길 위에 설치해 가로등·신호등의 전력으로 사용하거나 겨울철 눈을 녹일 때 활용한다는 계획이다.141)

다) 수상 태양광 발전

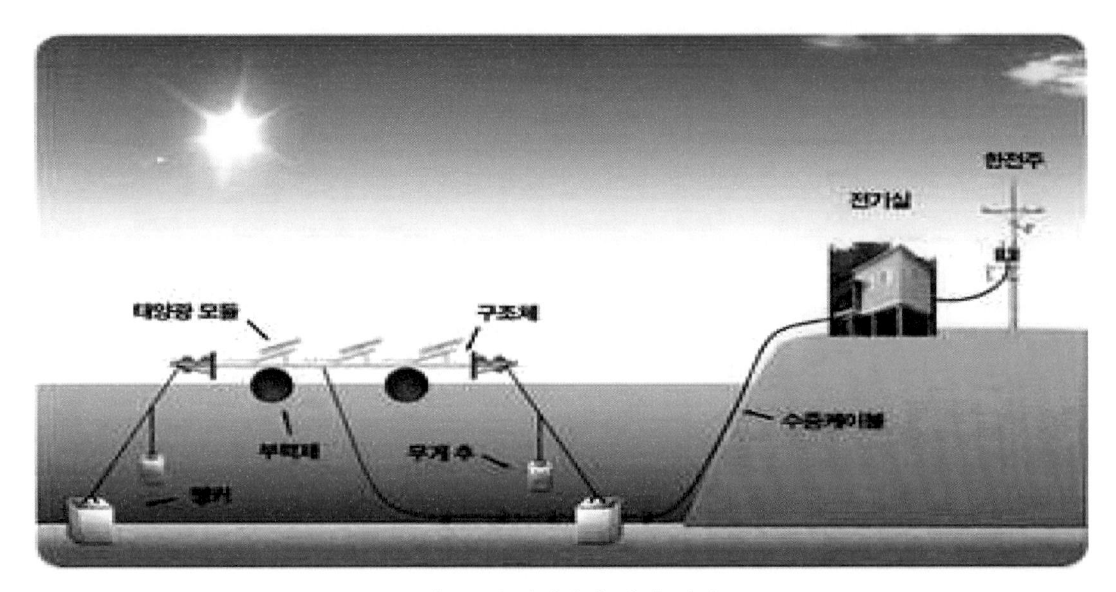

그림 14 수상태양광 발전 방법

최근 유휴 공간인 저수지나 해안을 활용하여 넓은 공간을 확보할 수 있고, 물의 냉각 효과 때문에 발전효율이 10% 정도 올라가는 이점이 있는 수상태양광 발전이 주목을 받고 있다. 또 수상태양광(floatovoltaics) 발전소는 일반 발전소처럼 거대하지 않아 시야를 가리지 않고, 건설 기간도 짧고 저수지의 수분 증발과 녹조도 방지할 수 있는 장점도 있다. 이런 장점 때문에 미국, 일본, 호주, 한국 등에서 수상태양광 발전소가 세워지고 있다.

일본 교세라의 수시바현 야마쿠라 댐 저수지의 태양광 발전소는 현재까지 세계 최대 규모다. 이 사업엔 총 5만905장의 태양광 모듈이 설치되며, 5000가구에 공급할 수 있는 전력이 생산된다. 호주의 인프라테크 산업은 제임스타운에 있는 5개의 저수지에서 수상태양광 발전 사업을 진행하고 있는데 발전효율이 일반 태양광 발전보다 57% 높게 나왔다고 보고했다. 제임스타운 발전소로 불리는 이 사업은 태양광 모듈 부식 방지 기술과 태양광 추적기 기술이 설치돼 있으며, 4메가와트의 전력을 생산해 3000~3500가구에 공급할 계획이다.

---

140) 참조 : 이도운 <그린 비즈니스>
141) 참조 : 중앙선데이 2016.08.01 <지구 햇빛 1시간 모으면 세계가 1년 쓸 에너지 생산>

나. 풍력

1) 풍력 기술동향

가) 국내 기술 동향[142)143)]

우리나라의 풍력발전의 확대가 어려운 가장 큰 이유 중 하나인 풍향조건이 외국에 비해 떨어진다는 단점이 있다. 육상풍력보다 해상풍력이 이것을 극복할 수 있다고 하지만 해상풍력은 그만큼 초기비용이 많이 들어가기 때문에 이 또한 해결해야할 문제 중 하나이다. 현재 유니슨, 두산중공업, 효성 같은 국내 풍력발전기 제조 기업들은 내수시장에 뛰어들어 해외기업들과 점차적으로 기술격차를 줄여나가고 있지만, 국산 부품을 적극 활용하지 못하고 있다. 아직까지는 국산화로 개발된 풍력발전기는 유럽산 대비 가격 및 성능 경쟁력에서 열위이며, 중국산에 비해서도 가격 및 성능 경쟁력이 열위인 위태로운 상황이다. 지금까지는 정부의 기술개발 지원에 힘입어 5mW급까지 상용화 개발에 성공했지만 부족한 신뢰성과 내구성 검증 및 실적으로 인해 수출 산업화가 지연되고 있으며 이로 인해 산업 생태계가 갈수록 취약해지고 있다. 지금까지는 시스템 및 제품 개발 위주의 기술개발이 진행되어 왔으나 개발 기술의 장기 시험평가 등의 성숙기를 거치지 못한 탓에 부품의 경우에는 시제품 단계에 머문 측면이 강하고, 시스템은 최적화가 미흡한 상황이다.

따라서 향후에는 제품 개발 위주의 기술개발 전략에서 성능개량 및 신뢰성 확보를 위한 기술 분야에 대한 지원이 필요하며, 이에 필요한 인프라 구축 역시 지원이 필요하다. 특히 궁극적으로는 풍력발전기 성능검사 및 인증 분야에 있어서 상호인정을 목표로 하는 신재생에너지 국제인증제도(IECRE) 체제가 출범한 상황에서 가격 및 성능 경쟁력을 무기로 국내 시장에 진출을 도모하는 유럽 제작사들로부터 내수시장을 방어하려면 기존 기술을 바탕으로 가격 및 효율 경쟁력 확보를 위한 기술개발이 필요하다. 이러한 측면에서 일부 기업을 중심으로 진행되고 있는 풍력발전시스템의 성능개량을 통한 모델 다양화는 국내 기업들이 지향해야 하는 전략일 것이며, 또한 우리나라의 지역적 특성에 맞는 터빈기술개발이 필요하다.

---

142) 풍력 융복합발전 기술동향, 한국에너지기술연구원
143) [취재] 국내해상풍력은 순항할 수 있을까?.에너지 설비관리, 2019.11.18.

<블레이드기술 개발>

실증단계에서 쓰인 기술로 저풍 속에서도 고효율을 낼 수 있는 블레이드기술개발이다. 블레이드의 길이를 증가시키는 것이 대용량 풍력터빈개발의 목적 중 하나이기 때문에 우리나라의 기술개발 또한 이에 초점을 둔 것으로 보아진다. 경량탄소섬유로 제작해 날개 직경을 100m에서 134m로 늘렸으며 대부분 국내 기술력으로 설계·제작·시공해 국제 경쟁력 또한 확보했다는 평가를 받고있다.

<고도의 지지구조물 개발>

지금까지 국내에 적용된 해상풍력 지지구조물은 Jacket형식으로 강구조물이다. 강구조물의 경우, 풍력터빈의 강한 진동과 무거운 하중피로도를 견딜 수 있게 고도의 설계기법이 필요한상황이다. 바다의 특성상 부식과 변형에 잘 견딜 수 있게 강한 콘크리트 재료를 기초로 하여 새로운 형식의 지지구조 형상을 개발하려 한다. 이에 콘크리트와 석션기초를 조합하여 말뚝기초를 적용한 Jacket 형식 대비 경제적인 지지구조 형식을 제안하고있다. 우리나라의 서해안은 상대적으로 수심이 얕아 콘크리트를 기반으로한 구조물 형태를 고정식 기술로 사용하고 있으며, 이와 달리 동해안의 경우 수심이 깊어 부유식기법으로 풍력발전을 지지 할 수 있도록 개발하고 있다. 우리나라의 해안 특성에 맞는기술개발이 잘 이행되고 있다.

<풍력발전기의 대형화>

전체적으로 2000년대 이후부터 풍력발전기의 가장 큰 변화는 풍력발전기의 대형화이다. 대형화에 따라 풍력발전의 경제성이 향상되면서 기존 제작사들은 보다 대형 풍력발전기를 생산하는데 주력하고 있다. 또한, 해상풍력시장이 주요 시장으로 부각되고 있다.

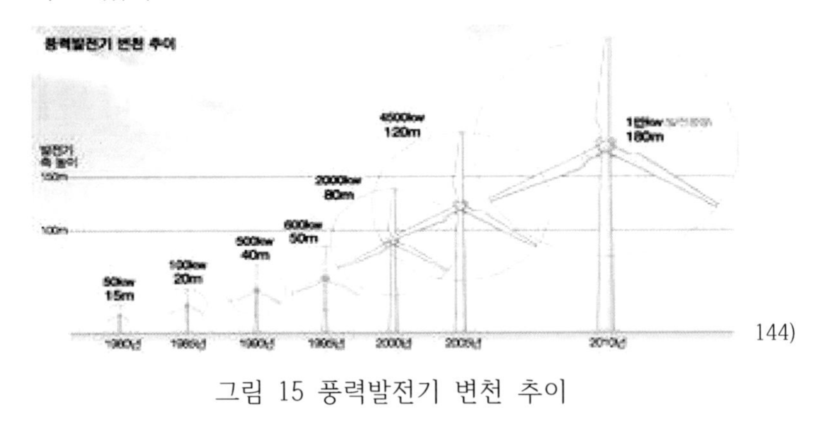

144)

그림 15 풍력발전기 변천 추이

144) 출처 : `신재생 에너지` 선진도시로 가는 길 <2> 덴마크 풍력발전의 원동력 리소국립연구소, 국제신문

현재 GE사에서 2021년까지 전력 12MW를 생산하는 높이 260m에 이르는 '할리아데-X' 발전기를 설치하겠다고 발표하며 가장 큰 규모의 풍력발전기 개발에 힘쓰고 있다.[145] 사진자료는 세계 최대 발전용량의 풍력발전기로서 6~7mW급 풍력발전기들로 구성되어 있다.

그림 16 세계 최대 용량의 풍력발전기

국내에서도 삼성중공업, 현대중공업 및 효성, 두산 등이 각각 7mW, 5.5mW, 5mW 및 3mW의 해상용 풍력발전기를 개발하였으나 삼성중공업과 현대중공업은 풍력사업 구조조정을 통해 철수하였으며, 현재 국내에서 조달 가능한 최대 용량의 풍

력발전기는 두산중공업의 5.5mW이다[146]
[147]

<해상 풍력 발전>

풍력발전의 가장 큰 걸림돌은 바람이 항상 불지 않는다는 점, 소음과 조망권 침해에 따른 지역 주민들의 반발 등을 들 수 있다. 이런 문제를 해결하기 위해서는 여러 가지 방안들이 제시되고 있는데, 그중 한 가지가 해상에 풍력발전 설비를 설치하는 것이다. 해상에 풍력발전 설비를 설치하면 난류가 적고 풍속이 육상보다 빨라 발전량이 늘고 피로 하중을 줄일 수 있는 장점이 있게 된다. 유사 조건의 육상 풍력발전과 비교해 1.5배의 발전량을 얻을 수 있다. 특히 한국의 경우 육상 풍력 발전의 이용률이 30% 미만이어서 경제성을 확보하기 힘들다는 단점도 해상 풍력 발전을 통해 극복할 수 있다.

최근 한국은 해상풍력발전을 위한 풍력터빈과 부유식 풍력시설물 개발에 착수했다. 산업부와 한국에너지기술평가원으로부터 100억 원의 연구비 지원을 받아 울산대, 마스텍중공업, 유니슨, 세호엔지니어링 등으로 구성된 컨소시엄이 2019년까지 파일럿 규모의 부유식 해상풍력 시스템을 설치할 계획이다. 사용하는 풍력터빈은 750킬로와트급이다.

전 세계 해상풍력 시장의 성장률은 23.8%로 풍력시장의 성장률 12.4%를 넘어서고 있어 한국도 서남해 2.5기가와트 해상풍력 사업과 제주도 해상풍력 사업을 추진하며 특히 6차 전력수급계획에서 2027년까지 풍력설비용량을 17기가와트까지 올릴 계획이다. 에너지기술평가원은 해상 풍력 기술 중에서도 해상풍력에서 생산한 대량의 전력을 손실 없이 안전하게 육지로 가져오는 해저전력망 기술 개발에 집중하고 있다. 에너지기술평가원은 해상풍력 내부전력망 해저케이블 설치기술 개발과 실증, 해저케이블 고장 구간 탐지와 보호 기술 개발, 내부 전력망 운영기술 개발을 확보한다는 계획이다.[148]

146) http://4th.kr/View.aspx?No=917237 참고.
147) 출처 : Windpower Monthly
148) 참조 : 에너지경제신문 2015.08.07 <[기획/미래 바꿀 에너지기술] ② 소형풍력, 해상풍력케이블, 수소생산 저감 기술>

나) 해외 기술 동향

(1) LCOE의 저감을 위한 다양한 기술개발

유럽 및 미국에서는 균등화 발전단가(LCOE)의 저감을 위한 다양한 기술개발을 진행하고 있다. LCOE에서 가장 큰 부분을 차지하는 것은 풍력발전기 비용이며 그 다음이 전력 계통 연계 비용이다. 따라서 풍력발전기 제작사들은 풍력발전기의 가격 저감에 집중하게 되며, 발전단지 건설 및 운영사들은 전력계통 연계비용을 최소화하기 노력하게 된다. 해상풍력은 하부구조물 및 해저 전력선 등과 같은 추가적인 설비와 해상 설치 및 운전의 어려움으로 인한 보험료 및 예비비 등으로 인해 LCOE의 구성 및 그 비율이 육상풍력과는 다르다. 149)

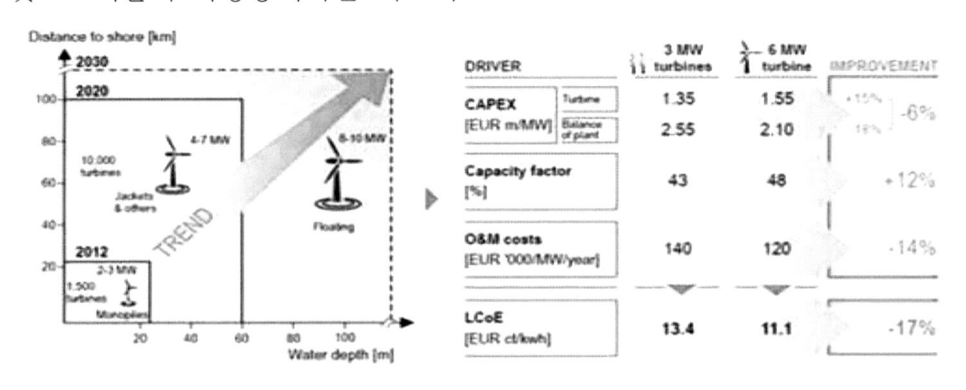

그림 17 풍력발전기 대형화에 의한 LCOE 저감 효과

6mW급 풍력발전단지는 3mW급 2기를 설치하거나 또는 6mW 1기를 설치하여 구성할 수 있으나 6mW 1기로 구성할 때 풍력발전기 구매 비용에서 6%를 저감 가능함을 알 수 있으며 유지보수 비용은 14%가 저감됨을 보여주고 있다. 반면에 설비이용률(CapacityFactor)는 12%가 증가한다. 이 같은 대형화는 5mW에서 10mW로 대형화 될 때 LCOE 저감 효과가 가장 크며, 설비이용률 증가 역시 이 구간에서 가장 극대화한다. EU는 해상풍력발전의 경우 현재 11~18유로 센트/kWh인 LCOE를 2020년까지 9유로 센트/kWh로 저감하는 것을 목표로 관련 기술개발을 진행하고 있다. 해상풍력발전에서 가장 큰 시장 점유율을 갖고 있는 Siemens는 이 보다 더 낮은 최대 5유로 센트/kWh로 저감한다는 목표를 갖고 있으며, 유럽에서 주요 풍력발전사업자 중 하나인 DONG Energy는 2017년까지 20~30% 저감이 가능하다는 입장이다.150)

149) 출처 : 2013 RBSC Offshore Wind
150) 2016 신재생에너지백서, 한국산업통상자원부

(2) 해상 풍력발전

덴마크는 이미 세계 최대 발전 용량을 자랑하는 니스테드 해상 풍력단지를 조성해 운영하고 있다. 이 단지에는 풍력 터빈 72기가 연간 60만 메가와트의 전력을 생산해내고 있다. 노르웨이도 해상 풍력발전에 적극적이다. 노르웨이의 에너지 기업 스탯오일 하이드로는 해안에서 10KM나 떨어진 먼 바다에 풍력발전기를 설치하는 프로젝트를 진행하고 있다. 이 경우 대형 터빈과 송전탑 건설을 위해 산이나 해안의 자연을 훼손하지 않아도 되기 때문에 지역 주민이나 환경단체의 반발도 잠재울 수 있다. 이를 위해 스탯오일 하이드로는 부표처럼 물 위에 띄울 수 있는 부유(浮游)형 풍력발전기를 개발하는 중이다.

사실 해상 풍력단지는 육상단지에 비해 건설비용이 2배 이상 들어가는 데다 헬리콥터 운영 등 관리비도 만만치 않다. 그럼에도 전 세계는 해상 풍력단지 건설을 앞 다퉈 추진하고 있다. 육지에는 풍력터빈을 설치할 장소가 마땅치 않기 때문이다. 전 세계적으로 해상풍력은 유럽지역을 중심으로 급격히 증가하는 추세다. 덴마크는 2030년까지 해상 풍력으로 전체 전력의 20%를 생산하겠다는 목표를 세우고 있다. 영국, 독일, 미국, 프랑스, 스페인, 중국 등도 해상풍력발전 프로젝트 추진 중이다. 현재 전 세계 해상풍력 총 용량은 약 2기가와트 수준이며 계속 증가 추세에 있다. 2009년에는 덴마크, 영국, 독일, 스웨덴, 중국 등에서 454메가와트 신규 해상 풍력발전기를 건설하였지만, 이는 세계 총 풍력설비 용량의 1.2%에 불과할 정도로 아직은 미미한 수준이다. [151]

(3) 바레인 국제무역센터

신재생에너지 기술을 건축물에 효과적으로 적용함으로써 보급을 확대시키기 위한 시도가 계속되고 있다. 특히 고층 건축물은 단순히 높이의 랜드마크(landmark) 경쟁에서 벗어나 환경 친화적이라는 상징성까지 제공해야 한다는 패러다임이 확산되고 있다. 아울러 발전 시스템이라는 기능성 외에도 건물과 조화롭게 일체화시키는 BI(Building Integrated) 즉, 건물 일체화가 새로운 기술 분야로 떠오르게 되었다.

풍력발전기가 설치된 바레인 국제무역센터는 단순히 상징성뿐만 아니라 초고층 빌딩에서 요구하는 엄청난 전력사용량을 일부라도 자급하기 위한 실용적인 대안으로서의 가능성을 보여준 사례로 CTBUH(Council on Tall Buildings and Urban Habitats)로부터 최고의 고층건물 중 하나로 선정되었다. 국제무역센터는 높이 240m의 대칭을 이루되 각도를 갖는 직각 삼각형 두 동의 건물 사이의 상, 중, 하측에 세 개의 다리

151) 참조 : 한국풍력산업협회

가 두 동을 연결하며, 각각의 다리 중간에 블레이드 지름이 29m인 225kW급 수평축 풍력발전기를 설치하였다. 해안에 위치한 국제무역센터는 해풍이 불어올 경우 바람이 건물 사이 중앙부로 수렴되어 가속되는 벤츄리(Venturi effect) 효과를 나타내도록 형상설계가 되어 있으며, 총 설비용량 675kW로부터 연간 1.3GWh의 전력을 생산함으로써 연간 전력사용량의 13%를 자급할 수 있다.

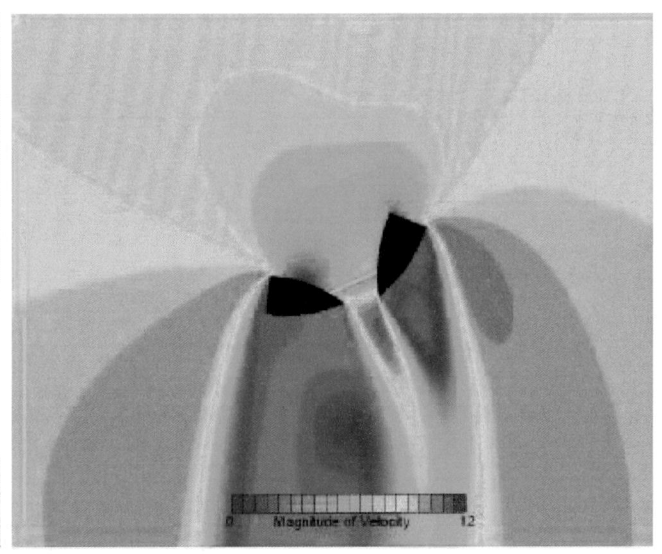

바레인 국제무역센터 전경(좌) 및 건물배치에 의한 벤츄리 효과(우)

(4) 광저우 펄리버 타워

2010년 중국 광저우에 건설된 펄 리버 타워(Pearl River Tower)는 건물 내부 공간에 풍력 발전기를 설치하는 새로운 개념을 도입하였다. 건축설계회사인 SOM이 설계한 펄 리버 타워는 71층, 309m 높이이며, <그림 17>의 개념도와 같이 건물 중앙 상. 하단에 건물을 관통하는 총 4개의 노즐형태 수평유로를 설치하여 유입풍속을 가속시켜 풍력발전에 유리한 풍환경을 만드는 아이디어가 적용되었다. 펄 리버 타워는 BIWT 개념보다는 BIPV(Building Integrated Solar Power)의 개념을 위주로 설계되어 건물 전력사용량의 5%를 재생에너지로 공급하며, 2013년 MIPIM Asia로부터 최우수 혁신적 그린빌딩(Best Innovative Green Building) 선정된 바 있다.

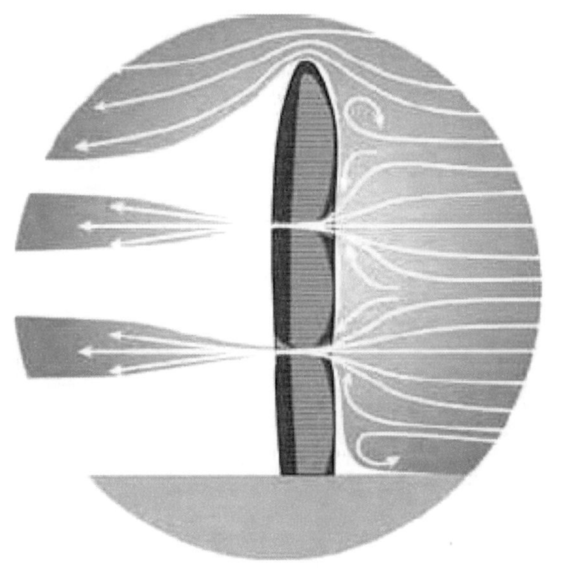

자료: https://www.som.com/project/pearl-river-tower

광저우 펄리버 타워 전경(좌) 및 건물 내부 유로에 의한 풍속가속 효과(우)

(5) 오클라호마 의학연구재단

오클라호마 의학연구재단(Oklahoma Medical Research Foundation)은 42m 높이의 건물 옥상부에 2열로 6m 높이의 헬리컬 모양의 수직축 풍력발전기 총 18기를 설치하였으며, 이를 통해 연간 85.5MWh의 전력을 생산하여 건물 전력사용량의 36%를 충당하도록 설계되었다.

자료: http://omrf.org/2012/06/19/omrf-unveils-rooftop-wind-farm/

오클라호마 의학연재단 전경(좌) 및 옥상에 설치된 수직축 풍력터빈(우)

2) 풍력기술 응용분야

풍력발전은 여러 가지 이점을 가지고 있지만, 발전의 간헐성을 최대한 극복하기 위한 기술개발이 적극적으로 진행되고 있는 상황이다. 즉 타 에너지원과 융복합하여 간헐성을 최소화 할 수 있는 것이다. 본장에서는 풍력발전기를 활용한 응용 기술 및 타 에너지원을 활용한 융복합 발전 기술을 알아보고자 한다.

가) 풍력 태양광 가로등

풍력과 태양광으로 생산된 전기를 축전지에 저장하여놓고, 야간에 가로등 전력으로 사용하는 융복합 기술이다. 이는 전력 케이블 매선 및 배선이 어려운 지형에 사용될 수 있다. 해안가나 산 정상, 농지 같은 원격지가 적절하다고 하겠다. 뿐만 아니라 산책로 공원 등 도시 미학적인 공간에도 미학적인 요소로써 사용될 수 있다.

152)

그림 18 풍력·태양광 가로등

나) 풍력 태양광 레저보트

풍력.태양광 레저보트는 군산대학교에서 개발하였다. 원격 풍력 세일(sail) 돛 제어 장치를 이용한 중형급 태양광 레저보트는 선박의 추진동력을 풍력 세일 돛으로 담당하고, 그 외에 사용되는 전기 에너지 부분을 태양광에너지로 대체하여 선박 내에서 사용되는 전체 에너지 소비를 대폭 감소시킬 수 있다. 현재 태양광을 이용한 보트 또는 요트에 보조 전원으로 소형 풍력발전기를 설치하는 경우는 있지만 제안된 아이디어와 같이 풍력과 태양광 에너지를 동시에 사용하는 보트가 개발된다면, 경제적 효용성도 매우 높을 것으로 기대된다.

152) 출처 : www.jcenertec.com

[153]

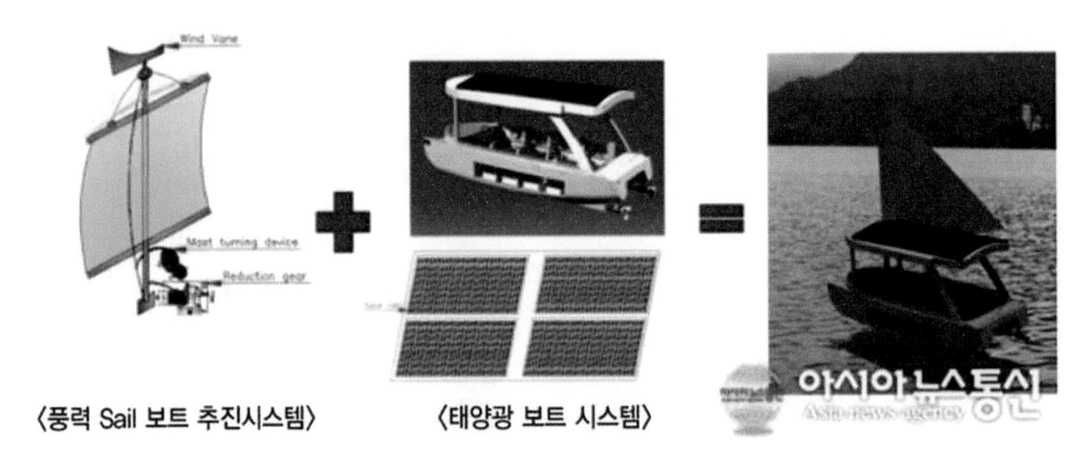

그림 19 풍력·태양광 레저보트 시스템

다) 풍력발전·플라이휠 에너지저장기술

플라이휠 에너지 저장 시스템은 잉여의 전기에너지를 기계적 회전에너지로 변환하여 에너지를 저장 하고 필요시 기계적 회전에너지를 전기에너지로 변환하여 공급하는 에너지저장 장치이다.[154] 기계적 에너지저장 장치인 플라이휠 에너지저장 장치는 에너지를 효율적으로 사용하기 위해 미국, 일본, 유럽 등 선진 각국에서 연구 및 개발이 활발히 진행 중인 환경 친화적인 에너지저장장치의 하나로, 잉여 및 소실에너지의 저장을 통한 에너지 절약효과, 무공해 에너지의 재생을 통한 환경 보호 효과가 타 에너지 저장 장치에 비해 월등히 뛰어난 시스템이다. 또한, 순간적인 충전과 방전이 가능하고 수명이 거의 반영구적인 장점이 있으며, 단위 무게 당 가장 큰 파워 성능을 갖고 있다.[155]

153) 출처 : 군산대학교 지역혁신인력양성사업단
154) 회생에너지 저장용 플라이휠 에너지 저장 장치 설계에 관한 연구, 2013, 이준호, 박찬배, 이병송
155) 풍력 융복합 발전 기술 동향, 한국에너지연구원

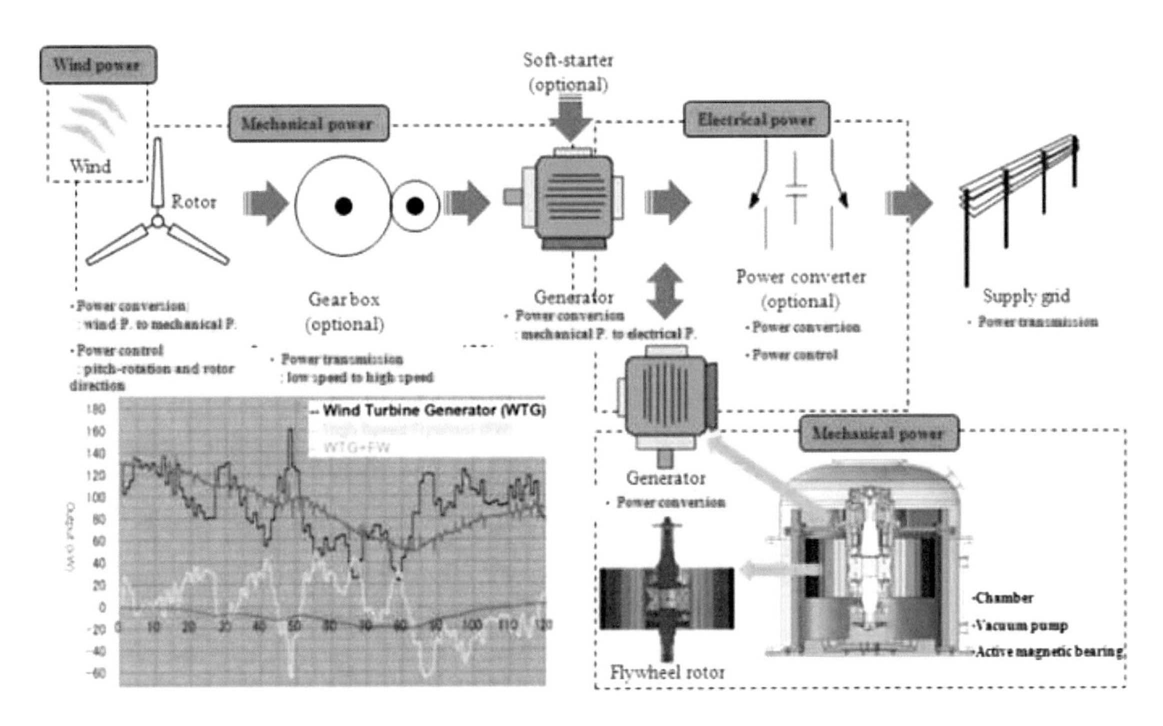

그림 20 풍력터빈과 플라이휠 에너지저장 장치 개념도

156)

라) 풍력-해수 담수화 기술

그림 21 풍력-해수담수화 플랜트

해수를 담수로 전환하는 기술은 물 부족 문제를 해결할 수 있는 가장 현실적인 대안이다. 중동과 북아프리카 지역(MENA)에서는 해수 담수화가 매우 중요한 식수원

156) 출처 : 한양대학교 융합기술사업화 산업협력단

및 농경수원이 되고 있다. 오늘날 세계 담수 처리수는 약 6,520만 m^3/일 (240억 m^3/년)[157]에 달하는데, 이는 세계 물 공급량의 약0.6%에 해당한다. MENA지역은 세계 담수화 용량의 약 38%를 차지하고 있으며, 그중 사우디아라비아는 세계 최대 담수 생산국이다.[158] 무한 자원인 해수에서 염분 등 각종 불순물을 제거해 사람이 마실 수 있을 정도의 깨끗한 물로 만들기 위해서는 상당한 에너지가 투입되어야 하는데, 담수가 부족한 도서에서는 전력 수급이 어려운 반면 풍력자원이 우수하므로 에너지원으로 풍력발전을 활용할 수 있다. 한국에너지기술원에서는 물 부족지역과 전력망 연결이 어려운 고립지역을 위해 중소규모의 새로운 해수 담수화 모델로서 담수 1톤 생산에 12kWh 에너지가 소요되는 '고효율 무방류 풍력발전 연계 MVR해수담수화 파일롯 플랜트' 국내기술을 최초로 개발해 실증운전에 성공했다.

마) 풍력-태양광 복합발전

일본 도호쿠 공업대학에서 개발한 풍력-태양광 복합발전기는 지붕 설치형 태양광 패널과 함께 풍력터빈을 설치하는 방식이다. 지붕 설치형 태양광 패널은 경사각을 가지고 설치되므로 바람이 불 때 경사면을 타고 올라감에 따라 가속되어 지붕의 꼭대기 부분에서 최대 풍속 증가가 발생한다. 연구에 의하면 경사각이 20~40°인 경우 지붕 꼭대기 부근에서 20~30% 정도 풍속 가속이 발생하였다. 태양광 패널은 지역 특성이나 겨울철의 태양 고도를 고려해 설치 각도를 결정하지만, 보통경사각은 30° 전후로 설치된다. 즉, 태양광 패널의 경사진 부분에서 풍속이 증가하는 영역이 형성된다. 풍속이 증가하는 위치에 수평축 풍력터빈을 설치하면 태양광 발전과 함께 풍력발전을 동시에 할 수 있다.

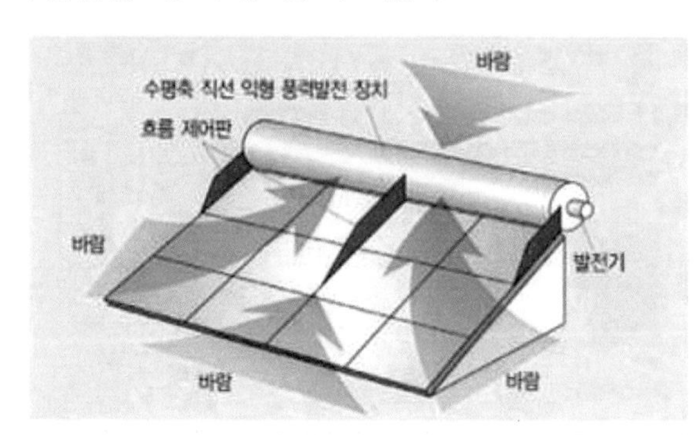

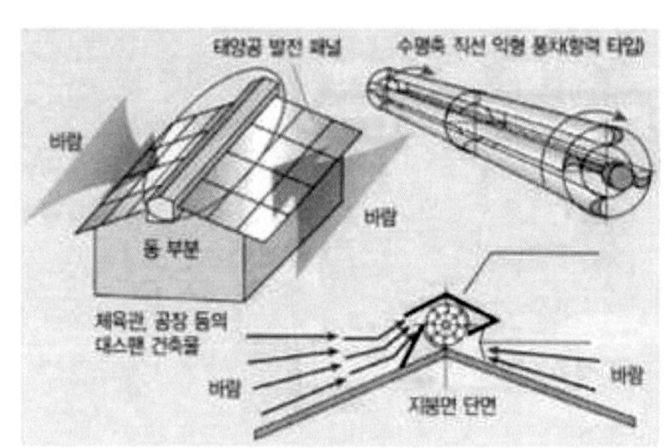

자료: 월간 전기기술, "풍력·태양광 하이브리드 발전 시스템", 2011

그림 22 풍력-태양광 복합발전시스템 개념도

159)

157) 출처 : 한국에너지기술연구원
158) 해외녹색기술정책 보고서, 2013, 한국환경산업기술원

바) 풍력-조류 복합발전

불규칙한 해상풍력 발전의 출력을 안정적이고 규칙적인조류 발전과 병행하여 평상시 기저 발전은 조류 발전이 담당하고, 피크시의 전력 부하 충당은 해상풍력이 담당하게 하는 하이브리드 발전 시스템으로 모노파일식 해상풍력-조류 복합발전을 생각해 볼 수 있다. 해상풍력 건설비는 하부 구조물 비용이 25%에 달하므로 하나의 구조물에서 두 개의 발전시스템을 설치하게 되면 공사비 절감을 통한 경제성 향상이 가능하다. 지식경제부가 추진 중인 서남해안 2.5GW, 전남 4GW급 대규모 해상풍력단지에 조류 발전을 복합적으로 개발한다면 풍부한 조류에너지를 활용할 수 있음은 물론, 해상풍력 단지의 효율성 향상을 통한 경제성 제고 및 복합발전의 기술 확보도 가능할 것으로 판단된다.[160] 영국의 Green Ocean Energy사가 개발한 Wave Treader는 해상 풍력발전과 파력발전을 결합시킨 복합발전시스템이다. Wave Treader는 500kW 발전용량을 가지며, 유리강화 플라스틱으로 제작된 20m 길이의 부유체 2개로 구성되어 있다. 이 부유체들은 50m 길이의 움직이는 빔(pivoting beams)에 의해 풍력터빈의 몸체에 연결된다. 부유체들이 파도에 의해 상하운동을 하면 부유체에 붙은 팔(arm)이 빔에 붙어 있는 유압 실린더를 구동시키고 이는 다시 발전기에 붙어 있는 유압 모터를 회전시켜 전기를 발생하게 된다. Wave Treader는 발전효율을 극대화하기 위하여 파도의 방향에 맞춰 회전하고 조석(潮汐)에 따른 수위변화에 따라 높이가 조절되도록 설계되었다. 외해(外海)에는 연안에 비해 파도가 더 강하므로 파력 발전기의 발전용량을 키울 수 있다. 또한 전력망과 발전시스템의 계류 장치를 풍력터빈과 공유하여 발전용량 당 투자비를 크게 낮출 수 있다. Wave Treader 시제품의 실 해역시험이 조만간 진행될 계획이다. 이밖에 영국 Wavegen사는 연안 고정식 파력발전과 풍력발전 장치를 조합하여 3.5mW급(WSOP3500) 발전장치를 제안하였으며, 일본은 초대형 해양구조물 상부에 태양광 및 풍력발전, 수면에서는 파력발전, 수면 아래에서는 조류발전을 수행하는 복합발전 방식을 [161]제안하였다. 덴마크역시 고정식 해상 풍력터빈에 파력발전을 추가한 포세이돈 복합발전시스템을 제안하였다. 한편 영국의 Energyisland사는 해상 풍력발전과 파력발전 외에도 해수 온도차 발전, 태양광 발전 등 해양에서 이용 가능한 신재생에너지를 결합시켜 상호 보완함으로써 에너지 전환효율을 극대화시킨 개념의 대규모 부유식 플랫폼 Energy Island를 제안하였으나 아직까지 구상단계에 머물러 있다. [162]

---

159) 출처 : 월간 전기기술 "풍력-태양광 하이브리드 발전 시스템"
160) 해양에너지 복합발전단지 개발의 필요성과 방안 제59권 제12호, 2011, 특허청 기술기사
161) 출처 : http://www.power-technology.com

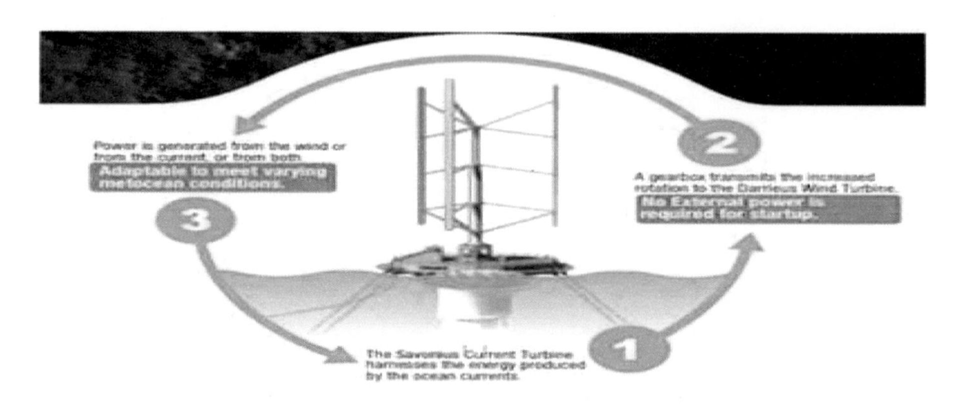

그림 24 풍력.조류 복합발전기 디자인

사) 천연가스-풍력-태양열 복합발전

하이브리드 발전소(Hybrid Plant)는 신재생 에너지를 그리드에 추가하기 위한 가장 경제적이면서 편리한 방안이 될 것으로 보인다. 최근 GE는 천연가스와 함께 풍력 및 태양열을 통합하는 첫 번째 발전소에 대해 발표하였다.

GE에 따르면 이러한 하이브리드 발전소는 전 세계 일부 지역에 건설되는 새로운 발전소의 유력한 표준 모델이 될 것이라고 밝혔다. 새로운 기술은 50 헤르츠를 사용하는 국가들을 대상으로 하고 있다. 특히 중국과 유럽연합의 신재생 에너지 목표를 충족하는 데 보다 수월한 방안으로 활용될 것으로 보인다.

태양열발전과 천연가스 터빈을 조합하는 것이 새로운 일은 아니더라도 여기에 풍력발전을 포함하는 시스템은 새로운 것이라고 GE는 말했다. 풍력과 천연가스를 결합하는 것은 풍력발전 비용의 일부를 저감하는데 도움이 된다. 풍력단지는 일부 천연가스 발전소의 제어 시스템과 그리드 연결 부분을 공유할 수 있다. 또한, 천연가스 발전소는 풍력터빈에서 발생할 수 있는 다양한 변수를 제거하는데 도움이 된다.

태양열발전은 태양광을 집중시킬 수 있는 반사경 어레이(Array of Mirrors)를 사용하여 열을 수집한 후 이를 활용하여 스팀을 생산한다. 이 스팀은 천연가스 복합발전소의 스팀 터빈에 공급되어 발전 출력을 증가시킬 수 있다. eSolar가 개발한 태양 집열기 어레이(Solar Concentrator Array)는 두 가지 면에서 비용 절감에 도움

162) 풍력 융복합발전 기술동향, 녹색정보기술포털

을 준다. 모듈식으로 되어 있는 집열기 시스템은 설치가 쉽고 발전 형태에 따라 손쉽게 변경이 가능하다.

또한 과거 태양열 시스템 대비 더 높은 온도의 스팀을 생산할 수 있어 출력을 증가시킬 수 있다. 그리고 GE는 태양발전에서 얻어지는 전기 생산의 변동성을 쉽게 보완하도록 빠르게 전기를 공급할 수 있는 고효율 천연가스 발전소를 개발하였다.[163]

그림 25 풍력-태양-천연가스 발전소 개념도(좌) 및 출력 변동성 추종 가스터빈(우)

아) 풍력-열에너지 변환기술

스마트폰, 데스크톱 컴퓨터, 노트북 등으로 유명한 미국의 애플사는 풍력에너지를 열에너지로 변환하는 새로운 개념을 제시하였다. 애플사가 출원한 특허에 따르면, 하나 이상의 패들과 연결된 축을 휘발성 유체가 들어 있는 드럼 내에 설치한다. 그리고 풍력터빈은 바람의 힘을 받아 연결된 축을 회전시킨다. 그렇게 되면 축에 연결된 패들은 저열용량 유체를 교반, 순환 및 가열시킨다. 즉, 풍력터빈에 의해 만들어진 회전에너지를 저열용량 유체의 열에너지로 전환하는 것이다. 이 열에너지는 작동유체에 전달 되며, 이 열을 이용하여 전기를 생산할 수 있다. 전달된 열은 작동유체의 낮은 끓는점으로 인하여 유체를 끓일 수 있으며, 이 때 발생하는 증기를 이용하여 터빈을 가동할 수 있다. 터빈은 전기 발전기를 구동하고 발전기에서 얻어지는 전기는 자동차, 가정, 사무실, 건물 및 전력 그리드에 공급된다. 저열용량 유체에 저장된 에너지가 전기 수요를 충족시킬 필요가 없어지게 되면 전달된 열에서 전기를 발생시키는 것뿐만 아니라 저열용량을 가진 유체에서 작동유체로 열을 전달하는 과정이 중단된다. 이러

163) MIT Technology review 2011.06.07 <GE Combines Natural Gas, Wind, and Solar>

한 온 디멘드(on-demand) 방식의 발전시스템이 풍력발전의 변동성을 상쇄하여 계통 운영 비용을 절감할 수 있으며, 배터리를 이용하는 일반적인 에너지 저장기술을 대체할 수 있다.

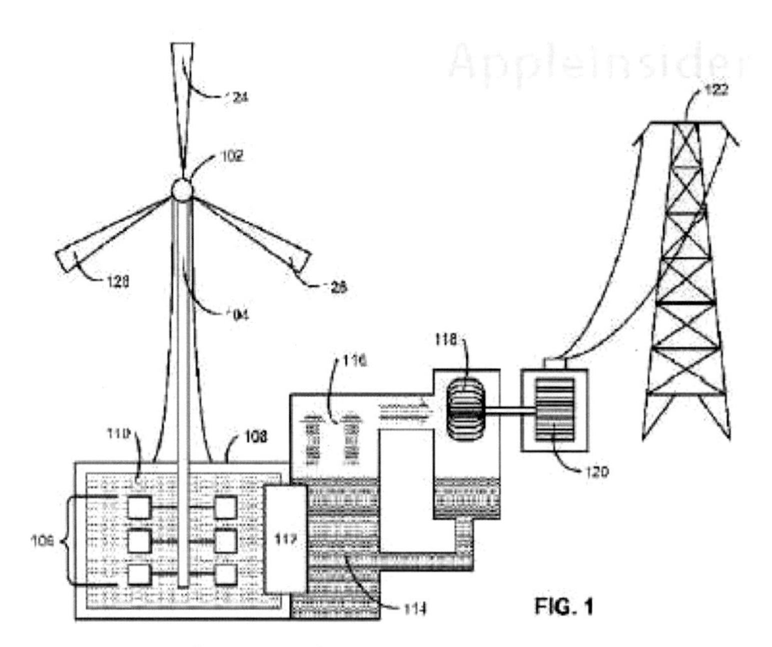

자료: http://cleantechnica.com/2013/01/05/apple-designs-a-wind-energy-storage-concept

애플사의 풍력-열에너지 변환시스템 개념도

다. 수소연료전지

1) 수소연료전지 기술 동향

수소에너지 자체의 개념은 수소와 산소인데 이 두 원소가 결합하면서 H_2O가 되는 반응이다. 이를 기본으로 연료전지라는 것은 수소를 주입하고 산소가 들어오게 되면 수소를 H+라는 이온으로 만들고 전자(e-)를 분리해서 음극으로 보낸다. 그리고 수소 이온(H+)을 전해액막을 통해 흘려보내면 산소를 만나기 때문에 전체적으로는 H_2O가 O_2를 만나면서 전기를 발생시키는 구조라고 보면된다. 이러한 연료전지는 하나의 단위전지가 여러 개 겹쳐진 적층구조를 이루고 있다. 전류는 단위전지 면적에 따라 전압을 저장하고 단위전지 개수에 따라 조절되기 때문에 수소연료전지는 전력을 자유자재로 결정할 수 있게 된다.

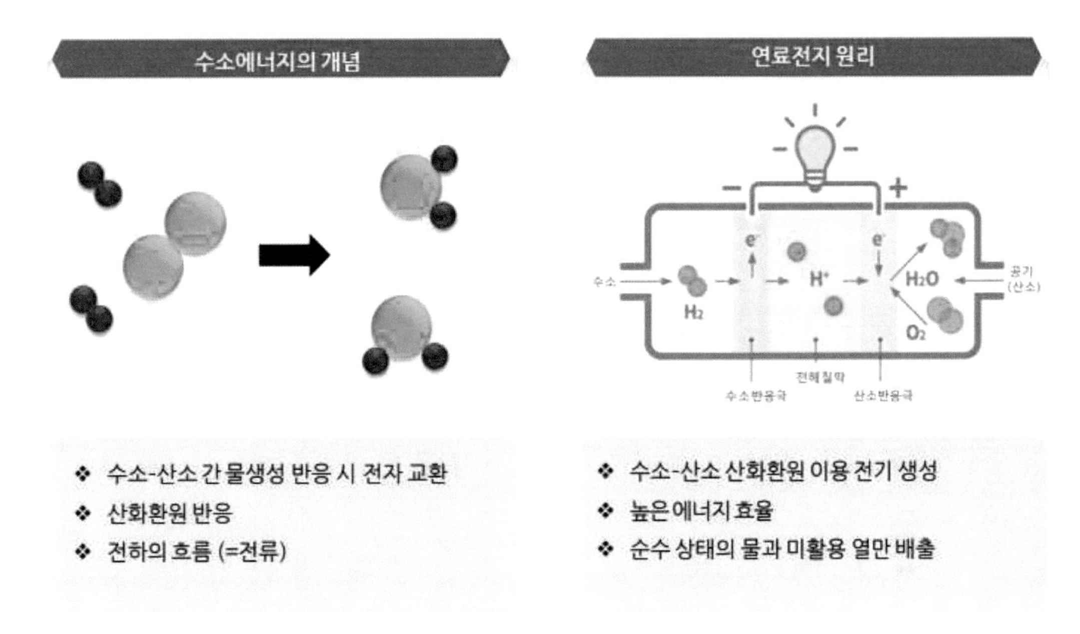

[그림 117] 수소연료전지 시스템의 구성

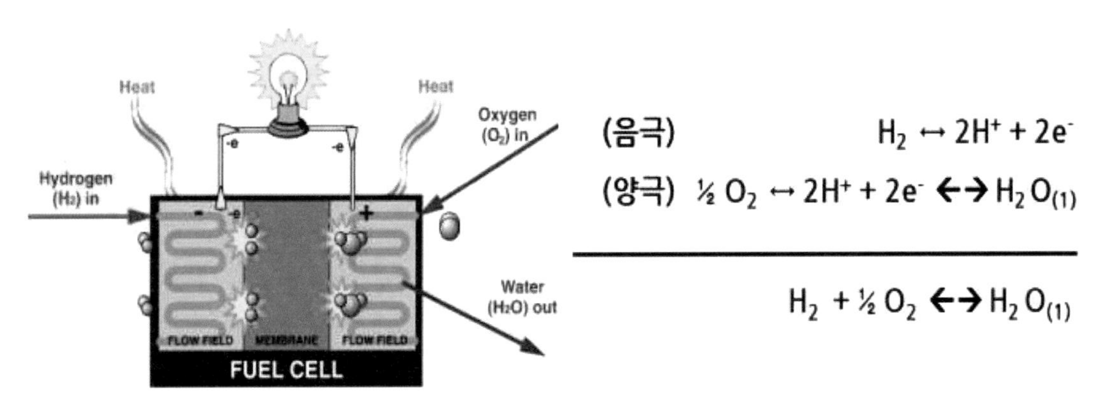

[그림 118] 수소연료전지 원리

연료전지 기술은 전해질 종류에 따라 고분자전해질 연료전지(Polymer Electrolyte Membrane Fuel Cell, PEMFC), 직 접 메 탄 올 연 료 전 지 (Direct Methanol Fuel Cell, DMFC), 인산형 연료전지(Phosphoric Acid Fuel Cell, PAFC), 응용탄산염 연료전지(Molten Carbonate Fuel Cell, MCFC), 고체산화물 연료전지(Solid Oxide Fuel Cell, SOFC) 등으로 다양하다.

우선 PEMFC는 재료선택 및 셀 제작과 운전이 용이하다는 장점이 있으나, 수소의 불순물(CO)제거가 어려우며 백금 촉매 함량이 높다는 단점이 있다. 이러한 점을 보완하기 위하여 저가 촉매 개발, 전해질의 국산화, 고성능 저가 MEA(막-전극 접합체) 제조기술, 저가 분리판 양산기술 개발 등이 필요하다. MCFC와 SOFC는 고가의 촉매가 불필요하며 폐열 이용이 가능하고 일산화탄소(CO) 함유율에 대한 영향이 없다는 장점이 있다. 높은 열효율과 전기효율을 갖고 있어 주로 대형 발전용으로 사용되고 있으며, 소재의 국산화뿐 아니라 내구성 강화 기술 개발의 필요성이 높은 특징을 보인다. SOFC의 경우 가스 누출을 방지할 수 있는 세라믹 재료 기술 개발이 중요하며, 제조원가 저감 및 신뢰성 확보를 통해 차세대 에너지 기술로 부각 받고 있다.

구분	인산형 (PAFC)	용융탄산염형 (MCFC)	고체산화물형 (SOFC)	고분자전해질형 (PEMFC)	직접메탄올형 (DMFC)
연료	LNG, LPG, 메탄올, 석탄가스	LNG, LPG, 메탄올, 석탄가스	LNG, LPG, 메탄올, 석탄가스	수소	메탄올
전해질	인산염	탄산염	세라믹	이온교환막	이온교환막
동작온도	220℃ 이하	650℃ 이하	1,000℃ 이하	50℃ ~ 80℃	20℃ ~ 70℃
효율(%)	70	80	85	75	40
용도	분산형 발전 (200kW)	대형 및 분산형 발전 (100kW~MW)	발전용 (1kW~MW)	가정,상업용 (1~10kW) 수송용, 휴대용	휴대용, 수송용 (1kW 이하)
특징	•내구성 큼 •열병합대응	•발전효율높음 •내부개질가능 •열병합대응	•발전효율높음 •내부개질가능 •복합발전가능	•저온작동 •고출력밀도	•저온작동 •고출력밀도

[표 27] 연료전지 기술별 특징

일차전지, 이차전지 등과 같은 기존의 전지는 에너지 저장 장치로서, 저장한 화학물질을 소모하면서 전기를 공급하는 원리지만, 연료전지는 화학물질의 저장이 아닌 수소와 산소를 외부에서 공급받아 전기를 발생시키는 발전장치이다. 현재 연료전지는 화석연료를 직접 개질하여 사용하거나 개질한 수소를 이용하는 형태이지만, 향후에는 태양광, 풍력 등과 같은 신재생에너지와의 하이브리드(Hybrid) 또는 Power-to-Gas 컨셉으로 물분해를 통하여 생산되는 수소를 이용하는 방식으로 개발될 전망이다.

기본적으로 연료전지는 연료극, 전해질층, 공기극이 접합되어 있는 셀(Cell)과 다수의 셀을 적층한 스택(Stack)으로 이루어진 전기 생산기기와 전기적, 기계적 주변기기(Balance of Plant, BOP)로 이루어져 있다. BOP는 시스템제어, 전력변환기 등 전기적 주변기기(Electrical BOP)와 연료 및 공기 공급, 열회수 및 열교환기, 수처리 시스템 등 내구성 향상과 운전 최적화를 위한 기계적 주변기기(Mechanical BOP)로 분류된다. 연료전지에서 생산되는 전류는 반응 면적에 비례하며 전압은 셀 적층 개수에 따라 자유롭게 조절이 가능하기에 다양한 분야에 사용될 수 있으며, 구체적인 용도에 따라 휴대형(Portable), 고정형(Stationary), 수송형(Transport)으로 구분할 수가 있다.

구분	휴대형(Portable)	고정형(Stationary)	수송형(Transport)
정의	이동이 용이한 연료전지로 보조 전력 공급 장치 (Auxiliary Power Units, APU) 포함	전기와 열을 공급하는 연료 전지로써 이동은 불가능	추진력과 주행거리 개선에 필요한 기능을 제공
출력 범위	5W to 20kW	0.5kW to 400kW	1kW to 100kW
적용 기술	PEMFC, DMFC	MFCF, PAFC, PEMFC, SOFC	PEMFC, DMFC
적용 사례	•이동 수단 외(레저용 차량 및 보트 등)의 보조 전원(Auxiliary Power Unit, APU) •휴대용 전자기기 (휴대폰, 노트북 등) •군사용	•대형/분산발전용 •가정/건물용 •백업전원 (Uninterruptible power supplies, UPS)	•개인 상용차 •대중교통 (버스, 트램 등) •물류운반 (지게차, 트럭 등) •선박용

[표 28] 연료전지 응용 분야별 특징

가) 연료전지 기술별 특징[164)]

(1) 인산형(Phosphoric Acid Fuel Cell; PAFC) 연료전지

인산형 연료전지(PAFC)는 전해질로 인산(H2PO4)을 활용하며, 약 200℃내외에서 운전한다. 인산형 연료전지라는 이름처럼 단전지(Unit Cell)가 인산용액을 포함한 전해질을 양극과 음극이 감싸고 있는 형태로 구성되어 있다. 연료전지 개발 초기부터 PAFC 타입이 주로 연구됨에 따라 현재 상용화가 가장 활발하게 이루어진 제품이다.

164) 2020 수소사회 Part1. 연료전지가 온다, SK중소성장기업분석팀, 2020.02.08

우리나라에서는 두산퓨얼셀의 발전용 연료전지로 PAFC 가 채택되어 사용되는 중이다. 천연가스등을 개질한 개질가스를 주 원료로 사용하는데, 일산화탄소의 함유량이 높으면 발전 효율이 떨어지는 단점이 있어 일산화탄소 함유량이 1% 이하인 수소가스를 활용한다. 때문에 개질 능력이 우수해야 한다는 단점이 있는데, 일산화탄소 함유량이 높은 일반 천연가스를 활용하더라도 발전 효율 및 성능 유지를 위해 다양한 촉매 개발이 이뤄지고 있다.

반면 PAFC 는 On-Site 용(수소의 외부조달이 아닌 자체 생산을 통해 가동하는 방식)기준 4 만 시간 이상의 가동시간을 충족시킨, 안정성이 충분히 검증된 형태의 연료전지이다. 현재 국내 연료전지 발전소에 가장 많이 적용된 타입이기도 하다. 안정성과 더불어 200℃ 내외에서 작동함에 따라 배열 회수를 통한 종합 효율을 높일 수 있다는 장점도 있다.

각 셀마다 냉각판을 설치하여 열을 회수하게 되고, 이는 급탕 또는 냉난방에활용 가능하다. 따라서 PAFC 는 현재 화석연료를 활용한 열병합발전소의 대체재로 자리매김하기에 가장 적합하다는 판단이다.

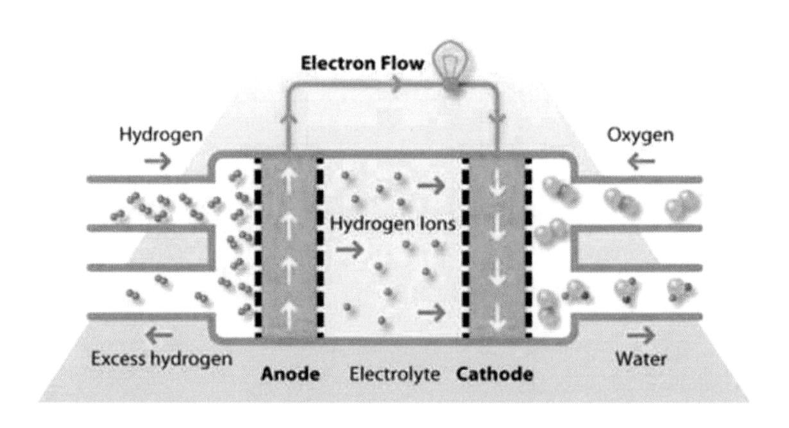

[그림 119] PAFC 작동원리

(2) 고체산화물형(Solid Oxide Fuel Cell; SOFC) 연료전지

고체산화물형 연료전지(SOFC)는 가장 높은 온도에서 작동하는 연료전지다. 전해질로 지르코니아계 물질을 사용하며, 세라믹이 대표적이다. 일반적인 연료전지의 전해질이 액체 상태로 존재하는 것과 달리 SOFC 는 이름에서 알 수 있듯 전해질 물질이 고체로되어 있다. 전해질이 고체이지만 작동온도가 약 1,000℃로 높기 때문에 이온의 이동은 자유롭게 이뤄진다. 높은 작동온도로 인하여 전지 구성재료들의 내구성에 대한 검증이 충분히 진행되지 않았다는 단점이 있지만 SOFC 만의 다양한 장점을 가진 차세대 연료 전지로 각광받는 중이다.

우선 작동온도가 높기 때문에 별도의 개질 없이 내부 개질이 가능하다. 즉 일산화탄소 함유량이 높은 천연가스를 직접 사용하더라도 무리가 없다. 전해질이 고체이기 때문에 전해질의 손실이 쉽게 발생하지 않아 발전 효율도 높다.

현재 우리나라에서 SOFC 관련 사업을 영위하는 대표 기업으로는 'SK 건설(+미국 Bloom Energy)'과 '미코', 'STX중공업' 등이 있다. 기본 셀 크기가 작기 때문에 소형/이동형 전원 또는 대규모 발전용 전원으로도 유용하며, 원통형 등으로 스택 형태 변형이 가능하다는 점에서 향후 활용가 치는 계속 부각될 것으로 판단한다.

재료	장점	단점	단점에 대한 대책
고온가동	높은 효율	열응력, 가동시간	원통형의 이용
전체 고체	긴 수명, 전해질 관리/물 관리 불필요	체적변화	일체화형 평판, Anode 지지
전기화학 셀	NOx/Sox 방출이 적음	제조비용 비쌈	고성능화
멤브레인 반응기	CO2분리제거, 수소 분리 용이	100% 연료이용률은 무리	남은 연료의 유효이용
시스템 구성	가스 터빈과의 하이브리드화, 열병합발전		열병합발전, 소형업무용, 가정용

[표 29] SOFC의 장/단점 및 대안

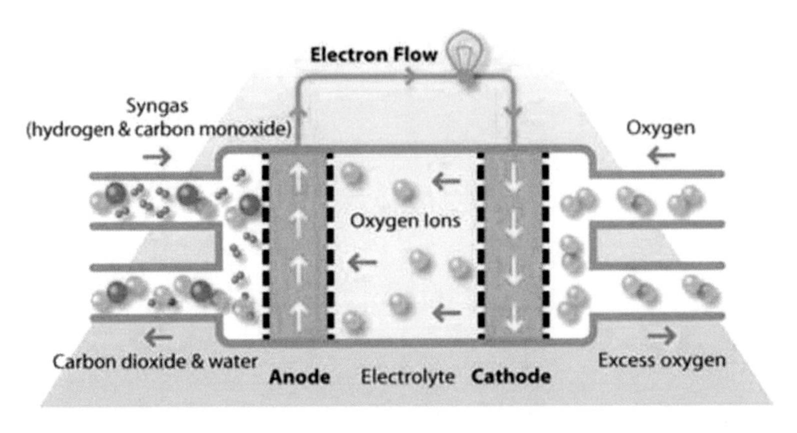

[그림 120] SOFC 작동원리

(3) 고체고분자형(Proton Exchange Membrane Fuel Cell; PEMFC) 연료전지

고체고분자형 연료전지(PEMFC)는 수소이온의 전도성이 높은 불소수지계 고분자막을 전해질로 이용하는 연료전지다. SPEFC 또는 PEFC 라고도 불린다. 비교적 작동온도가 낮고, 발전 효율이 높으며, 소형 경량화가 가능하다는 특징 때문에 가정용/건물용 또는 이동용/수송용으로 많이 사용된다. 현재 수소연료전지차에도 적용되는 연료전지가 바 로 PEMFC 타입이다.

내열성이 낮은 고체고분자를 전해질로 활용하기 때문에 낮은 온도에서 작동해야 하지만, 이온이 이동하는 과정에서 물 분자와 함께 이동하기 때문에 습도 관리가 매우 중요하다. 따라서 다른 타입의 연료전지들과는 달리 적당량의 습도를 유지시킬 수 있는 가습력이 스택의 성능을 좌우한다. 마찬가지로 PEMFC 타입의 연료전지를 사용하는 수소연료전지차 역시 수소와 산소의 원활한 결합을 위해서는 습도를 유지하기 위한 장치 또는 소재의 활용이 필수다. 현재 PEMFC 관련 사업을 영위하는 대표 기업으로는 '에스퓨얼셀'과 '범한산업(비상장)' 등이 있다.

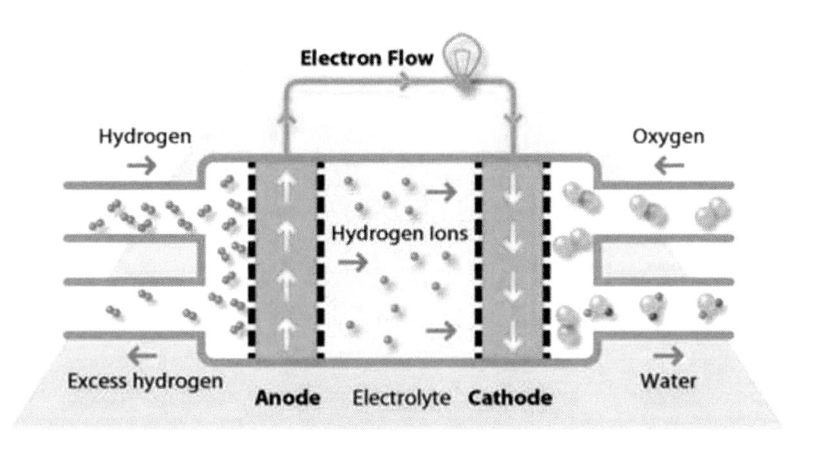

[그림 121] PEMFC 작동원리

나) 연료전지 스택

스택은 연료전지를 적층시킨 것을 의미한다. 수소차 구성요소 중 원가 비중 약40%를 차지하는 연료전지 스택의 구성요소는 막전극접합체(MEA, Membrane Electrode Assembly), 기체확산층(Gas Diggusion Layer), 분리판(Bipolar Plate), 가스켓(Gasket) 체결기구, 인클로저 등이 있다. 수소자동차도 기본적으로 전기차이기 때문에 전기모터가 엔진 대신 사용되는데 이를 구동하는데 필요한 전기에너지를 확보하기 위해서는 다수의 셀을 직렬로 연결하여야 하며 이를 스택이라고 한다.

한 개의 셀이 생산하는 전기는 약0.7V수준이며 1Kw의 전기 생산을 위해서는 50여개의 셀이 필요하다. 수소연료전지 셀은 프로톤 전도성의 고체고분자전해질막 양면에 한 쌍의 백금촉매전극을 설치하고 수소가스를 연료가스로 한쪽의 전극에 공급, 산소가스 또는 공기를 산화제로 다른 전극에 공급하여 전기전력을 얻는 장치이다.

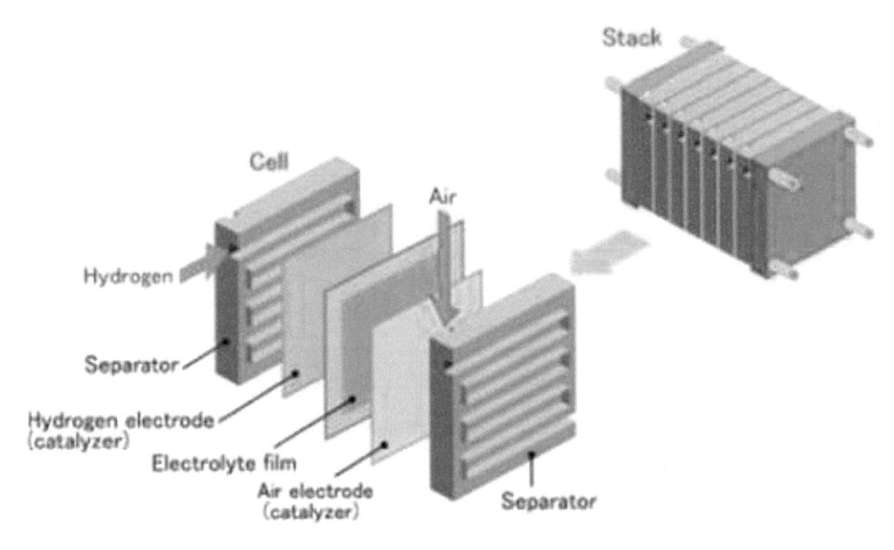

[그림 122] 스택구조

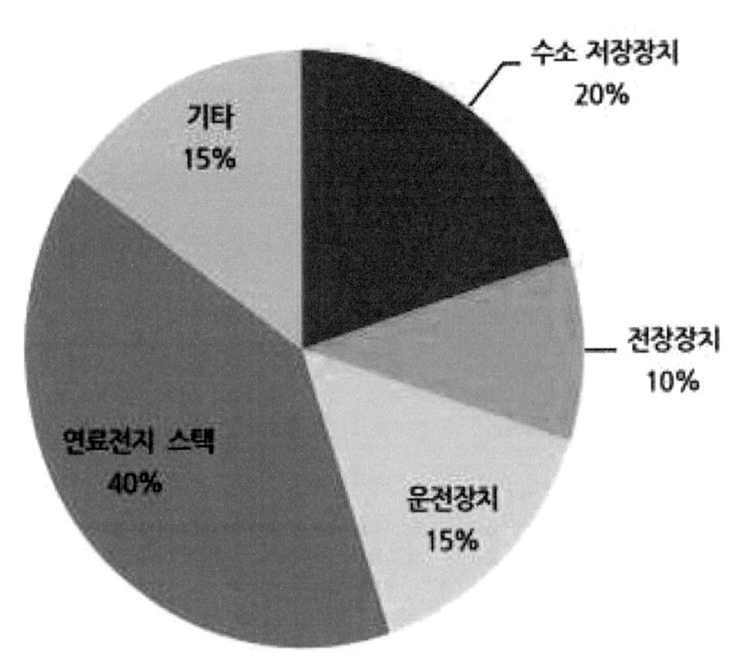

[그림 123] 수소자동차 원가구성

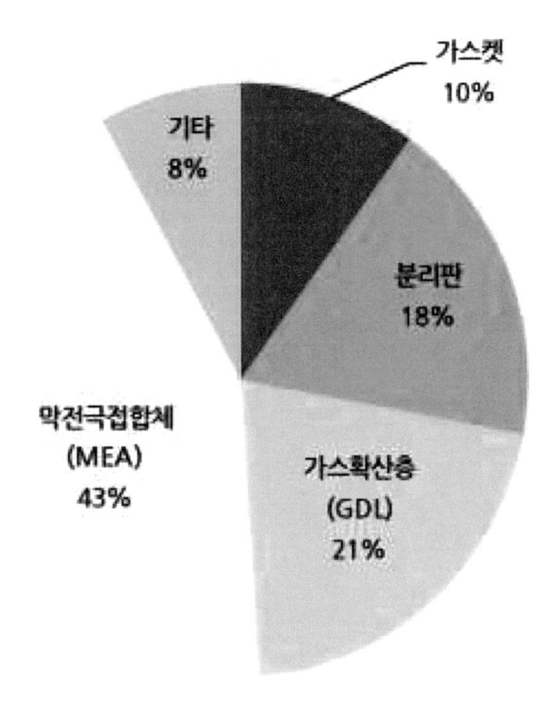

[그림 124] 연료전지 스택 원가구성

(1) 막전극집합체(MEA)

수소연료전지 원가의 약 43%의 비중을 차지하는 막전극집합체(MEA)는 연료극과 공기극 사이에 위치하는 전해질 막(Membrane)이 접합되어 있는 구조이다. 막전극집합체(MEA)는 수소의 전기화학적 반응을 통해 전기에너지를 생산하는 역할을 한다. 따라서 효율적인 MEA 제조는 연료전지의 성능 향상을 위해 매우 중요하다.

연료극과 공기극에는 백금 촉매가 사용된다. 백금촉매가 쓰이는 이유는 기본적으로 연료극으로 H-H, 즉, H2가 들어오게 되면 H+라는 이온으로 만들어야 하는데 그러려면 H-H 결합이 깨져야 한다. 이 때, 백금촉매를 쓰게 되면 H-H가 PT(백금)와 결합하면서 H-PT(백금) 결합이 된다. 즉, 각 H가 PT와 결합하는 구조가 된다는 것이다. 그런데H-H 결합을 깨는 것보다 H-PT(백금) 결합을 깨는 것이 훨씬 쉽다. 그래서 H+ 이온으로 만드는 반응을 할 때 더 에너지가 적게 들게 하기 위해서 H를 PT에 붙였다가 떼어내는 것이다.

이러한 기본 성질을 바탕으로 결국 반응면적을 늘리는 것이 중요한데 면적을 늘리려면 면보다는 면 위에 원소가 떨어져 있는 것이 표면적이 훨씬 크다. 즉, 하나의 백금

particle(입자)이 작아지면 작아질수록, 그리고 입자들을 판으로 깔아놓지 않고 최대한 분산시켜 놓아야 표면적이 넓어지는 것이다. 이 때 백금을 분산시키기 위한 기본판에 카본이 들어간다. 즉, 카본이 기본 판이 되고 백금을 그 위에 작은 나노사이즈 입자 형태로 최대한 분산 시키는 기술이다. 그래서 이것만 연구하는 분야가 있는 것이고 그 것이 백금 촉매쪽 기술력이라고 보면 된다.

그렇다면 전해질 막(Membrane)은 무엇인가? 쉽게 말해서 원하는 이온만 통과하게 하는 장치이다. 사실 연료전지쪽만 보면 전해질 막(Membrane)은 수소이온만을 선택적으로 통과시키는 이온전도막이다. 다만, 그 외에 BOP라는 주변 운전장치 중 핵심 부품인 수분제어장치(막가습기)에도 멤브레인 기술이 사용되고 있다.

연료전지 전해질 막(Membrane)은 주기능인 수소이온 전달 이외에 기체 상태의 산소, 수소를 차단하며 전자의 직접 전달을 방지하기 위한 절연체 역할도 한다. 따라서 이온전도막은 수소 이온 전도성이 높은 대신, 전자 전도성은 낮아야하고 반응기체의 이동이 적어야 한다. 한마디로 수소의 이온 상태를 제외한 다른 모든 것을 차단하는 소재를 사용해야 한다는 것이다.

실험단계까지 많이 나온 것은 나피온이라는 불소계 고분자로 듀폰사(미국)에서 독점 생산하고 있던 것이었다. 이 후 Gore(비상장), Johnson Matthey (JMAT:LN), 3M(MMM: US) 등에서 상용 가능한 Membrane을 만들어 공급하고 있는 실정이다.

나피온은 일종의 불소계 화합물이다. 불소계 화합물에 대해 간단히 설명하자면, 다음과 같다. 물은 모든 물질 중에서 가장 극성이 높다. 이유는 산소가 전자를 많이 끌어들이고 수소는 전자를 끌어들이지 않기 때문에 수소 쪽은 +가 되고 산소쪽은 -가 되기 때문이다. 반대로 탄소와 수소가 결합하면 극성이 매우 낮다. 그런데 불소계 화합물은 극성이 높은 물하고도 섞이지 않고 극성이 낮은 탄화수소하고도 섞이지 않는 성질을 가지고 있다. 이러한 기본적 성질을 바탕으로 물과 친한 친수성 높은 원소들을 많이 붙여 놓았다.

그렇다보니 친수성 높은 원소들만 모여 있는 곳에 미세구멍(cluster)이 형성되는 것이다. 그래서 이 곳을 통해서만 수소이온이 통과할 수 있는 것이다. 이처럼 우수한 전기화학 특성에도 불구하고, 1) 복잡한 제조공정으로 막의 가격이 매우 비싸며 ($800/m2), 2) 불소알킬구조[165]로 인한 낮은 유리전이온도[166]가 단점으로 지적되고 있다.

특히 나피온의 비싼 가격은 연료전지 생산단가를 높이는 주요 요인이 된다. 미국 에너지부 (DOE) 자료에 따르면 전체 연료전지 스택의 구성 성분 중 약 22%의 비용을 전해질 막(Membrane)이 차지하고 있다. 이에 단가를 좀 낮추면서 비슷한 특성을 지닌 전해질 막(Membrane)에 대한 연구가 계속되고 있으며 이에 대한 대안으로 등장한 것이 탄화수소계 고분자 전해질막이다.

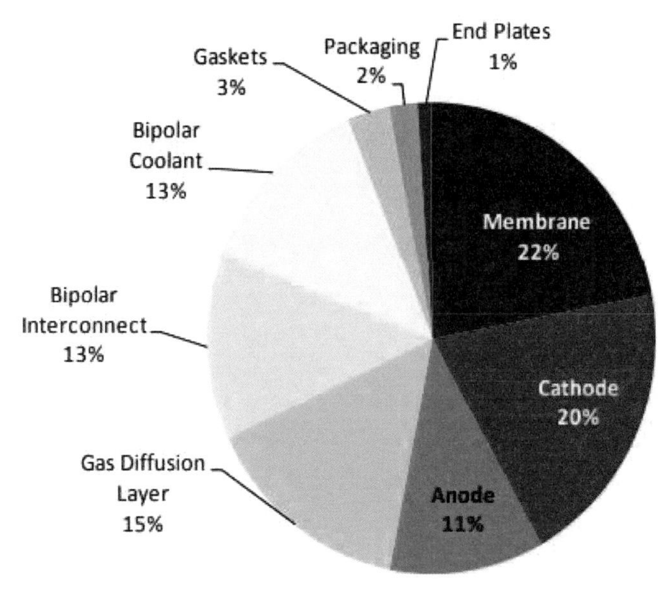

[그림 125] 연료전지 스택 Cost 비율

탄화수소계 고분자 전해질막, 그 중에서도 방향족고분자의 개발이 가장 활발하게 진행되고 있다. 방향족고분자는 불소계와 비슷한 성질이 있다. 불소계고분자처럼 물을 밀어내고 탄화수소도 밀어내는데 불소계보다는 탄화수소를 덜 밀어낸다. 그렇지만 불소계고분자와 어느정도 비슷하기 때문에 대안으로 떠오르고 있는 것이다.

장점으로는 탄화수소는 도처에 깔려있기 때문에 1) 저렴한 재료 및 쉬운 합성방법으로 막의 단가를 크게 낮출 수 있다. 또한 2) 높은 유리전이온도를 보유하여 100도 이상에서의 장기운전에서도 높은 치수안정성이 유지된다. 다만, 고온·저습도에서 낮은 이온전도도를 보인다.

165) 불소는 플루오린이라는 강력한 원소로 알킬 구조는 분자내 탄소와 수소로 이루어진 부분을 의미
166) 기본적으로 유리는 결정의 반대를 의미. 한마디로 결정이 없어지고 무질서한 구조를 이루게 된다는 것이 유리전이임. 그래서 유리전이온도보다 높은 온도에서 결정구조가 망가지기 때문에 멤브레인이 부서지게 되는 것. 따라서 유리전이온도는 높을수록 안전성이 높아짐

탄화수소계 고분자는 탄화수소를 완벽하게 밀어내지 못하기 때문에 일부 반응이 일어나 수소이온만 안정적으로 통과시키지 못할 수도 있다. 이렇게 되면 자동차가 열화가 되어 연료전지를 오래 쓰지 못하게 된다.

현재, 새로운 탄화수소 고분자 전해질막의 원천기술은 일본, 미국 및 유럽 등 선진국에서만 보유하고 있다. 한국과 중국은 독창적인 합성기술이 부족하여 기존 선진국의 해외연구 답습에만 치중하였으나, 최근 중국은 많은 발전을 이루어내고 있는 실정이다.

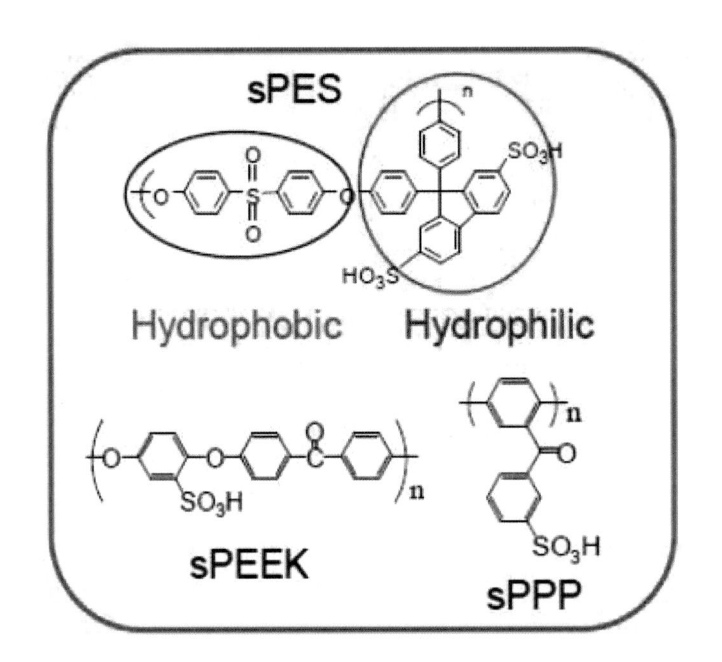

[그림 126] 연료전지용 탄화수소전해질막

막전극집합체(MEA)에서 촉매와 멤브레인은 그 함량에 서로 영향을 준다. 우선, 촉매에서는 백금을 많이 넣을 경우, 단가가 올라가기 때문에 함량을 줄이고 싶어한다. 예를 들어 멤브레인이 수소이온을 잘 통과시켜주면 낮은 전압으로도 작동이 가능해진다. 그러나 잘 통과시켜 주지 못하게 된다면 백금을 많이 넣을 수 밖에 없게 된다. 따라서 탄화수소계 전해질막이 사용되어서 멤브레인 가격이 낮아진다고 하더라도 수소이온 통과에 한계가 있게 된다면 백금 촉매 단가가 높아질 수 밖에 없는 것이다. 이에 멤브레인에 대한 기술 개발이 막전극집합체(MEA)의 가장 핵심이라고 할 수 있다.

(2) 가스확산층(GDL)

연료전지는 일반적으로 세퍼레이터, 가스 확산층, 촉매층, 전해질막, 촉매층, 가스 확산층, 세퍼레이터 순서대로 적층하여 구성된다. 가스 확산층은 세퍼레이터로부터 공급되는 가스(수소, 산소)를 촉매로 확산하는 역할을 한다. 이를 위해 높은 가스 확산성, 전기 화학 반응에 수반하여 생성되는 물을 세퍼레이터로 배출하기 위한 높은 배수성, 발생한 전류를 취출[167]하기 위한 높은 도전성이 필요하다. 이를 위해 두께 방향[168]의 가스 확산성과 배수성을 높임으로써 발전 성능을 높게 하고 평면 방향의 투기도[169]를 작게 함으로써 세퍼레이터의 홈 사이에서 가스의 쇼트컷[170]을 억제할 수 있게 한다.

또한 다공질층 표면의 평활성[171]이 우수한 가스 확산층을 제공하고자 하는 기술이 개발되고 있다. GDL에서 많이 쓰는 탄소섬유는 폴리아크릴로니트릴(PAN)계, 피치계, 레이온계, 기상 성장계 등을 들 수 있다. 그 중에서도 기계 강도가 우수한 PAN계, 피치계 탄소섬유가 많이 쓰이고 있다. 사실 GDL도 결국 확산성과 배수성을 높이는 소재 기술이 핵심이다.

이는 독일과 일본에서 대부분 기술을 보유하고 있으며 국내는 아직 국산화가 되어있지 않은 상황이다. 설사 국산화가 된다고 하더라도 핵심 소재는 수입할 가능성이 크다. 국내에서는 이러한 소재 기반기술이 부족하기 때문이다. GDL쪽에는 앞 서 언급했듯이 고강성 구조로 두께의 박막화[172], 강성을 유지하는 기술로 가고 있으며 이를 통해 가격을 30% 정도 저감하고자 하고 있다. 이에 따라 연료전지 전체로 보면 1% 정도의 가격 저감 효과가 나타나게 된다.

---

167) 뽑아서 추출해냄. 일종의 디퓨져
168) 도전성 물질은 전기전도도 자체가 두께와 비례함. 따라서 두께 방향으로 저항 측정할 경우 두께가 두꺼워지면 저항이 증가
169) 공기가 투과하는 정도. 투기도가 높을수록 (공기가 통과하는 시간이 길수록) 밀도가 높은 섬유라는 의미
170) 빠른 이동
171) 평탄하고 매끄러운 도막이 생기는 성질. 고저가 많지 않은 것을 평활성이 좋다고 함
172) 실현 불가능한 두께 ㎛ 이하의 엷은막화 시키는 걸 의미

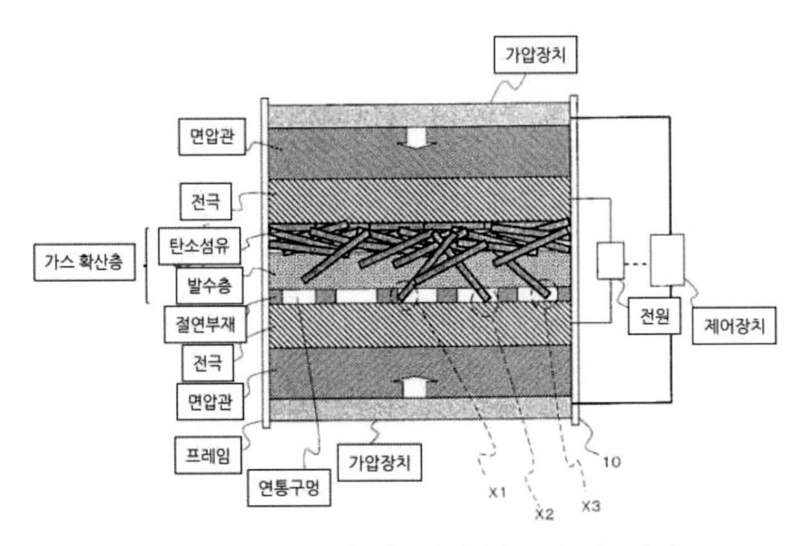

[그림 127] 연료전지 가스확산층(GDL) 제조장치

(3) 분리판(Separator)

분리판(Separator)은 수량적으로 막전극접합체(MEA)와 함께 많이 사용되는 부품 중 하나이다. 분리판은 각 단위전지 셀(MEA)의 수소극과 인접 셀의 공기극에 전기적으로 접촉하고 있다. 수소와 공기는 분리판 양면에 있는 유로를 통하여 각 전극 내부에 공급된다. 연료전지에서 분리판은 반응가스의 공급/분리뿐 아니라 전기 전도, 반응에서 생성된 물의 배출, 내부 열관리 등의 주요 역할을 수행한다.

연료전지용 분리판은 그 기능에 따라 몇 가지 중요한 물성이 필요하다.

첫째, 연료전지에서 전극반응으로 생성된 전자가 분리판을 통해서 이동하는 전기적 통로 기능을 수행해야 하기 때문에 전기적 전도성이 있어야 한다.

둘째, 전극반응에 참여하는 반응가스(수소, 산소 또는 공기)를 공급하고 반응으로 생성된 물을 외부로 즉시에 배출하는 통로 역할이다. 외부에서 공급된 반응가스가 전극 내부의 촉매까지 도달해야 하므로 반응가스가 균일하게 분포 하도록 분리판 유로가 설계되어야 한다. 또한, 공기극에서 전극반응으로 생성된 물이 유로를 통하여 원활하게 외부로 배출할 수 있는 적절한 소수성 표면[173] 특성도 갖추고 있어야 한다.

173) 소수성 표면이란 유기물 계통 중에서 친수성이 적은 것. 폴리에틸렌계, 실리콘발수제, 테푸론, 실리콘수지, 고무계열 제품 등

셋째, 각 셀의 수소극과 공기극에 공급된 반응가스가 혼합되지 않도록 하는 분리 역할을 할 수 있어야한다. 안정성 관점에서 수소극에 공급된 작은 분자의 수소가스는 분리판 기공을 통해 공기극쪽으로 투과되지 말아야 한다. 흑연판이나 탄소복합소재는 어느 정도의 기공을 가지고 있다. 이에 흑연계 분리판에서는 수소가스 투과에 대한 아주 낮은 허용치를 요구한다. 금속의 경우에는 기공이 없어 수소가스 투과는 문제가 되지 않는다. 하지만 얇은 두께(~0.1mm)의 금속 분리판 소재에서 부식이나 다른 예기치 못한 요인으로 결함이 발생할 경우에는 안정성에 문제가 발생 할 수 있다. 따라서 금속 분리판은 고내식성31의 소재로 제작되어야 한다.

넷째, 연료전지에서 전극반응은 발열반응이므로 연속적인 운전에서 내부 온도가 상승한다. 고분자막이 건조되면 전해질막 특성이 저하되므로 분리판 소재는 빠른 열전도 특성을 가져야 한다.

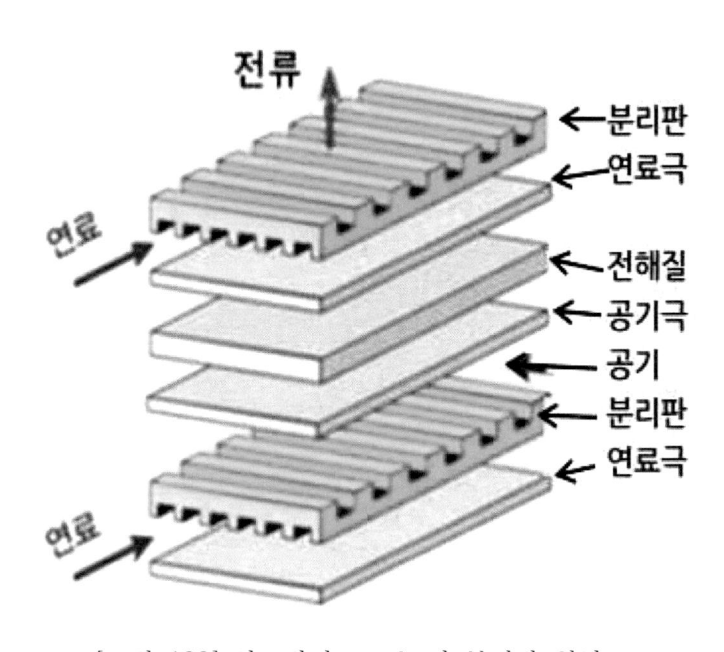

[그림 128] 연료전지 stack 안 분리판 위치

균일한 반응가스 공급 및 원활한 물 배출 역할을 담당하는 분리판의 기본 유로구조는 크게 4가지 유형으로 나눌 수 있다.

첫째, 불연속적인 핀 형태의 돌기가 있는 유로구조이다. 이는 다른 유로에 비하여 물 배출이 용이하지 않고 균일한 가스의 공급 및 배분이 어려운 특징이 있다.

둘째, 가스의 유로가 한 방향으로 평형하게 되어 있는 유로구조이다. 이 또한 핀 구조와 같은 단점이 있다.

셋째, 구불구불한 S형 유로구조가 있다. 전극 전체 면적에 가스의 균일한 공급과 배분을 하기는 쉽지 않지만 물의 배출 기능이 우수하고 가장 많이 사용되고 있는 구조이다.

넷째, 양손을 깍지 낀모양처럼 생긴 유로구조는 유로가 서로 연결되어 있지 않다. 따라서 공급된 가스는 다음 유로에 넘어가기 위해서 전극의 GDL층을 통과해야 하므로 물의 배출이나 가스 공급의 균일한 분포를 얻을 수 있는 장점이 있다. 그러나 유로 입구와 종단에서 아주 큰 압력차를 나타낸다. 이러한 불연속 유로 구조에서 물을 원활히 배출하기 위해서는 공급되는 산화제 가스(공기)의 압력(약 5기압)이 상대적으로 높아야 한다. 이러한 문제점을 해결하기 위하여 미국의 UTC사에서는 거의 상압하에서도 운전이 가능하도록 깍지형 가스 유로구조 및 냉각유로를 구비한 다공성(2-3 ㎛ pore, 30-35% 기공도) 분리판을 사용하여 반대편에 형성된 냉각 유로를 통하여 물이 배출되도록 함으로서 압력차를 해결하는 방법을 제안하기도 하였다.

이러한 분리판 기본 유로구조는 각 형태에 따라 장단점이 있으므로 실제 연료전지의 분리판에서는 기본 유로를 그대로 사용하지 않고 물의 배출과 균일한 반응가스의 공급에 적합하도록 변형된 복합 유로 구조를 사용하는 것이 일반적이다.
최근에는 자연에 있는 구조물에서 유로구조를 본뜬 biomimetic 유로구조를 갖는 분리판도 개발되고 있다. 유로구조는 연료전지 본체인 스택 모듈의 성능에 큰 영향을 미치므로 연료전지 스택 모듈 제조사 마다 스택 구조에 적합한 고유의 유로구조를 분리판에 적용하고 있다.

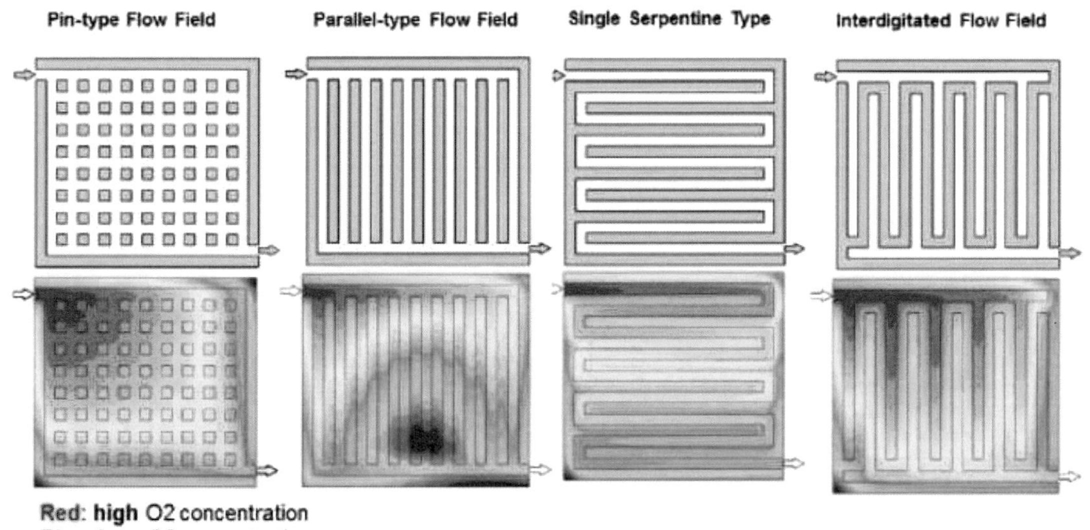

[그림 129] 분리판의 기본 유로구조

분리판의 기술적 흐름은 다음과 같다.

첫째, 분리판 소재의 중량과 부피를 감소시키고 계면접촉저항을 낮출 수 있는 방안에 대한 연구이다. 이에 미국 에너지부(DOE)에서는 수소용 고분자 전해질막 연료전지의 분리판 중량에 대한 개발 목표를 0.4 kg/kW로 설정하고 있다. 연료전지 본체에서 분리판이 차지하는 중량 비율은 60% 이상, 가격은 약20~30%이므로 분리판의 중량이나 부피 감소를 위해서는 경량 소재를 이용하거나 두께를 감소시킬 필요가 있다.

50kW급 스택에서 4mm 두께의 흑연소재 분리판을 사용하는 경우 전체 중량의 80%를 차지하지만, 두께를 1mm로 낮출 경우 스택의 부피는 약 50%, 전체 시스템의 부피는 약 10% 정도 감소시킬 수 있는 것으로 분석되고 있다. 현재 흑연소재 분리판의 경우 두께는 기술적으로 대략 1~1.5mm 정도 수준까지 근접하고 있긴 하지만 기계적 강도가 취약하고, 기공이 있어 상대적으로 큰 수소가스 투기 특성을 보인다.

따라서 일반적으로 흑연소재 분리판은 안정성을 고려하여 통상 2~5mm정도의 두께가 주로 이용되고 있다. 그러나 금속소재 분리판의 경우에는 흑연 소재와 같은 단점이 없기 때문에 0.1mm 두께까지 제조가 가능하다. 연료전지 시스템의 중량 및 부피당 출력밀도만을 고려할 경우 분리판 소재는 경량 박형화가 가능한 금속 소재가 적합하다.

둘째, 연료전지 본체 내부에서 전극반응으로 발생하는 열을 효과적으로 제어하는 기술이다.스테인리스강과 같은 금속소재의 열전도성은 흑연이나 복합소재보다 상대적으로 낮다. 흑연소재의 경우 60~400W/mK 정도의 열전도성을 가지는 반면에 스테인리스강의 경우 12~44W/mK 범위이다. 흑연 같은 비금속 소재와 달리 금속소재 분리판의 표면에는 연료전지 운전환경에서 비전도성 산화물이 형성된다. 이러한 산화물은 부도체라 전기 전도 통로 역할을 수행하는 분리판의 기능을 저하시킨다.

특히 스테인리스강이나 티타늄(Ti)과 같이 비전도성의 산화물 피막층이 쉽게 형성되는 소재는 계면접촉저항이 급격히 증가한다. 흑연의 계면접촉저항은 10mΩ㎠ 내외로 DOE에서 제시하는 목표 값을 만족하지만, 금속소재의 경우 산화물 피막이 형성되어 높은 계면접촉저항을 나타낸다. 따라서 금속소재를 분리판에 적용할 경우에는 양호한 전기전도성을 확보하기 위해 추가적인 표면처리가 요구되며, 이는 분리판의 제조단가를 높이는 요인이 된다.

셋째, 금속소재 분리판에서 내식성과 전기전도성을 동시에 확보하는 기술이다. 금속소재 표면에 형성되는 산화물 피막은 내식성과 계면접촉저항성에 상반된 영향을 미친다. 부동태 피막층이 형성되면 합금 성분이 녹아나는 부식반응이 억제되어 내식성이 증가하지만, 동시에 계면접촉저항도 증가되어 분리판에서 전기 전도 특성을 저하시킨다. 따라서 내식성이 있는 전도성 금속이나 카본 같은 비금속 코팅 등으로 표면처리하거나 전도성과 내식성을 동시에 만족하는 새로운 합금소재나 복합표면층을 구현하여 이 문제를 극복해야 한다.

넷째, 분리판 소재 및 가공공정 단가에 대한 고민이다. 수송용 고분자 전해질막 연료전지의 분리판 가격에 대한 DOE의 2020년 목표는 $3/kW이하 이다. 가정이나 건물용 연료전지에서 주로 사용되는 흑연소재 분리판의 소재 원가나 가공비는 시장에서 요구하는 수준보다 상당히 높다.

분리판으로 사용되는 소재의 두께, 전기전도도, 중량, 열전도도, 단가 등의 항목을 기준으로 흑연(3.75mm)과 스테인리스강 소재(1.0mm)를 비교 분석한 DOE 보고서에 따르면 금속소재는 별도의 표면처리 공정이 추가 되어 흑연보다 별로 유리하지 않다. 흑연소재 분리판이 가격(23-40%)이나, 중량 면에서 스테인리스강 소재 316 금속 분리판 보다 더 유리한 편이다. 그러나 금속소재는 흑연소재와 달리 가공 두께에 대한 높은 유연성을 가지고 있어두께를 0.1mm까지 줄이는 것이 가능하고, 또한 보다 저렴한 가공공정을 채택할 경우 흑연소재 보다 더 낮은 가격으로 제조하는 것이 충분히 가능하다.

분리판 설계요소 (Design factors)	요구 물성 (DOE 2020 Target)*		후보 소재					비고
			흑연	Al	Mg	316L	Ti	
1. 전기전도성 (Electrical Conductivity)	〉100	S/cm	680	$3.5x10^6$	$2.3x10^5$	$1.45x10^4$	$2.3x10^4$	1) 전기비저항(ρ) (Ω·cm)
			○	◎	◎	○	○	
2. 계면접촉저항 (ICR) (Interfacial Contact Resistance)	10	mΩ·cm²	8-12					내식성평가 전후 @140N/cm²
			◎	○	○	X	✖	
3. 내식성 (Corrosion Resistance)	〈1	μA/cm²	○	✖	✖	○	○	3)평가조건
4. 화학적 안정성 (Chemical Compatibility)	〈0.8	μmole/cm²	○	X	X	X	X	MEA 오염 (5,000 hr.)
5. 가스(H_2) 투기도 (H_2 Gas Permeability)	$〈2\times10^{-14}$	cm³/(cm²·sec)	X~○	◎	◎	◎	◎	ASTM D1434 5)평가조건
6. 열전도성 (Thermal Conductivity)	〉10	W(m·k)@20℃	23.8	221	156	16.2	19-22	Cooling 제어
			○	◎	◎	○	○	
7. 밀도 (Density)	〈5	g/cm³	2.3	2.7	1.7	8.0	4.5	7) 출력밀도(W/Kg)
			○	◎	◎	○	◎	
8. 기계적 강도 (Mechanical Strength)								
- 인장강도 (Tensile Strength)	〉41	MPa	30-60	206	156	515	951	
			X	◎	◎	◎	◎	
- 압축강도 (Compressive Strength)	〉50	MPa	50-145					
- 충격강도 (Impact resistance)	〉40	J/m	X	○	○	○	◎	ASTM D-256 (unnotched)
- 굽힘강도 (Flexural Strength)	〉25	MPa	35-90 (carbon plate)					ASTM D790
			○	◎	◎	◎	◎	
- 유연성 (Flexibility)	3~5	% deflection @midspan	1.5-3.5					Carbon Composite BP
- 성형 연신율 (Forming Elongation)	〉40	%		20-40	〈10	65-75	20-30	ASTM E8M-01 대량 생산
			X	○	X	◎	▲	
9. 표면특성 (Surface Properties)	~90°	contact angle						Roughness 〈50μm
10. 대량 생산성 (Mass Productability)			X	○	X	◎	○	포토에칭, Stamping, Hydroforming
- 용접성(Welding)			X	▲	▲	◎	▲	냉각유로형성
11. 가공비 (Manufacturing Cost)	3	US$/kW						500,000 stacks/year

[그림 130] 분리판 요구물성에 따른 소재별 특성

분리판의 경우, 현재 국산화율이 100%인 상태이다. POSCO는 세계 최초로 POS470FC를 개발했는데 이는 코팅없이도 내식성과 전도성이 우수한 것으로 알려져 있다. 따라서 금을 코팅한 기존 금속 분리판 대비 원가는 40% 가량 낮고 무게는 30% 경량화한 것으로 파악된다.

분리판 설계 및 제조는 대부분 연료전지 개발 주체와 함께 진행한다. 분리판은 연료전지 내부 구조 설계에 대한 핵심기술을 내포하여 정보 노출에 민감하기 때문이다. 현기차의 분리판 담당인 현대제철은 현재 현대비앤지스틸과 POSCO로부터 소재를 납품받아 금속 분리판을 제조하고 있는 것으로 알려져 있다.

(4) 가스켓

연료전지 스택은 수백 개의 단위 셀들이 반복적으로 적층되어 만들어지는데 각각의 단위 셀에는 반응 기체 및 냉각수의 기밀성을 확보하기 위해 고무 가스켓을 사용한다. 또한 수백 개의 단위 셀들이 일정 압축 하중을 받고 있기 때문에 고무 가스켓은 10년 내구성을 보장할 경우 8만 시간 이상 일정량 압축된 상태에 놓이게 된다.

스택은 일반적으로 다양한 온도, 압력 및 상대습도 조건에서 작동되는데, 무엇보다도 중요한 것은 사용기간 내내 기밀을 유지하여야 한다. 이를 위해서는 장기간 높은 탄성을 유지해야 하며, 압축변형에 대한 저항성이 매우 높아야 한다. 스택용 고무 가스켓은, 불소계 탄성체, 실리콘계 탄성체 및 탄화수소계 탄성체가 일반적으로 널리 사용되고 있다.

이전에는 연료전지용 가스켓으로서 내열성, 내산성, 탄성 등 종합적으로 물성이 우수하고 가장 신뢰도가 높은 불소계 고무를 사용하였으나, 사출 성형성과 내한성이 좋지 않고 가격이 비싼 단점이 있어 양산 적용에는 문제가 있다. 또한, 불소계 고무를 과산화물로 가교32하여 -30 ℃ 이하의 저온에서도 사용 가능하게 만들 수 있으나, 수백 개의 가스켓을 초고가의 저온용 불소 고무로 대체하기에는 부담이 크다.

실리콘계 탄성체의 경우는, 폴리디메틸실록산 등의 일반 실리콘 고무와 고가의 불소화 실리콘과 같은 개질 실리콘 고무로 분류되며, 고체도 사용 가능하나, 연료전지 스택용으로는 정밀사출성형에 유리한 액상 실리콘 고무가 보다 많이 사용되고 있다. 탁월한 사출 성형성을 발현한다는 장점이 있지만, 실리콘이 불순물로 용출되어 백금 촉매를 피독33하고 셀 성능을 감소시키는 단점이 있어 연료전지용으로 적합하지 않다.

탄화수소계 탄성체의 경우는, 에틸렌 프로필렌 디엔 모노머(EPDM), 에틸렌 프로필렌 고무(EPR), 이소프렌 고무(IR), 이소부틸렌-이소프렌 고무(IIR) 등의 고무가 많이 사용되고 있다. 이는 -40 ℃ 이하의 저온에서도 기밀성이 우수하고 가격이 낮은 장점들이 있는 반면, 내열성이 부족하여 120 ℃ 이상의 고온에서 장시간 사용이 어렵다. 그리고 고온에서 탄성, 내산화성
등의 물성저하가 크게 발생하는 문제점이 있다. 따라서 영구압축줄음율34이 낮고 금속이온을 포함하는 불순물 첨가제가 없는 가스켓 기술 개발이 이루어지고 있는 실정이다.

가스켓은 국산화가 100% 이루어진 상태이며 가격 경쟁력 또한 높은 상황이다. 국내 업체는 평화오일씰공업(평화산업 자회사, 평화홀딩스 손자회사), 동아화성 등이 있다.

다) 국내 특허 현황

출원번호	1020180170739	등록번호	1021208310000
출원일자	2018.12.27	등록일자	2020.06.03
출원인	레드원테크놀러지 주식회사		
특허명	수소연료전지 시스템		

요약

본 발명은 설계 및 구조 변경을 통해 유입된 공기의 순환이 최적으로 순환되도록 구성됨으로써 구조가 간단할 뿐만 아니라 공랭 효율을 개선시킬 수 있으며, 하우징 내부의 공기 순환경로 상에 가열부 뿐만 아니라 냉각부를 설치하여 유입되는 공기를 직접적으로 가열 또는 냉각시킴으로써 온도 향상성을 개선시켜 온도 적정범위 내에서 수소 및 산화의 화학반응이 이루어지도록 함에 따라 발전효율을 극대화시킬 수 있고, 연료전지스택의 온도센서를 기반으로 실시간 온도 모니터링이 가능함과 동시에 컨트롤러를 통해 온도 변화에 대응하여 가열부 또는 냉각부를 능동적으로 구동시킬 수 있으며, 냉각부로부터 수직 연결되는 냉각핀이 하우징의 내부 공간으로 돌출되게 설치됨으로써 냉각 효율을 더욱 높일 수 있고, 하우징의 하부 플레이트에 냉각부 방열공들을 형성하되, 냉각부 방열공들 각각에 냉각부의 방열팬이 외부로 노출되게 설치함으로써 펠티어 소자에 의해 발생되는 열을 외부로 간단하고 신속하게 배출시킬 수 있는 수소연료전지 시스템에 관한 것이다.

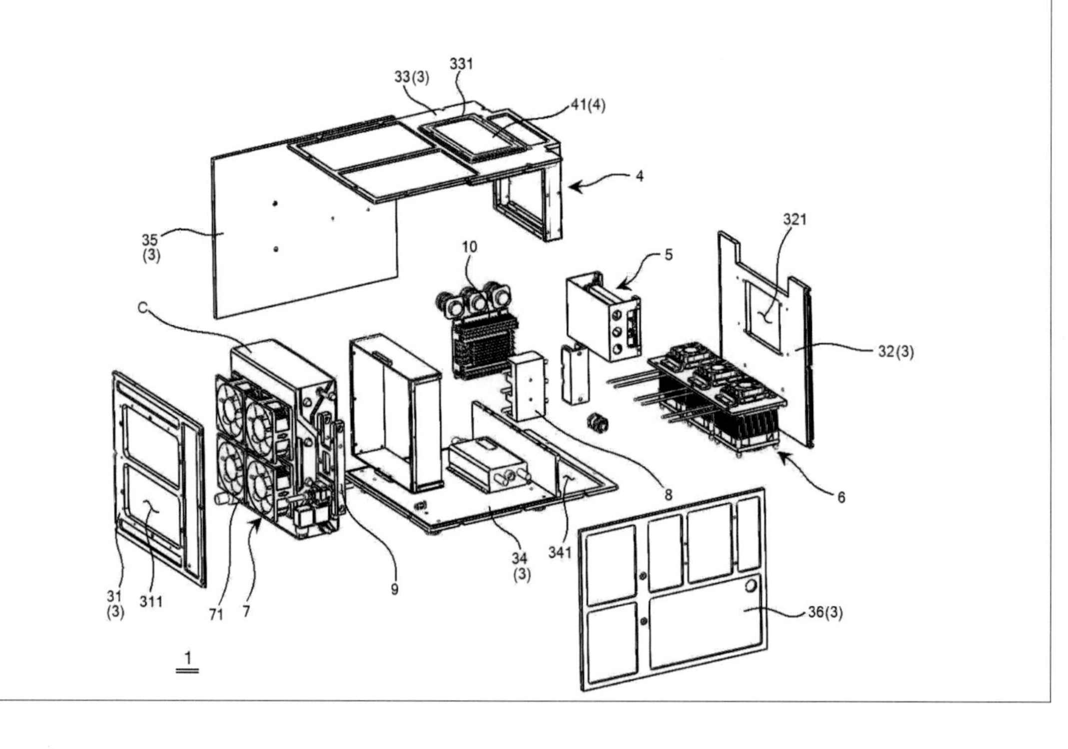

출원번호	1020180127176	등록번호	1020648340000
출원일자	2018.10.24	등록일자	2020.01.06
출원인	(주) 고송이엔지		
특허명	수소연료전지용 셀의 자동 레이아웃 장치		

요약

개시되는 수소연료전지용 셀의 자동 레이아웃 장치가 애노드 공급 유닛, 애노드측 이동 유닛, 애노드 개스킷 공급 유닛, 가스 확산층 공급 유닛, 멤브레인 전극 어셈블리 공급 유닛, 히터 유닛, 캐소드측 이동 유닛 및 캐소드 공급 유닛을 포함함에 따라, 수소연료전지용 셀 제조가 전체적으로 자동화될 수 있게 되는 장점이 있다.

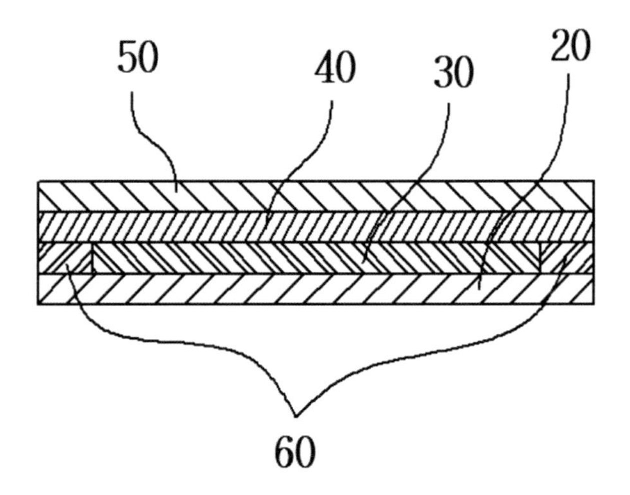

출원번호	1020200099080	등록번호	1021687820000
출원일자	2020.08.07	등록일자	2020.10.16
출원인	에너플러스(주)		
특허명	수소연료전지의 온도유지장치		

요약

본 발명은 수소연료전지의 온도유지장치에 관한 것으로, 탄화수소계 연료를 수증기와 반응시켜 개질가스를 생성하는 개질반응기, 개질가스를 이용하여 전기를 생산하는 연료전지스택, 연료전지스택 내부에서 전기 생산 중에 발생되는 고온의 열교환수 및 환원수를 공급받는 폐열회수탱크, 폐열회수탱크에서 열교환수 및 환원수의 열을 빼앗은 후 회수되는 온수를 저장하는 온수탱크, 폐열회수탱크에서 온수탱크의 온수와 열교환된 열교환수 및 환원수를 연료전지스택으로 공급함으로써 연료전지의 온도를 적정 온도범위로 유지하고자 하는 열교환수관, 폐열회수탱크 내의 열교환수 및 환원수가 과열시 과열된 온수가 배출되는 만큼 폐열회수탱크에 상온수를 공급하는 상온수공급관, 및 온수탱크에서 급탕계통으로 온수가 공급되어 온수유출이 발생시 외부급수에 의한 폐열회수탱크 내부에서 환원수와의 온도편차를 줄이기 위한 냉온수혼합부를 포함하는 것을 특징으로 한다.

본 발명은 종래 기술과 달리 연료전지스택에서 열교환되어 나오는 고온의 열교환수와 연료전지스택에서 배출되는 환원수를 정해진 온도 범위 이내에서 일정만큼만 감온 후 연료전지스택 내부로 순환시킴에 따라, 연료전지스택 내부의 온도를 일정범위 이내로 온도 편차를 줄여 전기 생산효율을 증대할 수 있다.

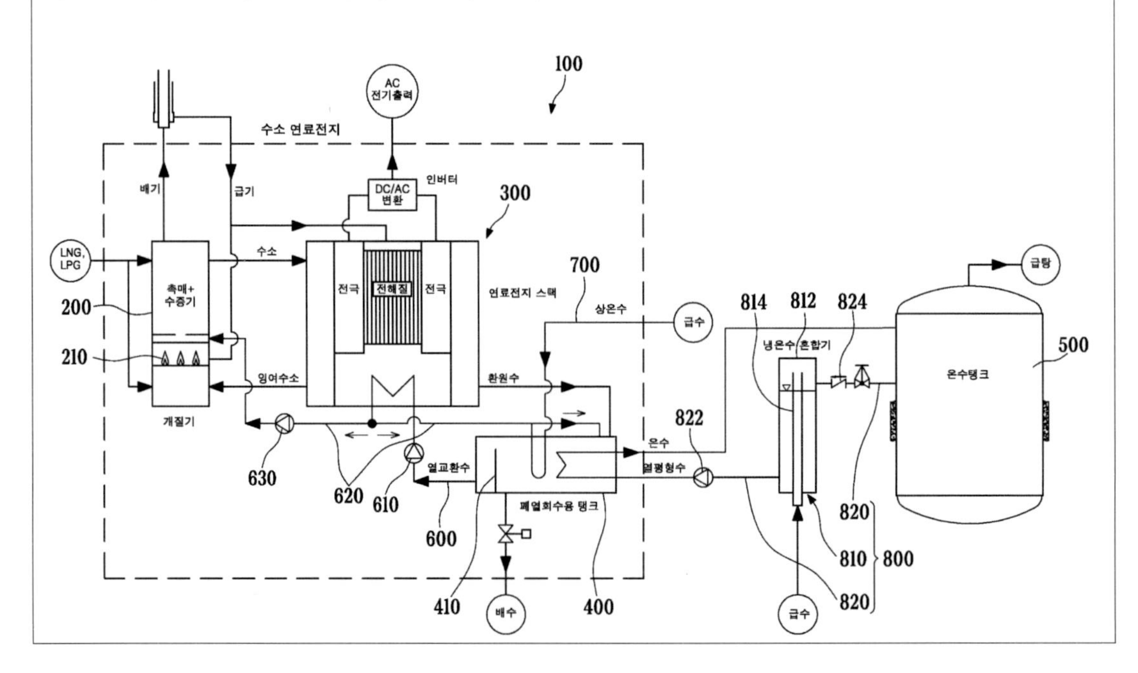

출원번호	1020180127177	등록번호	1020648350000
출원일자	2018.10.24	등록일자	2020.01.06
출원인	(주) 고송이엔지		
특허명	수소연료전지용 셀의 자동 레이아웃 장치에 적용되는 히팅 블럭 및 상기 히팅 블럭을 포함하는 수소연료전지용 셀의 자동 레이아웃 장치		

요약

개시되는 수소연료전지용 셀의 자동 레이아웃 장치을 구성하는 히터 유닛이 히팅 블럭을 포함하고, 상기 히팅 블럭이 열전도 방지 케이스와, 적층물 안착 부재와, 히터 부재를 포함하고, 상기 열전도 방지 케이스와 상기 히터 부재 사이에는 공기층이 형성됨으로써, 상기 열전도 방지 케이스로의 상기 히터 부재의 열기의 전달이 방지될 수 있고, 그에 따라 애노드, 애노드 개스킷, 가스 확산층(GDL) 및 멤브레인 전극 어셈블리(MEA)가 적층된 애노드측 적층물을 그 접착을 위해 안정적으로 가열할 수 있게 되는 장점이 있다.

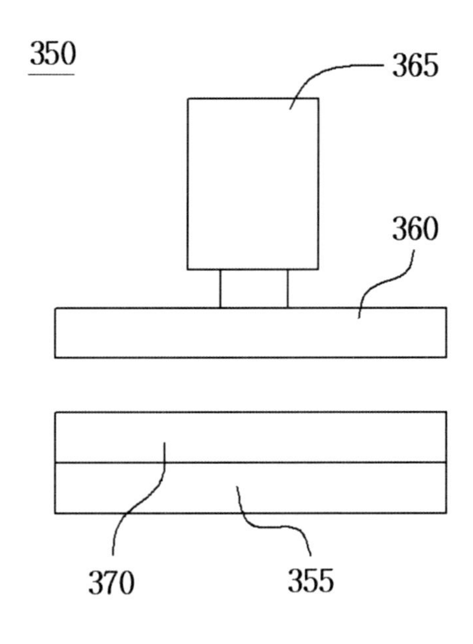

출원번호	1020197016224	등록번호	1021022350000
출원일자	2018.01.19	등록일자	2020.04.13
출원인	고꾸리츠 다이가꾸호오징 기후다이가꾸 사와후지 덴키 가부시키가이샤		
특허명	수소 생성 장치를 구비한 연료 전지 시스템		

요약

수소 생성 장치 일체형의 소형 연료 전지 시스템을 제공한다. 연료 전지 시스템(1)은, 수소 생성 장치(10)와 연료 전지 셀(20)을 구비하고 있다. 수소 생성 장치(10)는, 원료 가스 유로(13)가 형성된 원료 가스 유로면(11)을 가지는 판 형상의 유전체(2)를 구비하고 있다. 유전체(2)의 이면(裏面)(12)에 전극(3)이 대향하고 있다. 제 1면(18)과 제 2면(19)을 가지고 있는 수소 분리막(5)이, 원료 가스 유로(13)의 개구부를 폐쇄하고 있다. 수소 생성 장치(10)는, 수소 분리막(5)과 전극(3) 사이에서 방전을 발생시키는 고전압 전원(6)을 더 구비하고 있다. 연료 전지 시스템은, 수소 생성 장치의 수소 분리막(5)의 제 2면(19)과, 연료 전지 셀(20)의 연료극(燃料極)(21)이 대향하도록 배치되어 있는 것을 특징으로 한다.

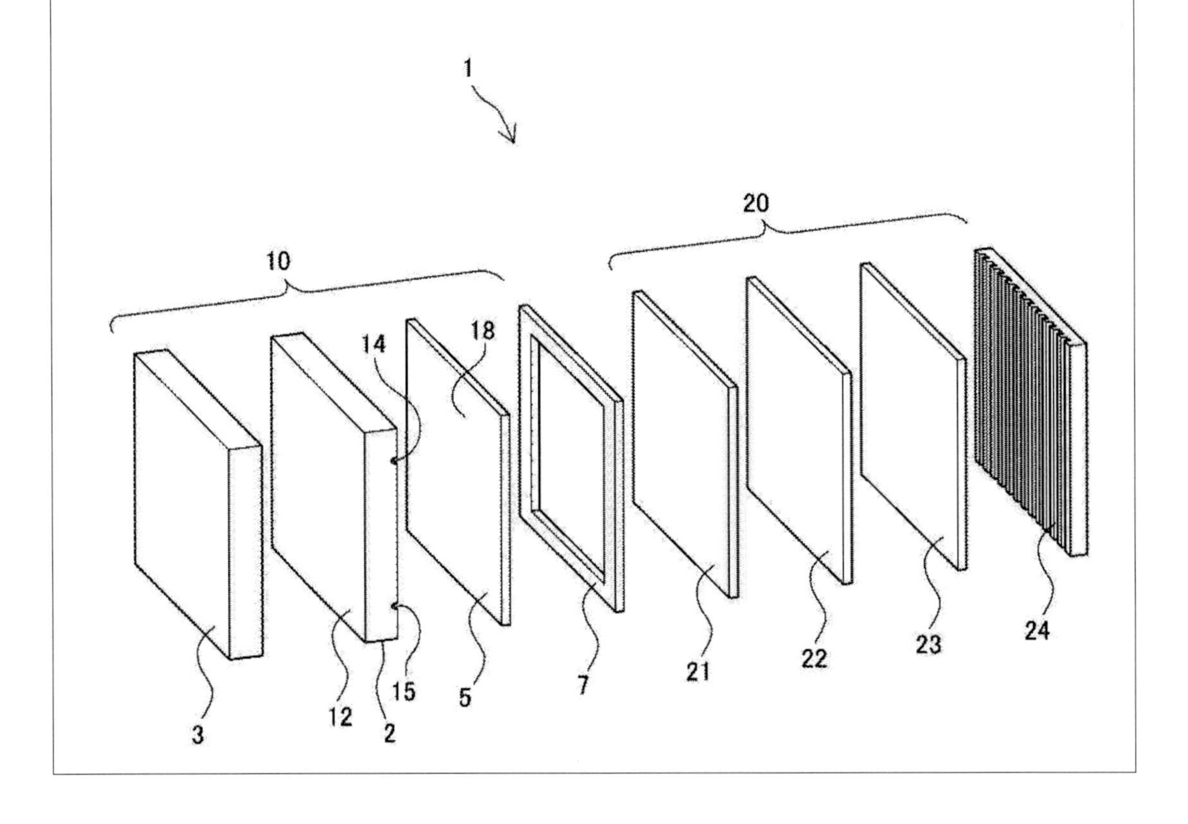

출원번호	1020190130533	등록번호	1021415600000
출원일자	2019.10.21	등록일자	2020.07.30
출원인	주식회사 구들택		
특허명	합금전극을 이용한 수소이온전지		

요약

본 발명은 크롬, 망간, 철, 니켈, 구리, 아연 등을 이용한 합금으로 전극을 구성하고 상기 전극으로 형성한 진공 셀의 내측에 수소를 주입하며 진공 셀의 외측에서 열에너지를 가하면 크롬, 망간, 철로 구성한 (-)전극으로 수소에서 분리된 전자(e^-)가 이동하고, 니켈, 구리, 아연으로 구성한 (+)전극으로 수소에서 분리된 수소이온(H+)이 이동하며, 상기 전자(e -)는 외부도선을 통해 (+)전극으로 이동하여 상기 수소이온(H+)과 만나서 수소로 재결합하는 합금전극을 이용한 수소이온전지에 관한 것으로서, 종래의 수소를 이용한 연료전지에서 수소를 연료로서 지속적으로 공급해야 하고 수소이온과 전자의 재결합에 의해 생성된 수소를 산소로 산화시키므로 물이 배출되는 것과 달리 합금전극을 이용하여 전지의 외장을 이루는 -전극과 +전극을 구성하고 내부를 진공상태로 형성하며 수소를 주입하고 전지의 외부에서 열에너지를 가하므로 전지의 내부에서 수소분자가 수소이온과 전자로 분리되고 다시 수소이온과 전자가 결합하여 수소분자로 재결합하는 과정을 전지의 외부에서 열에너지를 가하는 동안 지속적으로 반복하므로 기존의 수소연료전지의 연료인 수소와 산소의 추가 공급 없이 전기를 생산할 수 있는 효과가 있다.

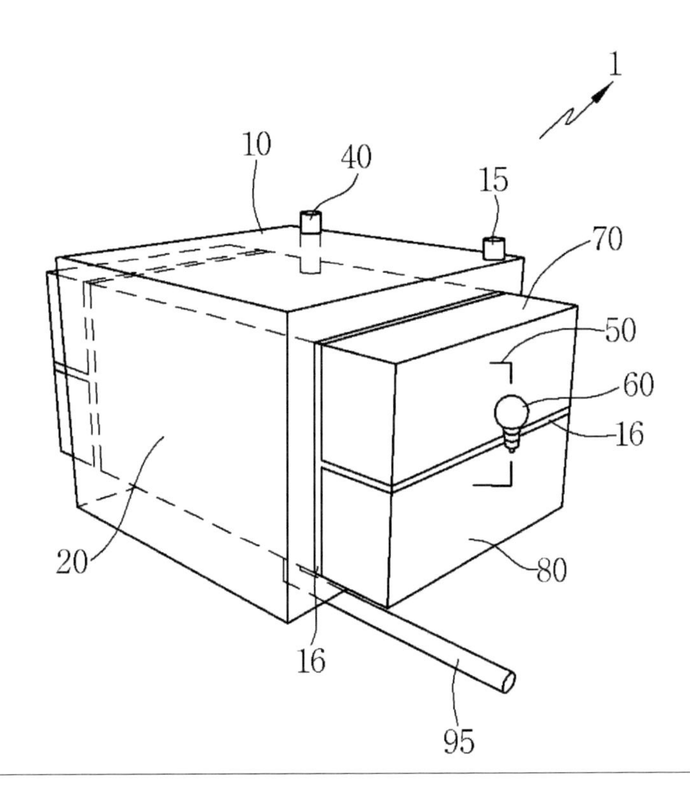

출원번호	1020137030910	등록번호	1017399130000
출원일자	2012.03.08	등록일자	2017.05.19
출원인	리, 티에리우		
특허명	수소연료전지 및 그 시스템, 동적 습도 변경 제어 방법		

요약

본 발명은 수소연료전지 및 그 시스템 및 동적 습도 변경 제어 방법에 관한것으로서, 상기 수소연료전지는 전지팩 조합체와 극판외부 에어분배장치를 포함하고, 상기 전지팩 조합체는 모노코크 하우징으로 패키징되고, 상기 극판외부 에어분배장치는 모노코크 하우징에 고정되며, 극판외부 에어분배장치는 작동기류 극판외부 에어분배장치와 냉각 에어분배장치를 포함하며 상기 작동기류 극판외부 분배장치에는 작업팬과 연결할 수 있도록 베이스스텐드가 형성되며, 상기 작동기류 극판외부 분배장치는 하우징 외부로부터 하우징 내부로 연장되며 상기 냉각에어 분배장치는 하우징 외부에 설치되고 하우징 내부를 관통하는 냉각통로와 하우징에 형성된 냉각구를 포함하며, 상기 냉각통로에는 냉각팬과 연결할 수 있도록 냉각팬 베이스스텐드가 형성된다. 본 발명에 의하면 발전 효율을 향상시키고 원가를 절감하며 사용 수명을 연장시킬 수 있다.

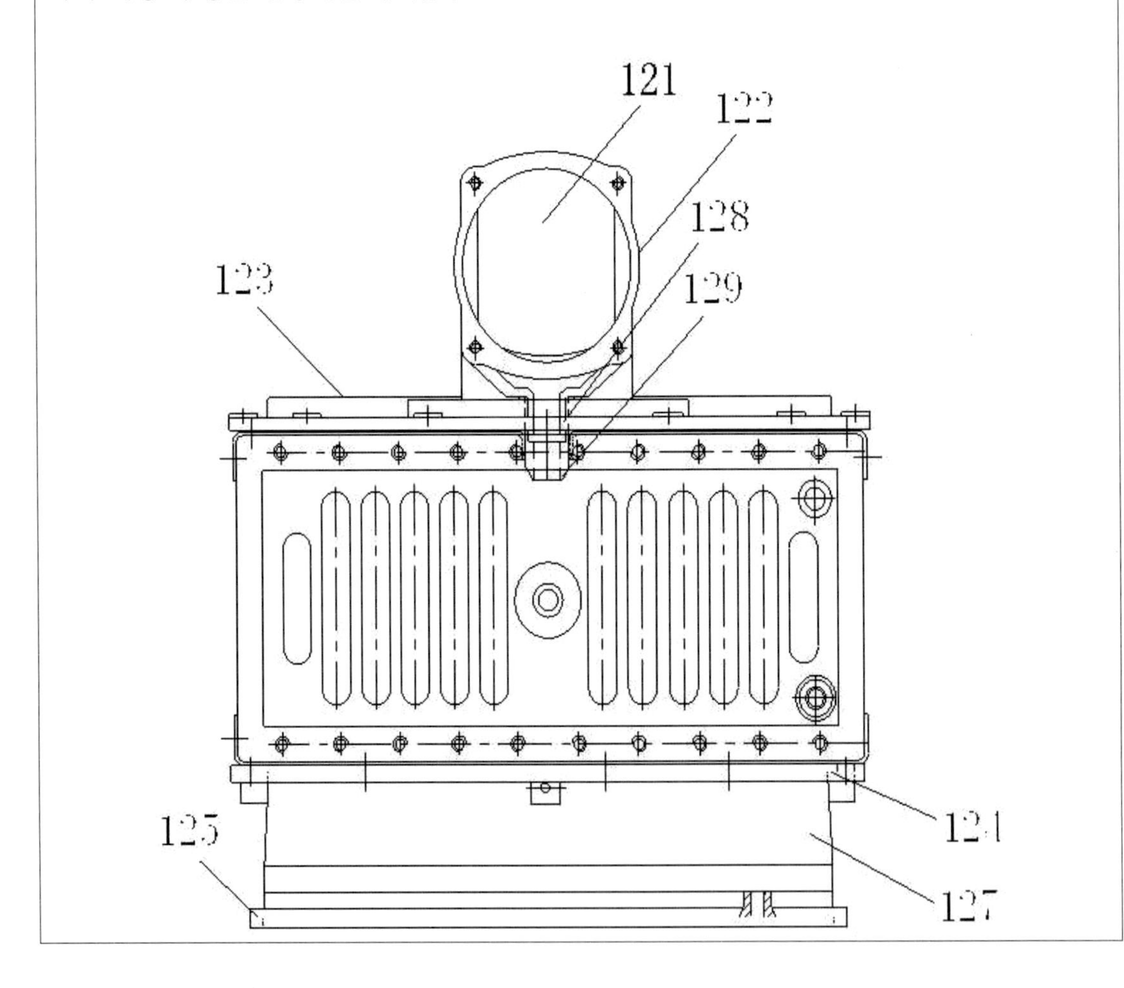

출원번호	1020160009426	등록번호	1017591410000
출원일자	2016.01.26	등록일자	2017.07.12
출원인	현대자동차주식회사		
특허명	연료 전지 시스템의 수소 농도 제어 장치 및 방법		

요약

본 발명은 연료 전지 시스템의 수소 농도 제어 장치 및 방법에 관한 것으로서, 본 발명의 일 실시예에 따른 연료인 수소와 산화제인 공기를 반응시켜 전력을 생산하는 스택이 구비된 연료 전지 시스템에서의 수소 농도 제어 방법은 상기 스택 구동 중 캐소드(Cathode) 채널을 통해 배기되는 공기의 산소 농도를 측정하는 단계와 상기 측정된 산소 농도에 기반하여 애노드(Anode) 채널의 배기를 제어하는 단계를 포함할 수 있다. 따라서, 본 발명은 연료 전지 시스템에서의 보다 효과적인 수소 농도 제어 방법을 제공할 수 있으며, 그에 따른 원가 절감 및 경량화가 가능한 장점이 있다.

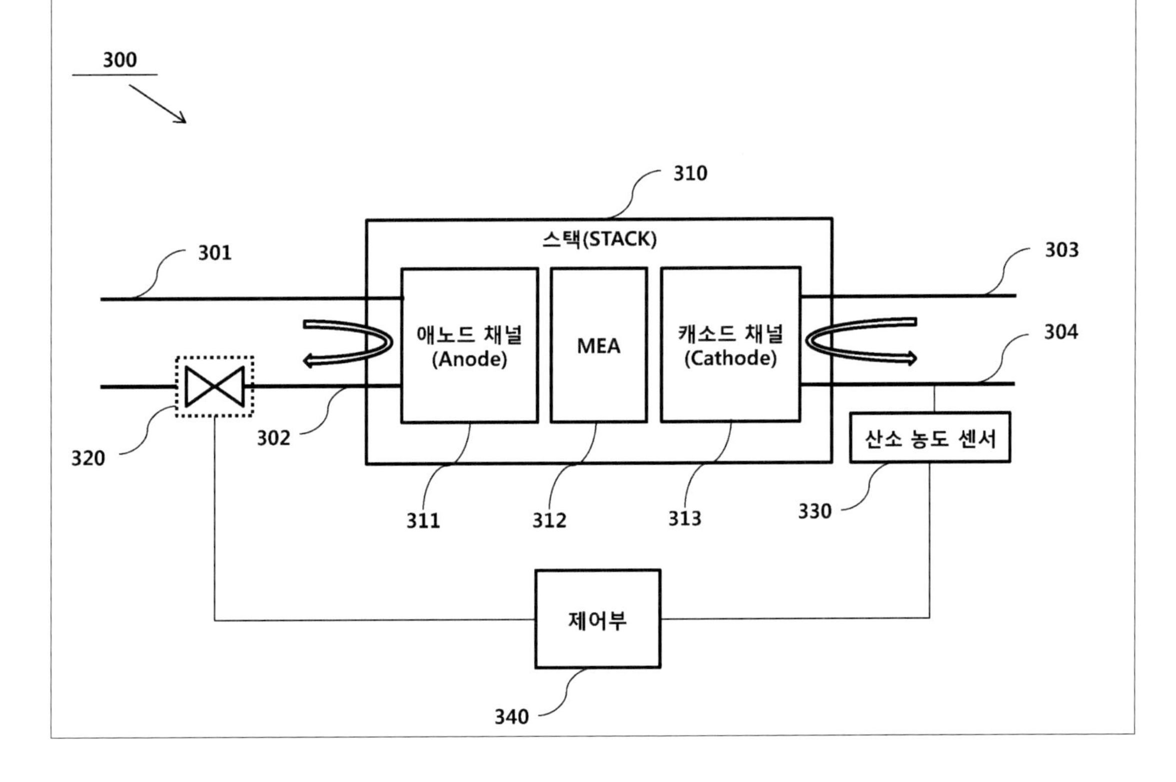

2) 연료전지 응용기술

가) 수소발전기술

수소는 연료전지를 통하여 쉽게 전기에너지로 변환 가능하기 때문에 태양광, 풍력과 같은 재생에너지원에서 발생된 전기를 전기분해하여 수소로 만들어 파이프 망을 통하여 운송할 수 있고, 운송된 수소는 저장도 가능하지만 필요시 다시 전기로 변환되어 수용가에 공급될 수 있다.

수소생산	수소 수송 및 분배	수소저장	수용가 활용
그리드 활용 전기분해	파이프라인 수송	수소액화 및 저장탱크	수소스테이션 수소 공급
석탄가스화 및 3-Generation	전력에너지 운송 (H2 활용)	재생에너지저장 (PV & Wind)	신규 송전용량 증대를 위한 수소 생산 및 저장
잉여 전력 활용	자동차용 연료	원격 및 Backup 전원 활용	전력품질 향상
메탄 개질	초전도 수송용 케이블 수소 냉각	천연가스 혼합연소	UPS 활용
-	-	비상전원 활용	연료전지 발전

그림 28 수소에너지 전력분야 이용분야

이와 같이 수소에너지를 이용하여 전기에너지 시스템과 융합하여 활용하는 경우, 수소 연료전지 기술은 이들 시스템을 운용하는데 있어 가장 중요한 기술이 된다. 연료전지 발전은 기저부하 뿐 아니라 분산전원으로 활용 가능하고 자동차 외에도 전동차 선박 등 전 수송 분야에서도 크게 활용될 수 있기 때문에 수소 연료전지를 기반으로 하는 에너지 시스템에서는 열, 전기, 가스를 모두 활용할 수 있는 시스템으로 구성할 수 있다. [174]

수소는 지구상에서 가장 많은 원소이지만 2차 에너지원이다.[175]
1차 에너지원으로부터 얻어지지만, 궁극적으로는 태양광, 풍력과 같은 재생에너지원에서 발생된 전기를 이 용, 물을 전기분해하여 수소로 만드는 방법이 가장 이상적이다. 재생에너지원에서 얻은 전기를 이용하여 수전해 를 통해 물로부터 수소를 제조한 후, 제조된 수소를 저장 하고 필요시 이를 다시 연료전지를 통해 전기로 변환시키는 수소에너지 시스템이 가능하게 된다.

이와 같이 수소는 전력에너지 저장 매체로서 그 역할이 기대되며 이들 기술의 중심에는 연료전지와 전기분해 기술이 필요하다. 즉, OFF 피크 시간에 생산되는 잉여

174) 전력분야 수소에너지 이용 및 향후 전망, 2014, 대한전기협회
175) 출처 : 전력분야 수소에너지 이용 및 향후 전망, 2014, 대한전기협회

전력을 전기분해 장치로 수소를 만들어 저장한 후 이를 다시 전력으로 만들어 공급할 수 있다. 이외에도 그리드로부터 공급 받는 전기를 활용하여 수소를 만들고 이를 다시 메탄이나 암모니아로 전환하여 저장 할 수도 있는 P2G 기술도 이 같은 연장선에 있다.

전력계통에서 수용할 수 없는 태양광, 풍력과 같은 재생 에너지원에서 나오는 잉여 전력, 또는 그리드로 부터 전기를 공급받아 전기분해를 통하여 수소를 만들고 생산된 수소와 이산화탄소 공기 중의 질소 등과 결합하여 메탄 혹은 암모니아로 변환시켜 저장, 운송한 후 전력 또는 열, 화공 공정 재료로 공급하는 시스템을 P2G(Power to Gas)기술이라 한다. 이와 같은 P2G 개념은 기존 에너지 저장 형태를 전력에 서 연료 형태로 전환시켜 저장한 후 다시 발전하는 방식이다. 이 경우 연료화된 가스를 수요지 근처에서 발전하여 송전손실 및 송전비용을 줄일 수 있는 장점도 있다.

나) 수소연료전지차

연료전지는 내부에 축적된 화학물질의 반응으로부터 얻어진 에너지를 이용하는 보통의 전지와 달리 연료(수소)가 공급되면 계속해서 전기와 열이 생산되는 장치이다. 전지는 양극과 음극으로 이루어져 있고, 음극에서는 수소가 양극에서는 산소가 공급된다. 음극에서 수소는 전자와 양성자로 분리되는데, 전자는 회로를 흐르면서 전류를 만들어낸다. 이것들은 양극에서 산소와 만나 물을 생성하기 때문에 연료전지의 부산물은 물이다. 연료전지는 자동차나 건물의 전기와 열 생산에 이용될 수 있다.[176)]

즉 수소연료전지는 자동차에 탑재되어 수소에너지를 전기로 직접 바꿔주는 발전기의 역할을 하는 것이다. 따라서 수소연료전지차(Fuel Cell Electric Vehicle, FCEV)는 수소와 산소를 이용하여 전기화학반응으로 전기를 생성하고 모터를 구동시켜 운행되는 자동차라고 볼 수 있다. 수소연료전지차의 장점으로는 1충전 주행거리 600km, 유해물질 무배출, 정속성, 순간출력, 다양한 방식으로 제조 가능한 수소연료 등이 있고, 단점으로는 수소 충전을 위한 수소충전소 추가 구축 필요하며, 차량 가격이 비싸다는 것이다.[177)]

---

176) 신재생에너지 기술 및 시장분석, BP출판
177) 수소연료전지차 기술현황 및 전망, 2014, KEIT PDissue Report

특히 한국의 현대자동차는 세계 최초로 수소연료전지차 양산에 성공했을 정도로 수송용 연료전지 분야에서는 기술력을 인정받고 있다. 2014년 미국의 자동차 전문 매체 워즈오토는 현대차 투싼 수소연료전지차의 동력 장치(파워트레인)를 '2015년 10대 최고 엔진'으로 선정했고 2013년에는 미국 시장조사기관 내비건트리서치가 보고서에서 현대차를 수소연료전지차의 '확고한 1위(Clear Leader)'로 평가했다.[178]

한국에서는 에너지관리공단, 한국에너지기술연구원, 한국원자력연구원 등이 고효율 수소 에너지 제조, 저장, 이용 기술 및 수소 연료전지 등을 개발하기 위해 노력하고 있다. 한국 정부는 2040년까지 총 에너지 중 수소 에너지 비중을 15%, 수소 연료전지 산업 규모를 국내 총생산(GDP)의 5%까지 끌어올린다는 계획이다. 특히 2040년까지 연료전지 자동차는 총 자동차 수요의 54%, 가정용 연료전지는 총 주거 전력 수용의 23%를 대체한다는 목표를 세웠다.

수소를 활용한 수송 부문은 2025년을 변곡점으로 2050년까지 빠르게 성장할 것으로 전망된다. 수소위원회는 전세계적으로 2030년 기준 100~150만대의 자율주행택시와 30~70만대의 자율주행 셔틀, 300~400만대의 수송 차량(트럭)과 4~8천대의 수직이착륙장치(VTOL)이 운행될 것으로 전망하고 있다. 한국의 경우도 2025년 16만대(총 운행대수의 0.7%), 2030년 78만대(3.4%)에서 2050년 812만대(34.8%)로 운행대수가 확대될 것으로 전망하고 있다.

승용차, 상용차 등 육상 수송 기관의 운행은 온실가스와 미세먼지 배출량의 상당 부분을 차지하고 있어 기존 내연기관(ICE) 차량에서 수소연료전지차(FCEV)나 배터리전기차(BEV)로 전환할 경우 환경 개선에 큰 영향이 기대된다. 수소는 높은 에너지 밀도와 빠른 충전이 가능하다는 점에서 기존 화석연료와 배터리 기반 전기 대비 경쟁력이 높다.

수소위원회는 2017년 맥킨지와의 수소 연구 보고서 "Hydrogen, Scaling UP"을 통해서 2030년까지 독일, 일본, 한국, 캘리포니아에서 12대 중 1대가의 수소 차량이 운행되고, 세계적으로 1,000만~1,500만대의 자동차와, 50만대의 트럭이 수소로 운행되며, 수소 동력 열차 및 여객선 배치가 가능할 것으로 전망했다. 2050년까지 수소 연료전지 기반의 승용차는 최대 4억대, 트럭은 500만대, 버스는 1,500만대 이상이 될 것으로 전망되며, 오늘날의 디젤 열차의 20%가 수소 동력 기반으로 대체되고, 하루

178) 참조 : 에너지경제신문 2015.01.27 <2040년 107조…수소전지시장 고용효과 17만>

2,000만 배럴의 연료 소비를 수소가 대체하며 연간 3.2Gt CO2 감소를 이끌 것으로 예상된다.

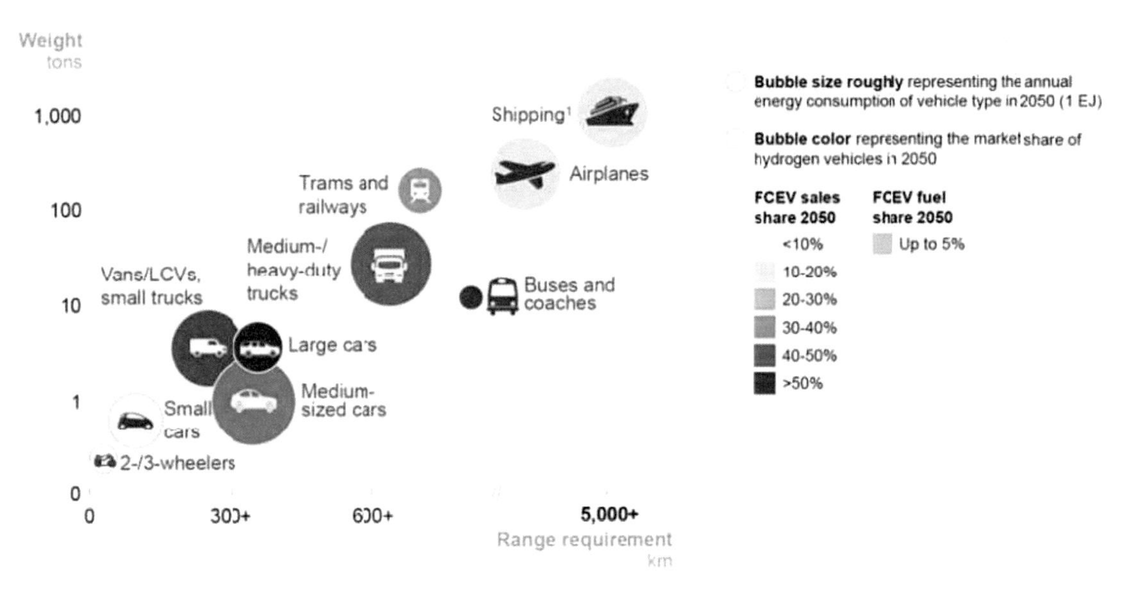

[그림 140] 2050년 글로벌 기준 운송 수단별 FCEV 점유율 전망

자동차 산업이 수소를 동력원으로 활용할 경우 얻는 장점은 크게 네 가지로 정리가 가능하다.

① 친환경성

수소는 기존 화학에너지와 달리 전기와 열로 전환할 경우 물과 전기, 열만 생성할 뿐만 아니라 온실가스나 미세먼지를 배출하지 않는다.

② 효율성

수소연료전지는 전기만 생산 하는 경우 50~60%, 폐열 재활용 시 80~90%의 효율성을 가지고 있다. 내연기관의 효율이 20~30% 수준임을 감안하면 이는 매우 효율적인 동력원이다. 수소는 우주 질량의 75%, 우주 분자의 90%를 구성하고 있어 부존량도 매우 풍부한 에너지원이다.

③ 저장/운반가능성

수소는 화석 연료와 달리 천연가스, 석유, 석탄, 물을 통해 분해해 얻을 수 있는 2차 에너지다. 수소는 영하 263℃로 냉각해 액화시키면 부피가 1/800으로 줄어들어 고압

탱크에 압축하면 저장과 운반이 용이하다. 저장 비용과 용량을 개선하는 기술이 발전하고 있어 유용성을 더욱 커질 전망이다.

④ 유연성

기존 에너지원을 활용할 경우 다양한 용도에 맞춰 석유, 가스, 석탄, 원자력 등을 적용해야 한다. 하지만 수소는 발생 에너지를 수소로 전환해 일원화할 수 있다는 장점이 있다.

위에서 살펴본 장점을 통해 자동차 산업이 수소를 동력원으로 활용하는 경우 1) 신성장 동력으로서 신재생 에너지, 화학/철강 등 신소재, 기계/장비, 건설, ICT 등 다양한 연관 산업분야와 동반 성장이 가능하고, 2) 친환경적 요소는 탄소 배출 저감과 환경 규제 대응을 가능하게 하며, 3) 에너지 안보 관점에서 석유, 가스 해외 의존도가 높은 국내 상황을 고려 시 석유를 대체하는 효과를 기대할 수 있게 된다.

장점	내용
친환경성	화석연료와 달리 전기, 열 전환시 물만 생성, 온실가스나 미세먼지 배출 없음
효율성	전기 생산 시 50~60%, 폐열 재활용 시 80~90%의 효율성 보유
저장/ 운반가능성	에너지를 활용 저장할 수 있는 2차 에너지, 액화 시 고압 탱크에 압축하면 저장과 운반이 용이
유연성	발생 에너지를 통합해 일원화 가능

[표 38] 자동차 산업 내 수소 동력 활용 시 특장점

구분		제품			출력
종류	연료				
수소연료전지차	**수소(100)**	**연료전지스택 64%**	**BOP/전력변환기/모터 95%**		**60**
내연기관차	경유(100)	엔진(경유) 35%	동력전달 95%	BOP 95%	32
	휘발유(100)	엔진(휘발유) 25%	동력전달 95%	BOP 95%	23

자료: 에너지경제연구원, 현대차증권

[그림 141] 수소연료전지차 연료전지 스택과 내연기관의 에너지 효율성 비교

구분	수소	휘발유	경유
분자식	H2	C8H18(C4~C12)	C12H26(C16~C32)
중량에너지밀도 (MJ/kg)	142	원유 44.9	-
기체비중 (공기=1)	0.0695	702	876
고위 발열량 (25℃ 정압 kcal/kg)	34,000	11,362	10,685
저위 발열량 (25℃ 정압 kcal/kg)	28,600	10,550	10,135
연소범위(%)	상한75	상한 4.7	상한 6
	하한 4	하한 1.5	하한 1
연소속도(%)	2.65	1.83	-
자연발화온도(℃)	572	250	225

자료: 에너지경제연구원, 현대차증권

[그림 142] 수소와 석유제품(휘발유 및 경유)의 특성 비교

다) 스마트폰에 장착하는 수소연료전지 배터리

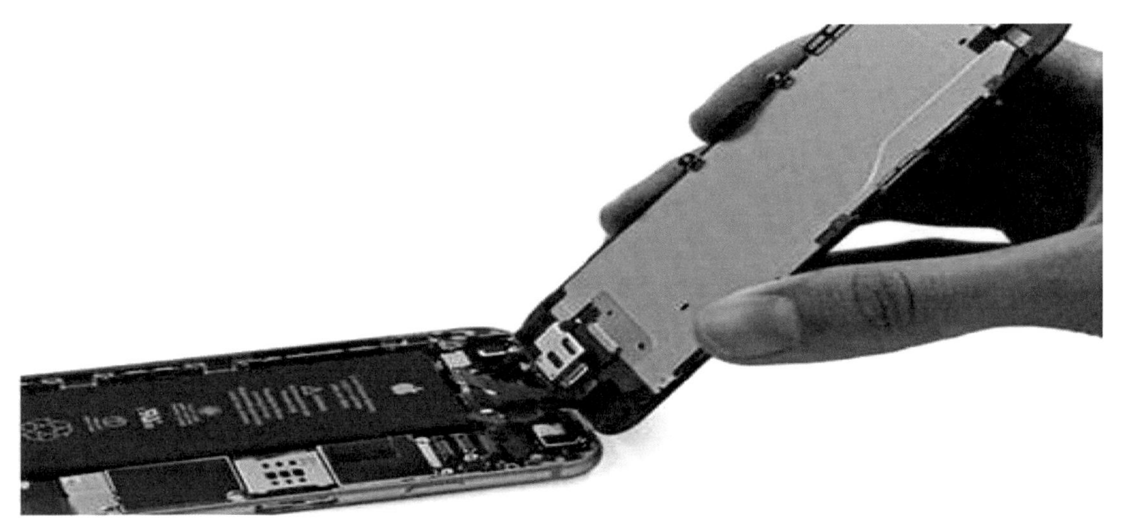

그림 29 스마트폰용 수소연료전지 배터리

수소연료전지는 오랫동안 배터리 기술의 성배로 여겨져 왔다. 하지만 누구도 소비자용 제품에 이 전지를 적용할 정도의 안정성을 확보하지는 못해 왔다. 수소연료전지는 수소와 산소 사이에서 전기를 만드는 반응을 이용한다.

다행스럽게도 조만간 우리의 스마트폰을 가동하는데 이 수소연료전지기술이 사용될 수 있을 것으로 보인다.[179)]

179) 출처 : 전자신문. 2015.11.11. <이것이 혁신적 배터리기술 베스트5>

영국의 인텔전트에너지는 아이폰6 시제품을 이용해 단말기 설계변경을 하지 않고도 사용할 수 있는 소형 수소연료전지를 개발한 바 있다. 이 수소연료전지 카트리지는 스마트폰 아래쪽 슬롯에 끼워 넣게 돼 있는데, 1주일 간 재충전할 필요 없이 사용할 수 있다. 사용시 약간의 물과 열을 발생시키는데 거의 인지하기 힘들다.

인텔리전트 에너지는 연료전지와 관련해 2,000여 건 이상의 특허를 보유한 기업으로 자동차 및 휴대기기용 충전기에 특허를 공급하고 있다. 일례로 업(Upp)이라는 이름의 충전기가 있는데 이 충전기는 수소연료전지로 USB포트를 충전 소스로 이용하는 기기를 충전할 수 있다.

최근에는 드론 배터리를 수소연료전지로 사용하면서 장시간 무인비행이 가능해질 것으로 보인다.

6

신재생 에너지 산업의 전망 및 향후 과제

6. 신재생 에너지 산업의 전망 및 향후 과제[180)]

가. 태양광

1) 태양광산업 전망 [181)][182)]

지난 10년 간 글로벌 태양광 시장은 매우 빠른 속도로 발전해 왔다. 특히 2020년 글로벌 태양광 시장은 코로나19 영향으로 인한 역성장 전망과 달리 성장세를 보였다. 코로나19로 인한 역성장 예상은 전년대비 증가한 중국, 미국 및 유럽 등 주요국 수요로 인해 성장으로 바뀌었다. 대형 태양광 건설현장에 코로나19가 미치는 영향이 예상보다 적어 기존 발주가 예정대로 진행됐으며, 경기부양을 위한 투자 계획도 태양광 수요 심리에 긍정적으로 작용된 것으로 파악된다. 이러한 예상을 깬 성장세는 그만큼 글로벌 시장이 재생에너지에 대한 투자와 보급 확대에 적극적이며, 그리드패리티로 평가할 수 있는 경제성도 향상됐다고 평가할 수 있다.

한국수출입은행에서 발표한 최근 자료에 따르면, 2020년 글로벌 태양광 설치량은 기존 예상치 120GW를 상회해 130GW를 넘어섰다. 이러한 글로벌 태양광 시장의 성장세는 계속해서 이어질 것으로 보이며, 중국 및 미국의 안정적 수요와 지연됐던 개도국 건설 프로젝트가 재개돼 2021년 글로벌 태양광 시장은 전년대비 20% 이상 증가한 150GW를 넘어설 것으로 예상된다. 아울러 글로벌 경제가 안정화될 경우 2022년에는 200GW에 육박하는 수요가 발생할 가능성도 예상되고 있다. 특히 아시아지역에서는 중국, 일본, 인도를 중심으로 세계태양광 시장을 주도하고 있고, 이들의 전세계 태양광시장 점유율은 계속해서 증가할 것으로 예상돼 2030년에는 신규 태양광 신규수요의 50%를 차지할 정도로 성장할 것으로 보인다.[183)]

선진국을 중심으로 2021년 상반기 이후 코로나19 상황이 점차 호전될 것으로 예상되며 미국은 민주당 정부 등장으로 파리기후협약 재가입할 예정이다. 백신 개발로 코로나19 상황이 안정됨에 따라 각국 정부의 경기부양을 위한 인프라 투자 중 특히 친환경 인프라 투자가 증가할 것으로 예상됐다. 미국은 민주당 정부의 파리기후협약 재가입함으로 태양광 중심의 신재생에너지 보급이 더욱 가속화될 전망이다. 이처럼 글로벌 발전산업은 석탄발전 퇴출과 함께 친환경에너지로 전환이 본격화되고 있으

180) "2년 앞섰다" 韓태양광 기술, 세계가 알아보기 시작했다, 머니투데이, 2020.07.23
181) [2021 태양광 시장전망] 코로나19 이겨낸 '태양광'… 2021년 신규 설치 5GW 시대 개막도 예상돼, 인더스트리뉴스, 2021.01.04
182) "2021년에도 글로벌 태양광산업 성장 멈추지 않는다", 에너지데일리, 2020.12.31
183) 주간에너지이슈브리핑 제118호 <국내·외 태양광에너지 동향 및 시사점, 2016, 한국에너지공단

며 친환경에너지 중 높은 접근성 및 경제성을 확보한 태양광발전으로 전환이 가속화될 전망이다.

2) 태양광산업 향후 과제

태양광 비즈니스에 대한 낙관적인 견해에도 불구하고 일부에서는 태양광 비즈니스에는 한계가 있을 것이라는 지적이 나오기도 한다. 그 이유로는 크게 두 가지를 들 수 있다. 첫 번째는 경제성이고, 두 번째는 태양광 발전이 공간을 많이 차지한다는 점이다.

우선 경제성을 살펴보면 현재 현장에서 90% 이상을 차지하며 대세를 이루고 있는 결정형 실리콘에 의한 태양광 발전 생산비용은 석유 및 원자력 등 타 에너지에 비해 5~10배나 크다(태양광 600원/kW시, 수력 70원/kW시-2006년 한국전력 전력구입단가). 경제성은 크게 두 가지 요소에 의해 좌우된다. 첫째는 규모의 경제다. 현재 태양광 발전 시장이 소규모이기 때문에 규모의 경제에 이르지 못하고 있다. 각국 정부에서 태양광 발전에 보조금을 주는 이유도 시장 규모를 키우기 위해서다. 긍정적인 면은 태양광 시장이 커짐에 따라 규모의 경제가 실현되고, 기술이 발전함에 따라 2025년에는 경쟁력을 가질 수 있을 것으로 예측되고 있다는 점이다. 더욱이 현재는 저유가로 인해 태양광 발전이 경쟁력이 떨어지지만, 앞으로 유가가 오른다면 그 시기는 훨씬 앞당겨질 수 있다. 아직까지 태양광 발전은 발전소와 공공기관에서 시범시설로 운영하는 것은 문제가 없으나, 민간 기업이 운영하기에는 아직 수익성 확보가 부족하다.[184) 규모의 경제 외에 경제성을 높이는 또 한 가지 방법은 태양전지의 효율을 높이고, 전지의 두께를 줄이는 것이다. 효율을 1% 높이면, 생산비용이 7% 줄어든다. 현재 가장 많이 쓰이는 결정질 실리콘 태양광 모듈의 발전효율은 보통 16~19% 선이지만 연구실에서는 사용하는 원료에 따라 18~23%까지도 나온다. 태양광 시장에서 앞으로 경쟁의 핵심은 효율성 증가다. 어느 업체가 효율성 20%를 넘는 태양전지를 대량 생산해 시장에 내놓을 수 있느냐에 따라 시장의 판도가 바뀌게 된다. 태양전지의 두께는 2003년에 330마이크로미터(㎛)였다. 2008년 생산된 태양전지의 두께는 180마이크로미터로 줄었지만, 앞으로 120마이크로미터까지 좁힌다는 계획이다.[185)]

184) 참조 : 에너지경제신문 2016.03.14 <세계 최대 규모 '추풍령 수상 태양광발전소' 폐업 위기>
185) 참조 : 이도운 <그린 비즈니스>

최근 한국에서도 효율을 올리기 위한 연구 개발이 활발하게 진행되어 태양광 전문 기업 신성솔라에너지는 2016년 3월 효율 20.29%의 태양전지를 개발했다고 발표했다.[186] 또 에너지기술평가원은 전도성 페이스트와 전극 기술 개발, n형 이중접합을 통해 22%의 효율을 달성할 계획이다.[187] LG전자는 기존 태양광 셀의 리본 수를 기존 4개에서 12개로 늘려 태양광셀 표면에서 생성된 전류를 보다 많이 잡아내는 기술, 즉 '첼로 기술'을 적용하여 효율 19.5%를 달성한 N형 태양광셀 기반 모듈인 네온2를 출시했다. 한화큐셀은 퀀텀셀 기술로 일반 P형을 고효율화시킨 큐플러스를 출시했다. 퀀텀셀 기술은 셀 뒷면의 표면을 무디게 만들어(부동태화, passivation) 발전유해환경을 차단하고 알루미늄 반사판을 설치해 빛이 통과하지 않고 반사돼 재발전을 해주는 기술이다. 퀀텀셀 기술은 이들 부품의 표면을 다시 한 번 재처리하고 알루미늄 반사판을 삽입해 발전 효율을 높였다. 현대중공업은 셀 뒷면에 박막 기술을 적용해 표면 결함을 줄여 발전량이 5% 높은 펄 타입 태양광 모듈을 출시했다.[188]

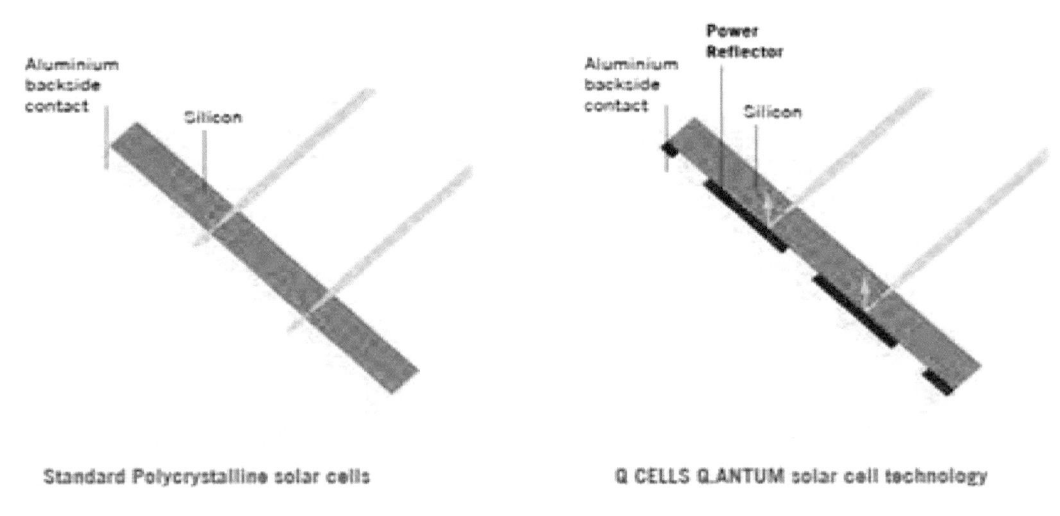

그림 52 한화큐셀이 출시한 고효율 태양광 모듈 큐플러스에 적용된 퀀텀셀 기술

이어 태양광 비즈니스에서 해결해야 할 두 번째 문제는 태양 에너지의 에너지 밀도가 낮기 때문에 태양 에너지를 집열하기 위해 너무 많은 면적이 필요하다는 점이다. 예를 들어 현재의 기술 수준이나 장래의 기술 수준을 가능한 한 고려하더라도 지금의 개인 주택을 태양 에너지용으로 개조했을 경우 주택 에너지 수요의 60%밖

186) 참조 : 한국경제신문 2016.03.22 <신성솔라에너지, 세계 최고효율 태양전지 개발>
187) 참조 : 에너지경제신문 2015.08.02 <[기획/미래 바꿀 에너지기술] ①고효율 태양광, 폐전지 재활용 ESS, 바이오디젤 항공유>
188) 참조 : 에너지경제신문 2015.10.05 <태양광 기업은 지금 '고효율' 경쟁>

에 담당하지 못한다. 또한 뉴욕에 내리 쬐는 태양 광선을 100% 집열한다 하더라도, 맨해턴 지구만으로도 매일 그 집열량의 6배를 소비할 것이라고 한다. [189] 이런 공간 부족 문제를 해결하기 위해 한국 정부는 2030년까지 댐 수면에 1,815mW 규모의 수상태양광 발전소를 추가로 건설해 신재생에너지 생산량을 늘리겠다는 목표를 내세우고 있지만, 이 또한 자연 경관 훼손 등 부작용을 우려한 해당 지역 주민들의 반발이 변수로 작용할 전망이다.

해당 지역 주민들은 자연경관 훼손, 태양광발전 설비로 인한 수질 오염 피해, 지역 발전 저해 및 이익 감소 등을 설치 반대의 이유로 들고 있다. 예를 들어 한국농어촌공사가 2015년부터 경기도 안성 고삼면에 위치한 고삼저수지에 15억 원의 사업비를 들여 약 8000평방미터(㎡) 규모로 추진하던 수상태양광 건설 사업은 지역 주민들의 반발이 심해 현재 모든 과정이 중단된 상태다. 또한, 한국수자원공사가 90억 원을 들여 충주호에 3mW 규모의 태양광 시설을 설치해 운영하자는 제안에 대해 충주시도 거부 의사를 밝혔었다. 충주호 경관 훼손과 수상레저 활동의 폭이 좁아진 다는 것이 거부 이유였다.

이런 측면에서 한국환경정책·평가연구원이 펴낸 '수상태양광 발전사업 현황과 정책적 고려사항'이 참고할 만하다. 수상태양광 발전시설은 미래 활용성이 높음에도 환경적 측면에서의 불확실성과 입지 적정성이 문제가 되고 있다.[190] 수상 태양광 발전사업에서 주민들과의 마찰을 피하기 위해서는 주민을 설득하고 동의를 얻으려는 노력이 필요하다.

189) 출처 : 에너지경제신문 2015.08.02 <[기획/미래 바꿀 에너지기술] ①고효율 태양광, 폐전지 재활용 ESS, 바이오디젤 항공유>
190) 참조 : 에너지경제신문 2016.03.02 <수상태양광 주민-공기업 곳곳 갈등>

수상태양광 사업현황과 정책적 고려사항

안전성 측면	△환경재해에 대한 우려. △홍수 및 태풍, 가뭄으로 인한 안전성 검토 필요. △규모가 확대될 경우를 대비한 최소한의 규격 제정 필요. △태형동물에 의한 피해.
수용성 측면	△친환경적이니 무조건 확대 및 보급해야 한다면 국민들의 반대에 부딪힐 수 있음. △지역주민들에 충분한 정보 공개 및 설득 과정 필요.
환경적 측면	△그린과 그린의 충돌. △녹조저감의 긍정적 효과. △넓은 면적으로 설치할 경우 산소공급 등의 순기능 저지 고려. △어류서식처 제공 및 산란효과. △지역 미소환경 고려 및 장기검증 필요.
경제적 측면	△안전시설 투자 및 부식 방지 비용 등의 기타 부대비용 발생. △현 기준에 경제성이 약하지만 10~20년 후 대세가 될 것으로 판단. △정부의 선투자 형식 지원 우선 고려.

자료: 한국환경정책평가연구원

그림 53 수상 태양광 사업 현황과 정책적 고려사항

이 외에 앞으로 태양광 시장이 본격적으로 살아나려면 풀어야 할 과제들이 적지 않다. 우선 공급과잉이 언제든 재발할 수 있는데다 확산되는 각국의 보호주의, 보조금 등 각국의 정책 리스크 등도 잠복해있다. 태양광 시장은 2011년 이후 진행된 글로벌 구조조정이 일단락됐음에도 여전히 중국발 공급과잉 위험이 남아있다.

2011~2012년 독일 태양전지 최대기업인 큐셀을 비롯해 미국의 솔린드라 등 대형업체 20여 곳이 파산보호를 신청했거나 청산됐다. 또 중국에서도 중소기업을 중심으로 최소 200개 이상이 문을 닫은 것으로 추산되고 있지만 시장이 급속하게 커지지 않는 한 공급과잉의 염려는 남아있다.[191)]

반덤핑 관세와 보조금을 앞세운 각국의 보호주의도 넘어야 할 산이다. 중국 상무부

191) 참조 : 한국경제신문 2014.02.03 <보조금 두둑 中업체 '저가 공세'…공급과잉 리스크 '조마조마'>

는 2014년 한국과 미국산 폴리실리콘에 반덤핑 관세를 부과하기로 최종 결정했다. OCI 등 한국 기업들은 2~12% 대의 비교적 낮은 세율을 적용받았지만 미국 기업들은 최고 57%의 세율을 적용받게 됐다. 2012년 미국이 중국 태양광 기업들에 최고 250%에 달하는 관세 '폭탄'을 부과한 것에 대한 보복의 성격이 짙다.

한편 프랑스 이탈리아 그리스 등은 EU산 모듈에 보조금을 지급하고 있고, 브라질 아르헨티나 등은 외국산 모듈에 12%의 관세를 매기고 있다. 인도는 자국산 모듈과 셀을 사용한 발전소에만 보조금을 주고 있다.[192] 또한 비용 감소 등의 요인 때문에 전 세계적으로 태양광 발전이 극적으로 확대될 것으로 보이지만 정책 변화, R&D, 국제 표준 제정, 시장구조 변화, 스마트 그리드와 전기 저장 같은 신기술 등이 뒷받침되어야 한다.[193]

특히 국내 태양광 산업의 향후 과제를 3가지 측면으로 나누어 살펴보고자 한다.[194]
<고부가가치 기술 확보>
한국의 태양광 기업들은 세계 최고 수준의 고효율 태양광 모듈 기술을 바탕으로 국내 태양광 모듈 보급량의 70% 내외를 점유하고 있고, 수출 또한 증가하고 있다. 그러나 더 나아가 태양광 국내 보급을 더욱 촉진하고 국내 태양광 기업의 글로벌 경쟁력 확보를 위한 방법을 계속해서 강구해야한다. 현재 중국기업과의 가격 경쟁은 쉽지 않은 것이 사실이며, 글로벌 시장을 주도한다고 보기에도 한계가 있다. 또한 중국기업들이 기존 태양전지의 생산라인을 공격적으로 증설하고 있어 대량생산에 의한 가격 경쟁력 확보 전략으로는 현재의 국면을 해결하기 어렵다. 따라서 앞서 설명한 기술 개발의 트렌드에 따라 앞으로 새롭게 출현할 고부가가치 기술에 대한 선점이 필요하다. 태양광 기술 개발은 효율, 출력, 응용 측면에서의 고부가가치 제품에 대한 기술을 확보할 수 있다면 이후 본격적으로 성장할 글로벌 태양광 시장에서의 우위를 선점할 수 있다.

이를 위해서는 '이중접합 태양전지'를 비롯한 고효율 태양전지 기술을 집중적으로 개발해야 한다. 개발기술의 조기 시장 진입을 위해 고효율 소자 기술뿐만 아니라 소재 및 장비 기술개발도 병행해 태양광 모듈의 효율, 단가, 내구성을 동시에 확보해야 한다. 공동 활용 인프라를 활용한 플래그십 형태의 기술개발이 효과적인 방법론

192) 참조 : 한국경제신문 2014.02.03 <보조금 두둑 中업체 '저가 공세'…공급과잉 리스크 '조마조마'>
193) 참조 : 에너지경제신문 2016.06.26 <태양광 시대는 이미 왔다…2030년엔 6배 증가>
194) [2021 태양광 시장전망] 그린뉴딜 정책이 태양광 살려… REC, 계통 등 숙제 남아, 인더스트리뉴스, 2021.01.05

이 될 것이다. 건물, 자동차, 전자기기 등 다양한 형태에 적용 가능한 태양광 모듈의 경우에는 제품의 개발과 함께 신시장을 만드는 것이 중요하며 새롭게 시도하는 응용분야인 만큼 다양한 형태의 실증연구를 확대하고 이를 통해 새로운 응용에 대한 트랙레코드를 쌓아가는 것이 필요하다. 또한 이를 위한 정부의 지원이 뒷받침되어야 할 것으로 보이는데, 실제로 2020년 9월 발표된 산업부의 '태양광R&D 혁신전략'을 통해 5년 간 고효율 태양전지, 신시장·신서비스 창출, 저단가 공정기술 등 3대 분야에 약 3,300억원을 투자할 예정이라고 밝힌 바 있다.

<수익성 개선을 위한 REC 재조정>

국내 태양광 시장이 본격적으로 활성화된 이후부터 REC는 지속적인 하락세를 보이고 있다. 국내 태양광 시장을 가장 경직되게 한 이슈인 REC 가격 폭락은 2017년 16만원 대였던 것이 최근 2만원 대까지 떨어졌다가 현재 3만5,000원 대에 있다. 이에 전문가들은 SMP와 REC 동반하락으로 태양광발전 사업자들이 정부에 대한 불신과 불만이 매우 높은 상황이라며, 여러 가지 의혹을 정리할 수 있도록 RPS 제도 개선 등 정부의 적극적인 노력이 필요하다고 언급했다.

<제도적 개선>

국내 태양광 기업이 글로벌 경쟁력을 확보함과 동시에, 규모의 경제를 확대하는 등 해외기업들이 국내 태양광 산업의 경쟁력을 지속적으로 위협하고 있는 상황이다. 이에 제도 개선이 필요한 시점이며. 최저효율제, 탄소인증제 등을 통해 국내 시장을 고효율·친환경 시장으로 전환할 것으로 예상된다.

태양광 발전의 경우 "비용평가 세부운영규칙"제 18.5.1조 8항(태양광 기준가격 산정기준)에따르면, 규칙 제 11.1.5조 제2항에 따른 계약신고 기간을 초과하여 신고한 설비에 대하여는 이를 계약신고일이 속하는 시점의 기준가격 산정에 포함하며, 이렇게 산정된 기준가격을 적용한다는 규제로 인해 신고 기한 1개월을 약간 넘어서 막대한 추가 비용이 발생했다는 민원이 발생했다. 따라서 계약신고일이 초과되었다고 사업성 기준인 기준가격 적용 시점을 조정하는 것은 과도한 규제 조처일 수 있다는 주장 제기 되었다. 이런 부분에 있어서 규제를 일부 추가·수정하는 조치가 필요하다.

또한, 태양광을 통한 발전으로 발생한 잉여 전력의 판매에 있어서도 문제점이 발견된다. 특히 자가용 전기설비의 잉여전력을 판매하기 위해서는 한국 전력공사와 별도

계약이 필요한데, 그 과정에서 전력거래량을 측정하는데 필요한 여러 장치를 자부담하여 설치해야 한다. 따라서 이러한 부담이 발전설비의 경제성을 악화시켜 보급의 장애요인으로 작용하고 있다. 이러한 경우 잉여전력량별 예상 판매 수익과 비용을 고려하여 상계와 전력거래를 위한 임계치를 설정하여 가이드라인을 제시하거나 보조금 사업으로 설치된 태양광 발전 설비의 경우 전력거래량 측정 장치 등 부담을 완화 하거나 잉여전력의 발생을 줄이기 위해 연평균 발전량이 해당 건물의 연평균 전력소비량을 초과하지 않도록 설비용량 평가 기준을 강화할 수 있다.

수상 태양광의 경우는 수상태양광이 육상태양광의 한계를 극복 할 수 있기 때문에 막대한 보급 잠재력을 인정받고 있다. 하지만 상수원 보호구역의 경우 시설물설치 여부에 대한 판단기준이 적용됨에 따라 지자체의 반대가 생기게 된다. 이러한 부분은 상수원의 목적이나 용도별로 환경 모니터링 가이드라인 및 설치기준 가이드라인을 마련하는 한편 수상태양광의 안정성과 제품신뢰를 확보하기 위한 제도적 정책이 마련되는 것도 중요하다.

살펴본 바와 같이 국내 태양광산업은 아직까지 해결해야할 과제들이 남아있긴 하지만, 지속적인 성장세를 이어오며 대한민국 차세대 성장 동력으로, 글로벌 기후위기 대응을 위한 에너지 전환의 핵심으로 인정받고 있다. 앞으로는 단순한 목표 달성의 성장이 아니라 중소기업과 대기업의 동반 성장, 주민참여를 통한 상생 경제 활성화가 필요한 시점이다. 미래 에너지 산업의 키를 쥐고 있는 태양광 산업이 2021년도에는 어떠한 성장을 이뤄나갈지 기대된다.

나. 풍력

1) 풍력산업 전망[195][196)

2019년 기준 651GW에 불과했던 풍력 설치량은 2040년 2,033GW까지 늘어날 전망이다. 신재생에너지 중 가장 가격경쟁력이 높은 풍력발전에 대한 수요가 꾸준히 증가할 것으로 예상되는데, 2040년까지 세계 풍력시장은 약 2.8조 달러 규모를 형성할 것으로 예상되며, 중국 및 인도 등 아시아 지역이 세계 풍력수요의 절반 이상을 차지할 전망이다.

특히 세계 재생에너지 시장에서 '해상풍력'이 다크호스로 떠오르고 있다. 지난 10년간 전 세계 풍력발전 누적 설치용량은 2010년 198GW에서 2019년 651GW로 증가해 연평균 14.7% 성장했는데 해상풍력은 3GW에서 29GW로 연평균이 증가율이 28.1%에 달한다. 과거에는 대부분이 육상풍력이었으나 최근 들어 해상풍력의 비중이 점점 증가하는 상황이다. 2040년까지 해상풍력에 대한 예상 누적투자액은 약 1조달러(약 1155조원) 규모로 관련 시장을 선점하기 위한 각국의 치열한 경쟁이 펼쳐질 전망이다. '세계에너지전망 2019' 보고서는 세계 해상풍력 시장 규모가 2040년까지 매년 13%씩 확대될 것으로 전망했다. 세계 전력 공급 3% 이상을 차지하는 핵심 재생에너지원으로 자리매김 할 거란 분석이다. 세계 해상풍력 설비 용량은 2010년 3GW에서 매년 30%씩 늘어나 2018년 23GW를 기록했다. 같은 기간 120GW 용량을 갖춘 태양광과 비교하면 걸음마 수준이지만, 성장 가능성에 더욱 무게가 실리는 분야다. 향후 5년 내 약 150개 신규 프로젝트가 완료될 예정이어서 해상풍력 산업에 대한 기대가 커지고 있다. 해상풍력발전은 풍황 자원의 품질이 육지에 비해 나은 바다에 풍력터빈을 설치함으로써 더 많은 발전량을 얻을 수 있고, 인구가 밀집되어 있는 해안지역 인근에 GW급의 발전설비를 설치할 수 있다는 장점이 있 다. 해상풍력은 전 세계적으로 아직까지는 새로운 재생에너지 분야로 인식되고 있으며 각국 정부의 정책적 지원과 재정적 인센티브 부여 등을 통해 성장 가능성이 커지고 있다.

이에 해상풍력발전 시장은 향후 30년간 크게 성장해 전 세계 누적 설치용량이 2030년 228GW, 2050년 1,000GW에 달할 것으로 전망된다. 이는 향후 30년간 연평균 11.5%씩 성장함을 의미한다. 해상풍력은 2050년 전 세계 풍력 누적 설치용량

195) '해상풍력'이 뜬다...2040년까지 매년 13% 성장 전망, 전자신문, 2020.01.14
196) 해상풍력발전 현황 및 전망, 전기저널, 2020.11.16

(6,044GW)의 약 17%를 차지할 것으로 예상된다. 현재 국가별 해상풍력의 누적 설치용량은 영국 9,945MW, 독일 7,507MW, 중국 5,930MW, 덴마크 1,701MW, 벨기에 1,556MW 순으로 유럽과 중국이 선도하고 있다.

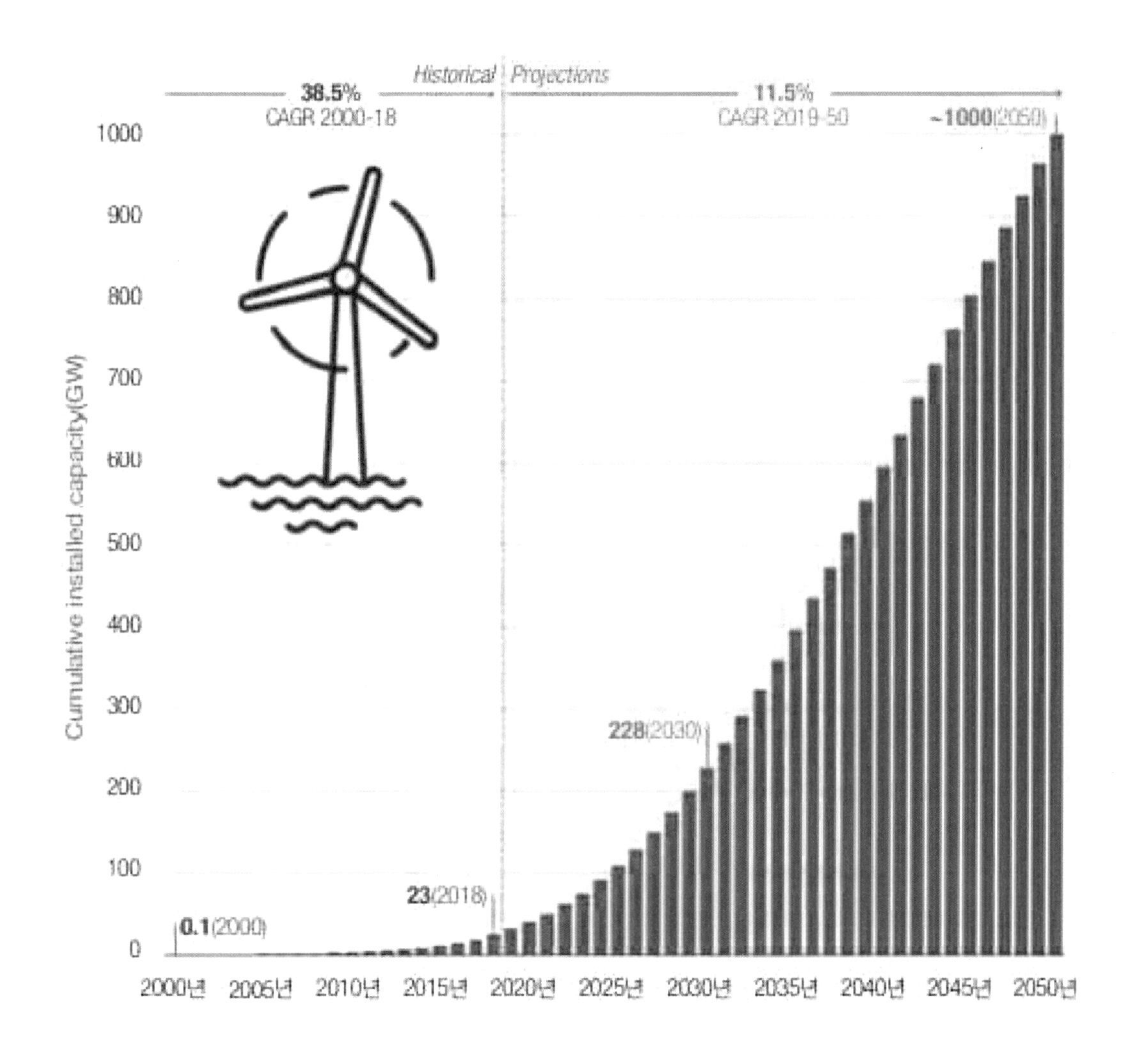

| 전 세계 해상풍력 설치용량 전망

• 자료 : IRENA, Future of wind, 2019년

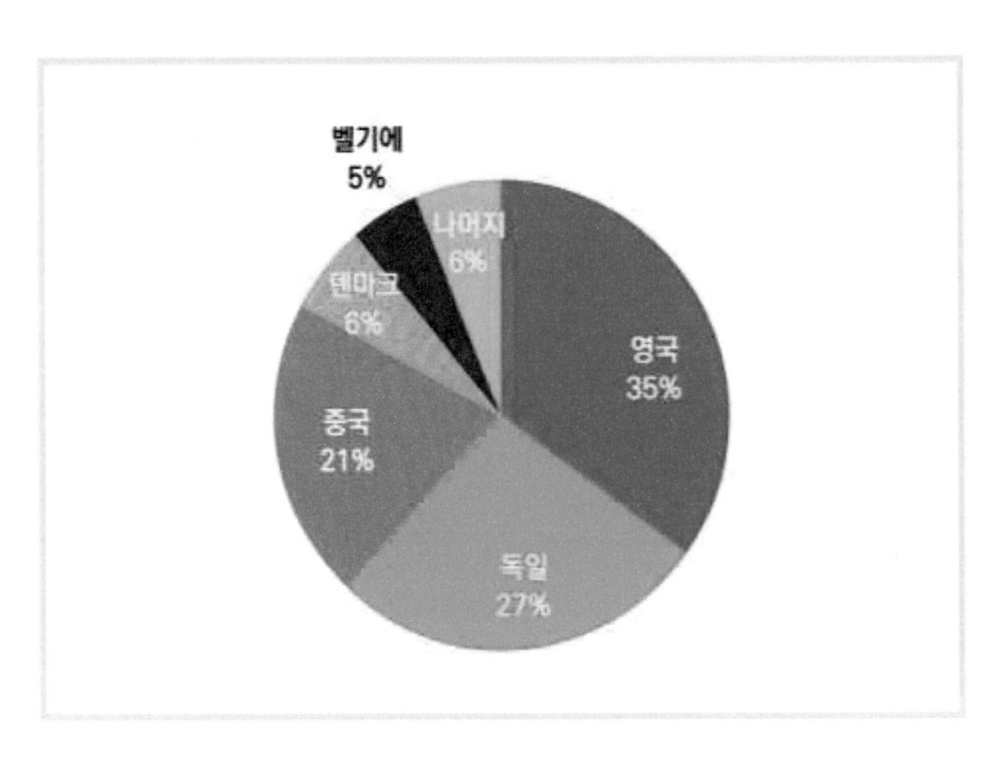

ǀ 국가별 해상풍력 누적 설치용량 비중

향후 전 세계 해상풍력의 가중평균 LCOE(균등화발전 비용)는 2030년 $0.05/kWh에서 $0.09/kWh, 2050년 $0.03/kWh에서 $0.07/kWh 범위일 것으로 전망된다. 이런 수준의 LCOE가 된다면 커다란 재정적 지원이 없더라도 해상풍력이 화석연료를 활용한 발전과 대등하게 경쟁할 수 있을 것으로 보인다.

해상풍력에 대한 전 세계 투자비는 2016년 역대 최고치인 276억 달러에 달했다가 2017년에 189억 달러로 줄었으나 2018년에 194억 달러로 다시 증가했다. 2018년 전 세계 해상풍력 투자비의 절반 정도는 중국에서 13개 해상풍력 단지 조성에 투자한 것이다. 전 세계적으로 향후 30년간 해상풍력에 대한 투자비 규모는 크게 증가해 2050년까지 누적 투자비가 2조 7,500억 달러 이상의 규모가 될 것으로 전망된다. 연간으로 보면 전 세계 연 평균 해상풍력 투자비는 2030년까지 현재보다 3배 이상 증가(연 610억 달러)하고 2031년부터 2050년까지는 5배 정도 증가(연 1,000억 달러)할 것이다. 투자비 대부분은 신규 설비 설치에 소요될 것으로 보이지만 2030년 이후에는 기존 노후설비를 교체하는 데에도 투자비가 일부 소요될 것으로 보인다. 2040년 이후에는 1/3 가량의 투자비가 노후 설비를 교체하는데 소요될 것으로 보인다.

또한 터빈 용량의 대형화 추세도 지속될 것으로 전망된다. 산업계에서는 2030년까지 15MW 용량의 대형 터빈을 개발하려는 계획을 가지고 있으며 더 나아가 20MW 규모의 해상풍력 터빈까지도 개발이 예상된다. 이러한 대형 터빈의 MW당 CAPEX(설비비용)는 높을 것이나 발전효율이 높아 발전량이 많아지고 기초구조물이나 설치에 소요되는 비용은 줄어 들기 때문에 LCOE는 낮아질 것이다. 신뢰성 향상 및 유지보수 용이성 증대로 인해 OPEX(운영비용) 또한 낮아질 것으로 예상되어 LCOE 저감에 긍정적인 영향을 미칠 것이다. 해상풍력 단지에 동일한 총 용량을 설치하더라도 터빈 용량의 대형화로 설치되는 터빈의 개수가 줄어들면 유지보수를 위한 현장방문 횟수가 줄어들고 보건안전 개선, 기초구조물 감소, 환경영향 축소 등의 긍정적인 영향이 있다.

우리나라의 경우, 해상풍력의 균등화단가는 불리한 입지와 기술격차로 인해 영국, 독일, 덴마크 등 선진국에 비해 상당히 높은 수준이다. 이는 잠재량에 해당하는 풍력 자원의 상대적 저하에 따른 입지조건의 차이는 물론 구조물 등의 비표준화에 따른 설치비용 상승, 환경문제와 다양한 규제에 따른 인허가과정의 장기화로 인한 비용, 단기의 설계 유지보수, 계통연계 등 운영 및 계통비용 등에 기인하는 것으로 보인다. 또한 최근 들어 태양광 보급 확대 등으로 인한 재생에너지발전의 일시적 공급과잉에 따른 REC 거래시장의 수급불균형, 사업구조 등에 따른 상대적으로 높은 기대수익율도 영향을 미치는 것으로 보인다. 정부가 의욕적인 해상풍력 확대계획을 추진 중이고 부유식 풍력 등 새로운 기술적 접근이 이루어지고 있으나, 아직도 해상풍력의 사업성은 상당히 낮으며 이를 해소하기 위해 보다 높은 보조금의 제공을 필요로 하고 있다. 이러한 방식은 일부 프로 젝트의 사업성을 높여서 단기적인 보급 확대에는 기여할 수 있을지 모르나 장기적으로 지속 가능하기는 어려울 것이다.

취약한 국내 해상풍력 경쟁력을 극복하기 위해서는 무엇보다도 먼저 가격경쟁력 즉, 공급비용의 하락이 수반되지 않으면 안 된다. 우리나라 신재생에너지의 공급비용은 앞으로 지속적으로 감소할 것으로 보인다. 다만, 해상풍력은 태양광에서와 같은 시장확대로 인한 규모의 경제 효과가 낮고 설치비의 비중이 높아서 공급비용의 하락이 상대적으로 낮을 것으로 보인다. 그럼에도 불구하고 시스템의 대형화, 입지 설계의 최적화, 공정 및 운전관리 표준화를 통해 지속적인 비용감소가 이루어질 것으로 보인다. 아울러 국내시장에서의 수급정상화, 인허가 등 관련 비용의 축소, 사업경험 부족으로 인한 프로젝트 리스크가 줄어들 경우 초기단계에서 비정상적으로 높아져있는 요인들이 제거되면서 추가적인 가격하락 요인도 발생할 것으로 보인다.

아울러 기술 경쟁력을 극복하기 위해서도 우리가 경쟁력을 갖고 있는 조선·해양플랜트 ICT 등 연관 산업을 접목하고 안정적 내수 시장 창출이 필요하며 이렇게 된다면 핵심기술의 확보를 앞당겨서 선진국과의 기술경쟁력 격차도 크게 줄어들 것으로 기대된다. 한편 국내에서 지난 2020년 7월 정부는 '주민과 함께하고 수산업과 상생하는 해상풍력 발전방안'을 발표했다. 해상풍력 발전방안은 2030년 해상풍력 세계 5대 강국으로 도약한다는 목표 하에 수립됐으며, ①정부·지자체 주도 입지 발굴 및 인허가 간소화 ②해상풍력에 적합한 지원시스템 마련을 통한 주민수용성 강화 ③해상풍력과 수산업 상생모델 마련·추진 ④대규모 프로젝트와 연계한 풍력산업 생태계 육성 등의 대책이 포함돼 있다. 해상풍력발전 사업은 기본적으로 사업의 규모가 크고 다양한 이해관계자가 존재하며 제도·기술·금융 등이 체계적으로 뒷받침돼야 한다. 과거 해상풍력 사업을 활성화하려다 제대로 된 후속 지원이 부족해 기업들이 사업을 철수하는 등의 어려움을 겪은 사례를 반면교사로 삼아 이번에는 대책을 마련하는데 그치지 않고 실행에 만전을 기할 계획이다. 이에 2030년까지 해상풍력 12GW 설치 목표를 달성해 연간 8만 7,000개의 일자리를 창출하고 지역사회 및 주민과 발전수익 공유로 지역발전에도 기여하기를 기대한다.

2) 풍력산업 향후 과제[197)]

2020년 5월 초 제9차 전력수급기본계획 초안이 발표됐다. 주요 내용은 2034년까지 신재생에너지 발전 비중을 40%대까지 높인다는 거다. 그러자 태양광에 가려 큰 주목을 받지 못했던 풍력(특히 해상풍력) 발전이 주목을 받고 있다. 태양광만으로는 신재생에너지 발전 비중을 높이기 어려워서다. 발전 단가가 많이 떨어졌다는 것도 장점이다. 이처럼 풍력 발전은 신재생 에너지 중 현재까지 가장 경쟁력이 높은 것으로 판단되고 있지만, 풀어야할 과제도 적지 않다. 기술 개발을 통해 원가를 낮추는 노력은 물론이고 정부의 보조 정책, 소음에 의한 주민과의 갈등조정 등이 필요하다.

197) 풍력발전 빛과 그림자, 시장 바람만큼 바람 거세려나, 더스쿠프, 2020.06.05

■ 풍력 발전 시장의 성장 가능성

1	선진국들의 탄소배출량 억제정책
2	정부의 신재생에너지 발전 확대정책
3	무분별한 설치 등 태양광 문제점 부각
4	풍력의 균등화발전비용 하락 추세
5	시장의 긍정적인 풍력 발전 성장성 평가

실제로 풍력 발전은 긍정적인 요인이 많다. 먼저 풍력 발전의 균등화발전비용(LCOE)[198]이 낮아지고 있다. 대략 2025년이면 해상풍력 발전의 LCOE가 현재 태양광 발전 LCOE(1MWh당 50달러 이하)와 비슷한 수준(1MWh당 60달러 내외)으로 떨어질 가능성이 높다. 한편에선 '이미 태양광 발전 LCOE와 비슷한 50달러 수준을 밑돈다'는 주장도 나온다. 국내 풍력 발전 시장의 성장이 예상되는 것도 이런 이유에서다. 지난해 국제에너지기구(IEA)는 세계 해상풍력 시장 규모가 2040년까지 매년 13%씩 성장할 것으로 전망했다. 선진국들이 탄소배출량 줄이기에 적극적이기 때문인데, 국내 시장 분위기도 이를 따라갈 가능성이 매우 높다.

그렇다고 장밋빛 전망만 나오는 건 아니다. 무엇보다 저유가 상황이 변수다. 일반적으로 유가가 낮으면 신재생에너지의 입지는 좁아진다. 경제성에서 밀리기 때문이다. 물론 정부가 정책적으로 신재생에너지를 밀겠다는 의지가 강하다는 점은 긍정적이다. 하지만 코로나19에 따른 재정 지출이 크다는 점을 감안할 때 정책 추진이 얼마나 탄력을 받을지는 두고 볼 일이다.

또한 아직까지 신재생 에너지 생산 가격이 석탄이나 원자력 발전 단가보다 높기

198) LCOE는 발전에 필요한 총비용(사회ㆍ환경적 부담 모두 반영)을 전체 발전량으로 나눈 값. LCOE가 낮을수록 경제성이 높다는 의미

때문에 정부의 보조금이 있어야 경쟁력을 유지할 수 있다. 2015년 상반기 설치 완료된 육상풍력발전 용량은 총 136.95mW로 2014년 대비 네 배에 이르지만 계통한계가격이 계속 하락할 것으로 전망돼 투자자금 회수기간이 그만큼 길어질 염려가 커지고 있다. 전력거래소는 기저부하인 원전과 석탄 화력발전소에서 생산한 전력 중 가장 싼 것부터 비싼 순으로 사들인다. 보통 석탄 화력발전 전력 가격이 계통한계가격(SMP)으로 결정되는데, 이 가격은 나머지 가스발전과 신재생에너지발전 전력구매가격이 된다. 이러한 현상은 6차 국가에너지기본계획에서 석탄 화력과 복합발전이 많이 지어지는 바람에 설비예비율이 목표치를 훌쩍 넘은 이후 심화됐다. 문제는 계통한계가격이 장기적으로 계속 떨어질 것으로 전망돼 풍력 발전의 수익률 하락이 예고돼 있다는 점이다. 한국개발연구원(KDI)은 계통한계가격이 2016년 97.68원, 2020년 80.81원, 2024년 69.41원으로 지속적으로 떨어질 것으로 전망했다. 석탄화력 발전 단가와 신재생 에너지 발전단가의 차액을 보전하기 위해 50만 kW 이상 발전사는 신재생 에너지 생산 업체와 장기 전력공급계약을 맺어 신재생에너지공급의무제도 상 공급인증서를 발급받도록 하고 있다. 문제는 이 공급인증서 가격 역시 하락할 전망이라는 점이다. 전력연구원은 공급인증서 가격이 1REC당 8만 원대로 추락할 것으로 보고 있다. 사정이 이렇게 되면 풍력발전사업자들은 신규 사업을 주저할 수밖에 없다. 풍력업계는 경제성을 확보하기 위해 가중치를 높이고 계통 비용 분담을 요구하는 등의 제도 개선을 요구하고 나섰다. 풍력산업협회는 한전 송배전 이용규정을 개정해 발전사업자 외에도 송배전 사업자(=한전)도 계통비용을 부담, 공급인증서에 붙는 가중치를 3.0으로 상향조정, 저탄소 설비가 경제성을 갖도록 지원하는 방안을 건의 중이다.[199)]

또 다른 문제도 있다. 해상풍력 발전 시장이 더 성장하려면 일정 수준의 발전량이 나올 만한 지역을 찾아야 하는데, 말처럼 쉽지 않다. 부유식 해상풍력 발전 설비를 운영하는 한 업체 관계자는 “막연히 ‘3면이 바다’라서 해상풍력 발전이 잘될 거라 생각하면 큰 오산”이라면서 “해상풍력 발전이 적절한 지역은 그리 많지 않기 때문에 경제성을 잘 따져봐야 한다”고 지적했다. 그는 “경제성 검토를 제대로 하지 못하면 돈만 낭비하는 상황이 벌어질 수도 있다”고 말했다. 여기에 풍력발전은 환경적인 측면에서 소음이나 경관의 손상 등의 문제를 유발할 가능성이 있다는 지적도 있다. 그러나 풍력발전기의 소음은 기술의 발달로 이제는 크게 신경 쓰지 않아도 될 수준이 되었다. 주택가 바로 옆에서 규모가 작은 풍력발전기의 날개가 바람이 불 때마다 빠르게 돌아간다면 소음이 약간 문제될 수가 있다. 그러나 요즈음 생산되는 발전기

---

199) 참조 : 에너지경제신문 2015.09.09 <풍력, 올해 설비증설 '대박' , SMP 하락 전망 '울상'>

는 날개 지름이 수십 미터에다 높이도 백 미터에 달하는 것들로서 주택가로부터 멀리 떨어진 넓은 들판이나 밭 한가운데에 세워지기 때문에, 소음 피해를 주는 경우는 거의 없다. 게다가 날개가 커지면 돌아가는 속도도 느려지고 바람을 가르는 소리도 약해진다. 그렇기 때문에 이러한 대형 풍력발전기의 경우는 가까이 다가가도 시끄럽게 돌아가는 소리는 전혀 들리지 않는다.

풍력발전기가 시각에 따라서는 자연경관을 변형하는 것으로 보일 수도 있다. 환경보존 주의자들은 풍력 발전 시설도 다른 발전시설과 마찬가지로 환경을 파괴하는 것으로 보기도 한다. 그러나 풍력발전기가 가져오는 손상은 화력발전소나 원자력발전소의 건설로 파괴되는 것과 비교하면 결코 심한 것이 아니다. 이들 발전소는 땅을 뒤엎고 그 위의 자연을 모조리 없앰으로써 환경을 손상하고 자연경관을 완전히 바꾸어버린다. 화력발전소는 많은 양의 온실기체와 오염물질을 방출하고 원자력발전소는 끊임없이 핵폐기물을 내놓는다. 반면에 풍력발전기 몇 대를 밭 가운데나 언덕 위의 좁은 땅 위에 세울 경우 이로 인해 파괴되는 것은 거의 없다. 풍력발전기가 세워지면 나무 몇 그루 정도만 손상을 입을 뿐이다.

풍력발전을 비판하는 사람들은 풍력으로 필요한 전기를 얻어 쓰려면 우리나라 땅 전체에 풍력발전기를 세워야 할 것이라고 주장한다. 풍력단지를 조성해서 전기를 생산할 때 단지의 면적 전체를 계산하면 그런 주장도 나올 수 있다. 그러나 단지 안의 땅은 쓸모없는 땅이 되는 것이 아니다. 그 땅 위에다 얼마든지 가축을 방목하거나 작물을 재배할 수 있다. 풍력발전기를 서너 개만 세울 때는 밭이나 논 가운데에도 세울 수 있다. 농사짓는 땅은 그대로 두고 그 중에서 약간의 면적만을 풍력발전기가 차지하는 것이다. 그러므로 풍력발전을 하기 위해서는 아주 넓은 땅이 필요하다는 주장은 터무니없이 과정된 것이다.

풍력발전기가 새들의 이동을 방해하는 일은 대형 풍력발전기가 철새 이동로에 대단위로 들어선 경우에 일어날 수도 있다. 그러나 그렇지 않은 지형에 들어선 풍력단지는 규모가 크더라도 새들의 비행에 아무런 걸림돌도 되지 않는다. 한두 개 세워져 있는 경우는 대다수의 풍력발전기가 새들에게 조금도 장애물로 작용하지 않았다. 조사에 의하면 풍력발전기 날개가 움직이기 때문에 새들이 발전기를 피하게 된다고 한다. 오히려 정지해 있는 대형 건물이 새들에게는 더 큰 장애물로 작용한다는 것이 밝혀졌다. 해마다 매우 많은 수의 새가 대형 건물에 부딪쳐서 죽는다는 것은 이미 잘 알려진 사실이다. 풍력발전기가 경관을 해친다는 주장은 송전탑과 비교하면 너무

과장이라는 것을 알 수 있다. 송전탑이야말로 숲을 해치고 경관을 크게 해친다. 이것에 비하면 적당하게 들어선 풍력발전기는 경관을 보기 좋게 만드는 데 기여한다고까지 말할 수 있다.[200)]

하지만 풍력발전기에 의한 소음 피해 등을 주장하는 주민들의 반대 여론도 많다. 풍력 발전기 주변 주민들은 소음과 진동, 저주파 등의 보이지 않는 피해를 주장한다. 실제로 전라남도는 2015년 2월 공무원과 의학전문가 등 25명을 투입해 풍력발전시설 피해를 호소하는 영암군과 신안군 주민 399명을 대상으로 설문조사와 현장 확인 등의 방법으로 건강실태조사를 조사했다. 이 조사 결과 보고서는 "풍력발전시설 인근 지역 주민은 수면장애, 이명, 어지럼증 등을 호소하고 있다"며 "풍력발전시설로 인한 소음에 대해 가까이 있는 사람뿐 아니라 멀리 떨어져 있는 사람도 소음 불편을 느끼고 있다"고 밝혔다. 풍력 발전에 대한 지역 주민들의 반대가 심해지자 지방자치단체들이 풍력 발전 사업을 불허하는 경우가 늘고 있다. 전남 장성군은 최근 태청산 일대 풍력발전단지 건립에 주민들이 반대하자 사업계획을 전면 백지화했다. 전라남도 신안군 자은면에 추진 중인 87mW 급 풍력발전 사업도 주민들이 반대하고 나서자 사업 자체가 난항을 겪고 있다.

풍력발전은 환경부의 '육상풍력 개발사업 환경성 평가 지침'에 따라 화력이나 원자력 발전소 못지않은 엄격한 규정을 적용하고 있다. 풍력발전을 앞서 도입한 유럽도 지역에 안착하는데 10년이나 걸렸다는 점을 감안해서 서두르기보다는 풍력과 환경에 대한 합리적인 역학조사가 선행되어야 하고 실정에 맞는 기준을 만들 필요가 있다. 풍력 발전은 지속가능한 에너지로서 의미가 있지만 주민의 건강권과 환경권을 침해하지 않는 범위 내에서 건설해야 하고 국가가 나서서 기반 시설을 만들어줘야 한다.[201)]

---

200) 참조 : http://energyvision.org/37
201) 참조 : 매일경제신문 2016.06.17 <친환경 에너지 풍력발전…약인가 독인가>

다. 수소연료전지

1) 수소·연료전지 산업 전망[202)]

전 세계에서 생산되는 수소생산량은 약 3,800만 톤 정도가 된다. 역시 에너지 분야에 극히 일부가 사용되고 있지만, 수소와 연관된 주변 인프라 발전소 연료전지 등에서 새로운 산업으로 성장이 예상되고 있다. 닛케이 BP 클린테크연구소에 따르면 향후 수소 인프라의 규모는 2050년 약 160조 엔 규모로 성장 할 것으로 예측하고 있다.

전 세계 연료전지 보급현황을 종류별로 살펴보면 자동차나 가정용 연료전지인 PEMCF 도입이 주를 이루고 있으나 미국, 한국 등은 발전용 연료전지용으로 MCFC가, 일본과 미국은 가정용 연료전지에 대한 수요 확대로 SOFC 보급도 크게 증가하고 있다. 자동차용 연료전지 보급을 위한 수소충전소 보급도 전 세계적으로 보면 아직은 미미한 수준이기는 하나 자동차 수요 증가에 대비하여 점차 보급 확대가 예상되고 있다.

우리나라는 2005년 정부주도로 친환경 수소경제 강국건설을 목표로 수소 경제 국가비전 및 실행계획을 수립하였고, 수송부문, 발전부문, 가정상업문의 연료전지 보급목표를 세우고 최종에너지 중 수소비중을 2040년에 15%로, 그리고 BaU 대비 CO_2 저감 비중을 20%로 전망하였다. 이와 병행하여 수소경제 실현을 위한 장기로드맵을 수립, 2010~20년 사이에 기술개발을 촉진하고, 2030년까지 수소·연료전지 도입을 추진, 2030년을 기점으로 상용화를 시작으로 2040년에 수소경제가 정착하는 것으로 하였다. 최근에는 한국판 뉴딜 종합계획에서 발표한 10대 대표과제 중 하나인 전기차·수소차 등 정부 주도하에 친환경 미래 모빌리티 보급 확대에 나서고 있다. 사업용 수소차에게는 연료 보조금을 지원하고, 구체적으로 수소차는 2025년까지 20만대를 보급할 계획이며, 시내버스로는 2025년까지 4천대, 중·대형 화물차는총 645대를 보급할 계획이다. 보조금액은 수소버스 기준 약 3,500원/kg 정도로, 향후 수소 가격에 따라 변동될 예정이다. 또한 이는 수소버스를 시작으로 점차 대상을 늘려나갈 계획이다.[203)]

또한 2022년 누적 1GW(내수) 보급시, 규모의 경제 달성 가능할 것으로 보이며, 2040년에는 설치비와 발전단가를 2018년대비 각각 35%, 50% 수준으로 낮출 수 있

---

202) 연료전지, 신재생에너지 시장의 다크호스를 꿈꾸다, IBK투자증권
203)2025년까지 전기차 113만대, 수소차 20만대 보급, 스트레이트뉴스, 2020.07.22

을 것으로 전망(2025년 중소형 가스터빈 발전단가인 190~200원/kWh와 대등한 수준 도달 전망)된다. 여기에 새만금 연료전지(2022년, 100MW) 등 대규모 사업들이 추진될 예정이며, 밸류체인 협력업체도 2018년 224개에서 2030년 1,000개로 확대가 기대된다.

2) 수소·연료전지 산업 향후 과제

수소는 복잡성을 가지고 있는 새로운 형태의 에너지로 시장의 다양한 측면이 얽혀 있기 때문에 급격한 시장 확대는 기대하기 어렵다. 따라서 기업이 장기적, 지속적으로 사업에 투자할 수 있도록 유도하는 산업육성 시스템 구축이 필요할 것이다. 이와 더불어 기존 에너지원의 대체라는 관점보다는 전체 에너지시스템 속에서 수소에너지의 특성을 효율적으로 활용할 수 있는 계획 수립 및 방안 마련이 중요한 과제가 된다. 이에 따라 수소에너지의 특성을 고려할 때, 국내의 에너지시스템 간의 관계 및 지역별 특성, 기술발전 동향, 시장규모 등을 고려한 정량적 수요예측과 공급방안 마련이 필요할 것이다.

무엇보다 정부중점적인 발전 형태를 변화시키기 위해서는 정부의 명확한 의지표명을 통해 시장의 불투명성을 해소하고, 민간의 참여를 이끌어야 한다. 수소산업의 초기 활성화 및 향후 자립화를 위해서는 민간 투자가 필수적인데 이를 위해서는 수소산업 육성에 대한 정부의 정책적 의지를 시장에 명확히 전달하는 것이 중요하다. 특히 수익성이 불확실한 산업 초기단계에서 민관이 공유할 수 있는 보다 구체적인 목표 및 로드맵, 추진전략의 제시는 민간 투자 유도에 매우 효과적이다.

7

신재생에너지산업 주요기업

7. 신재생에너지산업 주요기업[204)]

가. 태양광

1) OCI

시가총액	2조 8,858억
상장주식수	23,849,371
설립일	1974년 7월 1일
상장일	1985년 7월 9일
매출액	2조 6,051억 4,220만 (2019.12. IFRS 연결)

표 39 OCI 기업정보

OCI는 고부가가치 화학제품을 생산해온 업체로, 화학 산업에서 얻은 기술력, 공정 노하우, 효율적인 제조능력 등을 활용하여 고성장ㆍ고수익이 기대되는 사업들을 발굴해왔다.

OCI의 모체인 동양화학공업은 지난 1868년 인천에 소다회 공장을 준공한 이후 1975년 한불화학 설립, 1978년 울산 인산칼슘공장 준공 등 본격적으로 화학 사업을 전개해왔다. 동양화학공업은 2001년 제철화학을 인수합병하면서 동양제철화학(DCC)으로 상호를 변경했으며, 2009년 4월 1일 회사의 상호를 현재의 OCI로 변경했다.

OCI가 본격적으로 태양광 발전 사업에 뛰어든 것은 2011년부터다. OCI는 그해 10월 군산 폴리실리콘 공장을 완공한 이후 2012년부터는 태양광발전사업을 신성장동력으로 선정, 회사의 주력 분야로 키웠다.

OCI는 현재 포항, 광양, 익산, 천안 등 국내 각지와 미국, 중국 등 해외에 생산시설을 보유하고 있으며, 당사에서 생산한 제품들은 태양광 발전 등과 같은 그린 에너지산업에서 반도체, TFT-LCD와 같은 첨단 기술 산업, 그리고 자동차, 소비재 등과 같은 산업에 이르기까지 다양한 산업 군에서 활용되고 있다.

당사의 사업은 베이직케미컬 사업 부문, 카본케미컬 사업 부문, 에너지솔루션 사업

---

204) "2년 앞섰다" 韓태양광 기술, 세계가 알아보기 시작했다, 머니투데이, 2020.07.23

부문, 기타 사업 부문으로 구성되어 있다. 이 중 베이직케미컬과 카본케미컬 사업 부문의 비중이 가장 높으며, 베이직케미컬의 폴리실리콘 제조와 에너지솔루션 부문의 태양광 다운스트림 산업이 시너지를 낼 수 있을 것으로 보인다.

베이직케미컬 부문은 매출액 비중이 56%, 카본케미컬 부문이 24%, 에너지 솔루션 부문이 18%, 기타 부문이 2%로 가장 비중이 큰 분야이다. 현재 OCI의 베이직케미컬 부문에서 폴리실리콘 등 태양광 소재 사업이 44%를 차지하고 있다.

또한 OCI의 카본케미컬 사업을 살펴보자면, OCI는 2000년 카본블랙을 생산하는 제철화학과 제철유화를 인수하여 본격적으로 카본블랙 사업을 시작했다. '석탄화학의 쌀'로 불리는 콜타르를 정제해서 카본블랙(타이어 등의 소재), 핏치(알루미늄 제련에 사용), TDI(포장·절연 재료로 사용되는 폴리우레탄 폼을 제조하는데 사용)등을 생산한다. 40년 노하우를 바탕으로 국내에서 연간 27만 톤의 생산 능력을 보유하고 있으며, 국내 최대 생산능력과 시장점유율을 갖고 있다. 2016년에 연산 8만 톤 규모의 중국 OCI Jianyang Carbon Black 공장을 준공하여 상업생산하고 있다. 카본블랙과 핏치 등의 가격이 최근 강세를 보이면서 OCI카본케미컬 사업 실적도 개선될 것이라는 분석이 나온다. 코타르 생산량이 감소하면서 카본블랙과 핏치 공급도 타이트해지고 있는 것이다.

이어 에너지 솔루션 부문에서는 OCI는 지난 2012년 미국 텍사스주에 총 507MW의 대규모 태양광발전 프로젝트를 수주하면서 태양광발전사업에 본격 진출했다. 'Alamo 프로젝트'라고 불리는 이 태양광발전 프로젝트는 2012년부터 2017년까지 총 8개의 태양광발전소를 건설하는 것으로, 12만 가구에 전기를 공급할 수 있는 북미 최대 573MW 규모의 태양광발전 프로젝트다. Alamo 프로젝트는 폴리실리콘을 국내 최초로 개발해 일찌감치 신재생에너지 분야에 진출한 OCI가 한국기업 최초로 북미 태양광발전 시장에 도전하여 사업능력을 인정받고 태양광 시대를 본격적으로 열었다는 점에서 의미가 크다. 이후, OCI는 2015년 중국 저장성 자싱시에 2.6MW 규모의 태양광발전소를 건설하며, 잠재력이 큰 중국의 분산형 태양광발전시장에 진출했고, 중국 각 지역 자치정부과 긴밀한 네트워크를 맺으며 높은 가동율과 내구력을 가진 태양광발전소를 차례로 건설하며 중국시장을 개척해 나가고 있다.

한편, OCI는 국내 태양광발전사업을 추진하기 위해 지난 2012년 OCI Power를 설립했다. 국내 태양광 발전소 개발 및 운영 경험을 바탕으로 사업개발 뿐만 아니라,

발전소 시공, 관리운영 및 OCI 전용 태양광펀드를 통한 금융조달까지 사업영역을 다각화하여 원스톱 태양광 서비스를 제공하고 있다. 또한, OCI는 미국과 한국에서 주파수 조정과 공장전력 수요관리용 ESS 사업을 진행 중이며, 태양광 발전에 연계하는 PV+ESS 사업으로 진출을 준비하고 있다. 나아가 전기차 배터리를 태양광 발전용 ESS로 재활용하는 신사업을 추진하고 있다.

신재생 에너지에 대한 관심이 고조되면서 태양광 시장도 지속적인성장이 기대되는 상황에서 OCI는 4차 산업혁명 시대를 맞아 회사의 신성장동력으로 태양광 발전사업과 폴리실리콘 및 카본블랙 사업에 주력하고 있어 앞으로의 발전이 기대된다.

특히 실리콘은 Mg-Si를 정제하여 만드는 초고순도 제품으로, 태양전지 및 반도체 웨이퍼의핵심소재로 사용된다. 대만, 중국 등 세계 주요 태양광 업체와 폴리실리콘 장기공급계약을 체결하고 있으며, 대부분 수출하고 있다. 또한 50년 이상 고부가가치 화학제품 생산에 매진해오면서 이를 통해 얻은 경험, 공정기술에 대한 심도 있는 지식과 노하우를 바탕으로, 폴리실리콘 같은 신규 사업에서 보다 빠르게 선도적 위치를 확보해 왔다.

태양광과 반도체 산업에 필요한 순도 10N 과 11N수준의 폴리실리콘을 상업적으로 제조할 수 있는 세계에서 몇 안 되는 폴리실리콘 생산업체중 하나이며, 또한 52,000톤의 생산능력을 확보한 세계 3대 폴리실리콘 제조업체이다.

<향후전망>[205)206)207)]

OCI의 사업은 크게 '베이직케미칼'과 '카본케미칼'로 나뉜다. 베이직케미칼은 태양광·반도체용 폴리실리콘, 과산화수소, 톨루엔디이소시아네이트(TDI) 등을 생산 및 판매한다. 카본케미칼 사업은 석유화학 기초소재인 카본블랙, 타르, 벤젠·톨루엔·자일렌(BTX) 등의 생산 및 판매를 담당한다. 매출 비중은 베이직케미칼과 카본케미칼이 각각 48%, 37%를 차지한다.

이중 주력 사업인 태양광용 폴리실리콘이 2년 전부터 부침을 겪었다. 글로벌 공급과잉, 중국의 태양광 보조금 축소에 따른 수요 감소로 kg당 20달러대였던 폴리실리콘 가격이 2019년 10달러 아래로 떨어지면서 손익분기점(BEP)에 못 미쳤다. 폴리실

205) OCI, 중국에 9300억 폴리실리콘 공급, 파이낸셜뉴스, 2021.02.08
206) 태양광용 폴리실리콘 '진퇴양난' , 팍스넷뉴스, 2021.02.17
207) 기지개 켜는 태양광시장, 한화·OCI "반등 준비 끝", EBN, 2021.02.16

리콘 업체들의 BEP는 13~14달러인 것으로 전해진다. 그 결과 OCI는 2019년 1800억원의 영업손실과 8000억원의 순손실을 냈다. 전년 영업이익 1587억원, 순이익 1040억원과 비교하면 크게 감소한 수준이다. OCI의 2019년 자본총계는 2조7000억원으로 전년대비 8000억원 줄어들었다. 이는 대규모 순손실로 이익잉여금이 줄어든 탓이다. 자본계정 중에서 2018년 2조5000억원이었던 이익잉여금이 대규모 순손실 반영으로 2019년 1조7000억원으로 감소했다. 이에 따라 부채와 자본의 합인 자산규모 역시 2019년 4조8000억원으로 전년대비 8500억원가량 감소했다.

2020년에도 OCI는 국내 폴리실리콘 사업 부실을 털어냈다. 군산 P4 설비 등 2640억원을 손상으로 처리하면서 지난해 2550억원의 순손실을 냈다. 그 결과 2020년 말 기준 자산총계는 4조4000억원으로 전년대비 4000억원 감소했다. 2018년 5조6000억원과 비교하면 2년 만에 약 1조2000억원가량 감소한 셈이다. OCI는 태양광용 폴리실리콘 생산능력을 대폭 줄인 대신, 반도체용 폴리실리콘 비중을 확대하며 사업을 재편하고 있는데, 과산화수소 사업도 포스코케미칼과 합작법인을 설립하는 등 공격적으로 확대하고 있다. 이에 태양광용 폴리실리콘을 제외한 다른 사업들의 실적이 핵심 캐시카우로 자리매김해야 실적 정상화가 가능할 전망이라는 분석도 제기됐다.

한편 OCI 2021년 2월, 글로벌 1위 웨이퍼 제조사 중국 론지솔라와 대규모 공급계약을 체결하는 등 태양광 사업 실적 정상화에 불이 붙었다. OCI는 말레이시아 자회사 OCIMSB가 중국 LONGi Solar에 오는 2024년 2월까지 3년간 8억4550만달러(9300억원) 규모의 폴리실리콘을 공급한다고 밝혔다. 이는 OCI의 지난 2019년 연결기준 매출액의 35%에 해당하는 규모이며, 공급물량은 한화로 약 9300억원 규모다.

LONGi Solar는 태양광 웨이퍼 분야 세계 1위 기업으로, 중국은 지난해 48GW의 태양광을 설치하며 고효율 태양전지에 대한 수요가 증가하고 있는 상황에서 OCIMSB의 고효율 모노웨이퍼용 폴리실리콘 공급능력을 인정받아 이번 계약이 성사됐다는 설명이다. 이를 통해 OCIMSB는 현재 말레이시아 공장에서 생산하는 연산 3만t에 내년까지 증설될 5000t 물량까지 총 3만5000t 규모의 태양광용 폴리실리콘의 안정적인 판매처를 확보하게 됐다. OCI는 신재생에너지 산업의 성장에 발맞춰 OCIMSB의 생산능력을 생산공정 개선을 통해 기존 3만t에서 2022년 하반기까지 3만5000t으로 확대할 계획이다. 군산의 유휴 설비를 일부 활용해 설비이용 효율화 및 투자비 절감 노력에도 집중하고 있다.

최근 OCI는 주력사업인 폴리실리콘 호조에 힘입어 영업이익 흑자전환을 시현하며 흑자기조를 이어가고 있다. 연간 실적 기준 턴어라운드에는 실패했지만 태양광 시장의 수요 성장을 발판으로 판매처 다각화 및 생산능력 확장은 지체없이 추진 중이다. 회사는 폴리실리콘 생산 캐파를 기존 3만톤에서 2022년 하반기까지 3만5000톤으로 확대할 계획이다.

2) 신성이엔지

시가총액	6,495억
상장주식수	172,993,713
설립일	1977년 1월 20일
상장일	1993년 10월 5일 (최초 상장)
매출액	4,511억 2,364만 (2019.12. IFRS 연결)

표 40 신성이엔지 기업정보

중견 태양광 업체인 신성이엔지는 태양전지, 모듈 제작부터 시공 사업까지 일괄적으로 다루고 있으며, 수상태양광용 모듈과 함께 고효율 고출력 태양광 모듈 제품을 주력으로 내세우는 중이다. 국내에서 태양 전지를 생산하는 기업은 한화, LG전자, 현대중공업, 그리고 GS그룹의 E&R솔라 정도이다. 그 중에 중소·중견기업에서 태양광과 관련된 모든 사업을 추진하는 곳은 신성이엔지가 유일무이하다. 2017년 '신성이엔지'로 사명을 변경하였다.

1977년 신성기업사를 설립하며 냉동공조기 사업으로 첫발을 내딛은 신성이엔지는 항온항습기, 제습기, 공조기, 반도체클린룸 제조 등으로 다져온 기술력을 모아 창립 30주년을 맞은 2007년 태양전지와 태양광모듈 제조 사업을 새로운 성장 동력으로 선정하며 태양광 사업에 뛰어들었다.

2010년대 초반 중국의 태양광시장 공략으로 힘겨운 시기를 보내면서 1세대 기업들이 모두 사업을 접을 때도 있었지만 신성이엔지는 이러한 위기를 잘 극복했다. 반도체 생산전문 기술력과 태양전지 연구개발 전문 기술력이 만나 최고의 시너지 효과를 낸 덕분인 것으로 평가된다.

이러한 점이 신성이엔지가 고효율 태양전지 개발의 원천기술을 확보할 수 있었던 노하우이기도 하다. 특히 생산라인과 연구개발 테스트 라인이 함께 있어 다양한 실험과 연구개발의 성과가 생산으로 바로 반영될 수 있도록 하는 자체 기술연구소를 운영하며 시장의 빠른 변화에 대응하고, 품질과 경쟁력을 높이고 있다.

국내 사업 현황을 구체적으로 살펴보면, '태양전지'는 충북 증평에서 연간420mW을 생산하고 있으며 말까지 600mW 이상 증설할 계획을 가지고 있다. 국내뿐만 아니라 국외에서도 태양전지 요청이 많이 들어오고 있는 편인데, 한국산 제품을 사용하고자 하는 미국, 유럽 태양광 업체가 많기 때문에 요청이 끊이지 않고 있다.

2016년 용인에 위치한 신성이엔지 대표 스마트공장을 태양광에너지를 기반으로 해 에너지자립 사업장으로 준공한 바 있다. 스마트공장의 옥상과 도보에는 총 650kW의 태양광 시스템과 1MWh의 에너지저장장치(ESS)가 설치되어 있다. 용인사업장은 태양광에너지로 충전된 전력을 저장, 판매 및 소비하는 구조로 실시간 모니터링 시스템을 가동해 더욱 효과적인 전력운영이 가능한 곳이다. 재 태양광 발전기에서 생산한 전력 70%는 공장을 돌리는 데 쓰고, 나머지 30% 가량은 ESS에 담았다가 한국전력에 판매한다. 용인 스마트공장은 에너지 효율화를 달성하고 자급률을 높이며 대한민국 에너지산업의 현시점을 보여주는 대표적인 예가 되었다. 이 뿐만이 아니다. 신성이엔지는 태양전지와 태양광모듈 제조와 함께 인버터, ESS, 전기차 충전 등 사업영역을 확장하며 이 회장이 10여년전 신성이엔지를 설립하며 꿈꾼 전기 자급자족시대를 스스로 열어가고 있다.

'태양광 모듈'은 충북 음성에서 연간 150mW를 생산하고 있다. 모듈 또한 국내와 국외에서 많이 팔리는데, 특히 일본에 모듈이 많이 판매되며 2012년 일본에 지사를 설립해서 현재까지 안정적으로 매출이 일어나는 상태이다. 매출구성은 태양전지 96.89%, 태양광시스템 2.32%, 상품 0.2%, 임대 0.58%로 구성되어 있다.

이처럼 신성이엔지는 태양광 에너지 사업으로 태양광 모듈 사업을 주로 하고 있는데, 실제로 태양광 모듈로 고품질 고효율의 제품과, 원스톱 설계 시공 솔루션까지 제공하고 있다. 한편 신성이엔지는 현재 클린룸 사업 또한 진행중인데, 이 사업에서 태양광 사업뿐만 아니라 항공 우주 분야에서의 혁실을 만들려고 노력중에 있다.

<향후전망>208)

2018년 초 미국에서 시작한 세이프가드를 시작으로 미·중 무역 전쟁이 이슈가 되며 큰 피해가 우려되었지만 신성이엔지는 제품의 신뢰성과 고유의 기술력을 강조하며 위기를 돌파했다. 그 결과 2017년에는 단결정 PERC 태양전지 양산 효율 21.7%fh 세계 최고 수준에 이르렀고, 성장하는 태양광 시장에 발맞춰 고밀도, 고출력 태양광 모듈을 지속적으로 개발하고 있다.

신성이엔지는 2018년 하반기 고밀도·고출력 태양광 모듈인 HCM(Half Cut Module)과 Power XT 모델을 신규로 선보인 바 있다. 두 제품 모두 모듈화에 따른 출력 감소를 최소화하기 위해 태양전지를 절단한 후 효율적으로 배열해 만든 제품으로 정밀한 제조 기술이 요구되며, 높은 출력의 경쟁력을 가졌다.

고밀도·고출력 태양광 모듈 'HCM'은 태양전지를 반으로 절단해 배치한 형태로 전기적 저항에 의한 손실을 최소화해 출력을 증가시킨 방법을 적용했다. 약 19%에 이르는 효율로 좁은 면적에 더 큰 용량을 설치할 수 있어, 공간 활용과 전체 시스템 비용 절감의 효과를 누릴 수 있는 효자 제품으로 떠오르고 있다.
신성이엔지의 야심작 'Power XT'는 절단한 태양전지를 기왓장 형식으로 배열해 전극에 의한 빛의 반사 손실을 최소화하고 프레임 공간을 효율적으로 활용한 제품으로 일반 모듈 대비 무려 20% 이상의 높은 출력을 갖춘 혁신적인 제품이다. 또한 검정색으로 통일된 표면의 디자인으로 건물 벽면이나 옥상에 설치 시 조화로운 시각적 효과를 이뤄 미국과 유럽 시장에서 높은 인기를 끌고 있다.

2020년 신성이엔지는 클린룸,태양광 모듈 등 전방산업 투자 확대에 힘입어 전년 대비 매출·영업이익을 개선했다. 신성이엔지는 클린환경 사업부문(CE)과 재생에너지 사업부문(RE) 모두 성장한 것으로 나타났다. 신성이엔지는 지난해 연결 기준 매출액 4823억원, 영업이익 185억원을 기록했다고 밝혔다. 저년 대비 매출액은 19.8%, 영업이익은 156.2% 각각 증가했다. 부채비율은 120%로 전년 말 241% 대비 절반으로 줄었다.

클린환경 사업부문은 지속적인 반도체와 디스플레이 투자 확대로 클린룸 주요 장비인 산업용 공기청정기(FFU) 공급과 제조 시설 공사를 확대했다. 세계 이차전지 생산시설이 증가하면서 생산 시설 주요 설비인 드라이룸의 보급도 확대했다. 해외 지법인은 과거 매출 10~20%의 드라이룸 비중이 2019년 이후 증가하면서 50%를 넘어섰다.

---

208) 신성이엔지, 지난해 미출 전년 比 19.8% 상승...클린룸·태양광 확대, 전자신문, 2021.02.09

재생에너지 사업부문은 국내 그린뉴딜과 새만금 재생에너지 확대 정책에 따라 태양광 모듈 보급을 늘렸다. 특히 올해부터 생산에 돌입한 김제사업장은 700MW로 규모의 경제를 달성했다. 지난해 신안 안좌 스마트팜앤쏠라시티에 96MW, 전남 신안에 24MW, 한양이 새만금에 설치하는 73MW 수상 태양광 등 다수 대규모 프로젝트에 태양광 모듈을 납품하고 있다.

3) 한화케미칼[209][210]

시가총액	8조 2,170억
상장주식수	163,110,394
설립일	1969년 8월 26일
상장일	1974년 6월 19일
매출액	9조 5,032억 8,622만 (2019.12. IFRS 연결)

표 41 한화케미칼 기업정보

한화케미칼은 PE에서 PVC 및 CA에 이르기까지 일관된 생산체계를 구축한 종합화학 기업이며, 유기화학과 무기화학 산업의 균형을 이루고 있다. 세계적인 기술과 품질 경쟁력으로 아시아 화학산업을 선도하고 있는 한화케미칼은 기존사업의 경쟁력 강화, 글로벌 사업영역 확대, 미래 유망사업 발굴 등을 통하여 석유화학 경기 변동에도 흔들림 없는 안정적 수익 창출 기반을 확보하여 최고의 경쟁력을 갖춘 글로벌 화학 선도 기업으로 도약하고 있다.

또한 2011년부터 당사가 도입한 K-IFRS에 따라 연결 대상 종속회사를 통하여 플라스틱제품 제조업(한화첨단소재 등), 소매업(한화갤러리아, 한화갤러리아타임월드 등), 부동산업(한화도시개발 등), 태양광사업(Hanwha Q CELLS Co., Ltd. 등) 및 기타 사업을 영위하고 있다. 매출구성은 태양광 42.74%, 원료 40.49%, 기타 17.19%, 가공 10.94%, 유통 6.95%, 연결조정 -18.30%로 구성되어있다.

이같은 바람을 타고 가시적 재도약이 기대되는 대표적인 기업이 국내는 물론 전세계 태양광 산업 선두주자라 할 수 있는 한화다.

209) "2년 앞섰다" 韓태양광 기술, 세계가 알아보기 시작했다, 머니투데이, 2020.07.23
210) 기지개 켜는 태양광시장, 한화·OCI "반등 준비 끝",EBN, 2021.02.16

그중 자회사 한화큐셀은 셀 생산 능력 세계 1위의 태양광 토털 솔루션 기업이다. 태양광 발전의 미드스트림에 해당하는 잉곳·웨이퍼, 셀, 모듈 생산부터 개인 주택·상업 시설·대형 발전소에 이르는 다운스트림 분야의 솔루션을 보유하고 있으며 한화케미칼의 폴리실리콘 사업과 더불어 한화그룹의 태양광 사업 수직계열화 시너지에 크게 기여하고 있다.

한화가 본격적으로 태양광 사업에 뛰어 든 것은 중국 '솔라펀파워홀딩스'를 인수한 2010년으로 거슬러 올라간다. 한화는 그동안 독일 '큐셀'을 인수, 한화큐셀과 한화솔라원 통합 후 석유화학·태양광·첨단소재를 아우르는 한화솔루션을 출범하는 등 10년간 탄탄한 기초체력을 키워 왔다. 한화그룹은 2010년 태양광 사업에 진출한 이후 전략적인 인수합병과 과감한 투자를 통해 사업 진출 약 5년 만인 2016년 1분기, 셀 생산규모 연간 5.2GW의 세계 1위로 한화큐셀을 승격시켰다. 태양광사업을 담당하고 있는 한화큐셀은 현재 미국, 독일, 일본 등 시장점유율 1위다. 2020년 1월 기준 전세계 연간 9.6GW의 셀 생산능력과 11.3GW의 모듈(태양광 셀을 이어붙인 것) 생산능력을 보유하고 있다. 태양광 밸류체인이 원료·소재→제품→설비로 이어진다면, 현재 한화가 집중하고 있는 분야는 제품에서 설비로 이어지는 가치사슬이다.

규모의 경제와 기술력을 모두 갖춘 한화큐셀은 세계 각국 태양광 시장에서 주요한 위치를 선점하며 대규모 실적을 쌓아가고 있다.

PERC셀 기술을 바탕으로 개발한 한화큐셀 퀀텀 기술은 다결정인 경우에도 단결정 셀에 준하는 전환 효율을 자랑하는 셀 기술로, 본 셀로 제작된 Q.PLUS 모듈은 독일 함부르크에서 열린 태양광 산업 대전 2015(Solar Industry Awards 2015)에서 모듈 제조 혁신상(Module Manufacturing Innovation)을 수상하기도 했다.

독자적인 개발 인프라를 바탕으로 한화큐셀은 독일 탈하임에 위치한 기술혁신센터를 중심으로 중국, 말레이시아, 한국을 아우르는 태양광 R&D 네트워크를 갖추고 Anti-PID, Hot Spot Protection 등을 비롯한 태양광 기술 개발에 투자를 지속하고 있다.

2013년 2월 일본 최대 태양광 발전소(Developer Marubeni Corp., 약 82mW)와 모듈 공급 계약을 체결하고 2013년 2월부터 납품을 시작했으며, 12월에는 하와이오하우섬 내 칼렐루아 재생에너지 파크에 5mW 규모의 태양광 발전소를 준공했다. 2014년 유럽과 일본의 지붕형(Roof. Top) 시장과 미국·태국·칠레·중남미의 대규모 발전 시장을 개척했으며 이에 따라 2014년 일본을 비롯한 영국·프랑스 등 유럽 신흥 시장에서 대규모 태양광 발전 사업을 연이어 수주하고, 일본시장에서는 2013년 해외 업체 중 시장 점유율 1위를 달성했다. 2015년 4월, 미국 넥스트에라(NextEra)와 단일 공급 건으로는 업계 최대 규모인 1.5GW 모듈 공급 계약을 체결함으로써 전 세계 태양광 주요 시장인 미국에서 선도적 위치를 구축했다.

한화는 2020년 초 주원료에 해당하는 폴리실리콘 사업에서 철수한다 밝혔다. 중국에서의 저가 공세 탓에 경쟁력이 없다는 판단에서다. 향후 고출력·고효율 제품 및 설비에 집중해 부가가치를 더 높인다는 전략이다. 고출력, 고효율일수록 하이엔드 제품으로 여겨진다. 그만큼 높은 기술력과 연구개발이 필수다. 이는 선진국 시장에서 각광받을 뿐만 아니라 국토 면적이 작은 한국 상황에도 적합한 것으로 여겨진다. 얼마나 더 많은 양의 빛을 셀 내부로 반사시켜 더 많은 에너지를 출력하는지에 따라 제품 품질이 갈리는데 한화큐셀은 경쟁사 대비 1~2년 더 앞선 기술 경쟁력을 갖춘 것으로 평가받고 있다.

한화의 전략은 단순 제품 판매에만 그치지 않는다. 태양광 발전소 개발과 건설, 운영까지 아우르는 '다운스트림'(소비자에게 에너지를 최종 공급하는 단계) 사업을 스페인에서 본격 시작했다. 향후 이같은 '토탈솔루션' 사업은 유럽, 북미로 확산시킬 계획이다.

<향후전망>

태양광 시장에 기지개를 켜면서 국내 대표 태양광업체인 한화솔루션도 본격적인 실적 반등에 나설 채비에 나섰다.

한화그룹은 경영조직을 쇄신하고 계열사의 독립경영과 책임경영에 힘을 쏟고 있다. 잘 할 수 있는 사업부문의 핵심역량을 글로벌 수준으로 혁신해 '글로벌 한화'의 기틀을 다지는데 주력하고 있다.

체질개선은 단순 비용 절감이나 투자 축소와 같은 소극적인 내실화가 아니라 사업구조의 선진화부터 제품과 기술개발, 일하는 방식에 이르기까지 구체적인 변화와 성과를 도출해 글로벌 수준의 체력을 갖추는데 중점을 뒀다.

한화케미칼은 2018년 09월 한화첨단소재와 한화큐셀코리아를 합병한 데 이어 한화솔라홀딩스를 통해 한화큐셀까지 보유하게 됐다. 복잡한 태양광 사업 지분구조를 단순화해 경영 효율성을 높이겠다는 전략으로 풀이된다.

특히 한화솔루션은 핵심사업인 태양광 시장 확대에 적극적으로 대응하고 있다. 한화솔루션은 지난 2020년 말 발표한 태양광 집중 투자를 추진하는데 더해 연초부터 사업 경쟁력 강화를 위해 태양광 사업부를 재편하고 글로벌 사업을 확대를 노리고 있다. 특히 한화솔루션은 폴리실리콘, 셀, 모듈을 생산해서 판매하는 업체에서 발전소 건설, 운영 사업까지 확대해 전 밸류체인을 완성하는 기업으로 도약하고 있어 글로벌 그린뉴딜 하에 대대적인 성장 모멘텀이 기대되고 있다.

한화솔루션의 태양광 사업 부문인 한화큐셀 전체 매출은 지난해 3조4000억원 수준에서 올해는 4조4000억원으로 뛰고 설치 수요 급반등에 따른 수익성 개선 폭도 커질 것으로 업계는 관측하고 있다. 또한 바이든 대통령의 취임 이후 미국 신재생 발전의 성장이 본격화될 것으로 전망하며 미국 주거용/상업용 시장점유율 1위로 독보적인 지위를 보유한 한화 태양광의 수혜 폭이 커질 것으로 전망한다

4) 에스에너지[211]

시가총액	1,017억
상장주식수	13,364,321
설립일	2001년 1월 12일
상장일	2007년 10월 16일
매출액	2,169억 3,273만 (2019.12. IFRS 연결)

표 42 에스에너지 기업정보

에스에너지는 2001년 1월 12일 설립되었으며, 태양전지 모듈 제조 및 태양광 발전 시스템 설치 및 발전 사업을 주요 사업으로 영위하고 있다.

기존 태양광모듈 판매 뿐 아니라 태양광발전소 건설사업과 태양광발전소 유지보수 사업인 OnM사업 영역을 확대하는 등 Business Portfolio를 다변화하여 안정적인 매출실적을 달성하고 있다.

2016년 일본에서의 1,600억 원 규모의 대형 EPC계약을 체결하여 100MW이상의 안정적인 수주 잔고를 확보함으로써 일본 내 모듈 판매 및 시스템 설치 분야에서 안정적으로 자리매김하였다.

2018년에도 안정적인 흑자 기조를 유지하며, 과거 태양광 기업의 생존을 걱정하는 시장의 우려 속에서도 안정적인 수익을 내는 기업으로서 입지를 다지고 있다.

매출은 태양광 모듈/발전사업 82.14%, 상품/용역매출 17,86%등으로 구성된다.

<향후 전망>

에스에너지는 2017년 중남미 태양광시장에 진출해 5개 사업 38MW규모의 프로젝트를 수행하고 있으며, 2018년 투자계약을 통해 추가 20MW구모의 태양광 프로젝트 사업까지 차질 없이 진행한다. 이로써 에스에너지는 일본에 이어 칠레 태양광시장까지 성공적으로 진출하게 됐으며, 칠레에서 10MW이상 태양광발전소 시공에 성

211) 에스에너지, 태양광 모듈 탄소인증제 1등급 획득, 뉴스핌, 2020.10.07

공한 최초의 국내기업으로 자리매김하게 됐다. 에스에너지는 향후에도 산업은행과 함께 5개 프로젝트에 대한 추가 사업을 검토하고 있으며, 칠레뿐만 아니라 도미니카 공화국 등 주변 중남미 국가의 신재생에너지 시장에 진출할 계획이다.

한편 에스에너지는 최근 2020년, 한국에너지공단으로부터 주력 모델 10개 가운데 탄소배출량 검증인정서 1등급 3개 모델과, 2등급 7개 모델을 획득하며 '태양광 모듈 탄소인증제' 1등급을 받기도 했다. 탄소인증제는 저탄소 모듈 개발을 장려해 국내 재생에너지 시장을 친환경으로 전환하고, 글로벌 온실가스 감축에도 기여해 국내 태양광 산업을 육성하기 위한 취지로 도입됐다. 에스에너지는 탄소배출량을 줄이는 동시에 고출력, 고효율 모듈을 제조하기 위한 최적의 요건을 지속적으로 발굴하고, 공정개선을 통한 제품의 차별화를 추진하는 등 경쟁력을 강화할 예정이다.

나. 풍력

1) 두산중공업[212]

시가총액	4조 2,709억
설립일	1962년 9월 20일
상장일	2000년 10월 25일
매출액	15조 6,596억 7,414만 (2019.12. IFRS 연결)

표 43 두산중공업 기업정보

두산중공업은 2006년 3mW급 풍력 발전 시스템인 WinDS 3000™ 개발에 착수한 바 있으며, 2011년 3월 국내 최대용량 제품으로 국내업체 최초로 국제 형식인증(DEWI-OCC Type Certificate)을 취득하며 성공적으로 풍력 사업에 진출하였다.

30mW규모의 국내 최초 해상풍력단지 건설 외 국내외 다수 프로젝트에 공급을 추진하고 있으며, 2011년 말부터 저풍속에 맞는 3mW급 육해상용 풍력 발전 시제품을 출시하여 지속적으로 후속모델을 개발하고, 2012년 400억 원 규모의 영흥풍력 2단지 수주에 이어 2014년에는 300억 원 규모의 상명육상풍력 프로젝트 및 500억 원 규모의 전남육상풍력 프로젝트를 수주에 이어 2015년에는 1,200억 원 규모의 서남해 해상풍력 프로젝트를 계약하는 등 지속적으로 풍력 사업역량 강화를 추진해 나가고 있다.

---

212) '탈원전 늪' 빠졌던 두산중공업…'그린뉴딜'로 웃나, 서울경제, 2020.07.20

두산중공업은 한국전력과 함께 해외 풍력발전 시장 공략에 나서기로 하고, '해외 풍력발전 사업에 대한 공동 개발, 건설과 운영 등 상호 협력을 위한 업무협약'을 체결했다. 한국전력공사는 이 협약을 통해 해외 풍력사업 공동 개발 추진 시, 두산중공업의 풍력발전설비를 적용할 수 있게 됐다. 또한 설계부터 제작•시공까지 일괄 수행하는 공사 방식인 EPC(Engineering, Procurement &Construction) 사업자로 두산중공업을 선정할 수 있게 된다. 한국전력공사는 국내 유일의 해외 풍력사업 개발자로서 국내 최초로 중동 요르단 암만에서 요르단전력공사(NEPCO)와 총 89.1mW 규모의 푸제이즈(Fujeij) 풍력 발전소 건설 운영에 대한 사업을 수주하는 등 해외풍력 사업에 대한 해외 네크워크와 역량을 보유하고 있다.

두산중공업이 풍력 분야에서 '소리 없이 강한 기업'으로 불리는 이유는 그동안의 공급실적을 보면 알 수 있다. 두산중공업이 올해 상반기까지 풍력시스템을 공급한 실적은 계약체결 프로젝트를 포함해 총 207mW에 달한다. 3mW 풍력시스템 69기에 해당된다. 국내 기업 가운데 단연 돋보이는 성적이다.

육상풍력시스템(111mW)과 해상풍력시스템(96mW) 모두 고르게 실적을 올린 점도 눈에 띄는 부분이다. 특히 해상풍력 분야에서는 국내 기업 가운데 유일하게 운영 실적을 확보하고 있어 향후 수주경쟁에서 우위를 점할 것으로 예상된다. 두산중공업은 탐라해상풍력에 건설한 해상풍력시스템 10기 중 3기의 상업운전을 시작했고, 앞선 2012년 제주 월정리 앞바다에 실증용 해상풍력시스템 1기를 설치해 지금까지 운영 중이다. 213)

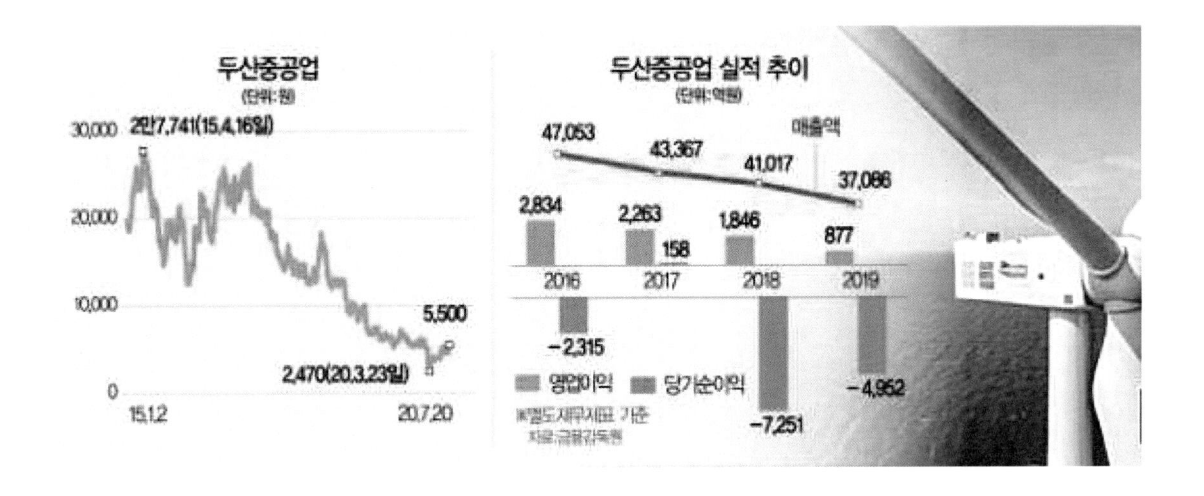

---

213) EPL, 2016.10.10. <두산중공업, 3mW 풍력설비로 시장 평정 나선다>

현 정부 출범 이후 '탈원전' 정책으로 주가가 3년간 줄곧 내리막을 걸었던 두산중공업이 이번에는 역으로 정부의 '그린뉴딜' 정책 수혜주로 급부상했다. 기존 '석탄·원전 중심' 사업구조에서 탈피해 '해상풍력'을 미래 먹거리로 밀고 가겠다는 청사진을 밝히면서 주가가 민감하게 반응하고 있다. 증권가에서는 정부의 그린뉴딜 정책이 얼마나 원활히 이뤄지느냐에 따라 두산중공업의 체질 개선이 좌우될 것이라는 분석이 나온다.

두산중공업은 문재인 정부의 탈석탄·탈원자력 정책으로 기존 성장동력이 훼손되어 6조 8000억 원에 달하는 기존 사업이 취소하거나 연기됐다. 정부의 발전정책이 신재생에너지로 빠르게 옮겨가고 있는 만큼 주력사업도 전환이 불가피한 상황이다, 정부가 2030년까지 전체 전력량의 20%를 신재생에너지로 공급한다는 정책에 따라 두산중공업은 2030년까지 16.5GW규모의 풍력발전기를 추가로 건설한다. 연평균 1.3GW의 풍력발전기가 발주된다는 것으로 2017년까지 설치된 전체 풍력발전기 (1.2GW)를 넘어서는 수치다.

그러나 최근 그린뉴딜 정책의 수혜주가 될 수 있다는 기대감 때문에 두산중공업이 급등세를 보일 수도 있을 것이라는 전망도 제기됐다. 해상풍력사업에서 오는 2025년 연매출 1조원 이상을 달성하겠다고 밝힌 것이 명분이었다. 2019년 전체 매출액 3조7,000억원의 약 27% 수준이다. 2010년 본격적으로 수주에 나선 후 풍력발전 부문에서 누적 수주액 6,600억원을 기록했다는 점을 고려하면 5년 내에 누적 매출액의 1.5배를 연매출로 달성하겠다는 의지를 피력한 것이다.

증권가에서는 두산중공업 사업 전환의 열쇠를 '정부'가 쥐고 있다고 본다. '그린뉴딜' 정책이 두산중공업 입장에서 '레퍼런스(납품실적)'을 쌓을 계기가 될 수 있기 때문이다. 레퍼런스 문제는 그간 두산중공업이 해외 해상풍력발전 시장에 쉽게 진출하지 못했던 이유로 꼽혀왔다. 2018년 베트남전력공사와 3MW 해상풍력 실증단지 건설 계약을 체결하면서 시장 진출 이후 약 8년 만에 해외 풍력발전 업계에 처음으로 발을 내디뎠지만 미국 제너럴일렉트릭(GE)이나 독일 지멘스처럼 시장을 선점하고 있던 업체들과 경쟁하기에는 역부족이었다. 이 가운데 국내 풍력발전 시장도 각종 민원·규제, 그리고 정부의 소극적인 육성정책 때문에 성장하는 데 한계가 있었다. 하지만 정부가 코로나19를 계기로 그린뉴딜 카드를 전면에 내세우면서 분위기 반전에 대한 기대감이 나오고 있다. 두산중공업의 경우 지난 15년간 1,800억원을 투자해 추가적인 재무 부담이 크지 않은데다 유휴설비 역시 많아 생산라인 재배치에도 큰 무리는 없다는 분석이다. 문제는 정부 정책이 얼마나 지속성을 가질 수 있느냐다.

2) 동국S&C

시가총액	3,600억
설립일	2001년 7월 2일
상장일	2009년 8월 31일
매출액	3,178억 4,725만 (2019.12. IFRS 연결)

표 44 동국 S&C 기업정보

동국 S&C는 풍력발전용 타워와 해상풍력용 구조물 전문제조업체로, 해상풍력발전단지 조성 사업 진출과 관련해 2009년 7월 10일 한국남동발전, 동양건설산업 및 EURUS ENERGY JAPAN과 J.D.A(공동사업개발협약)를 체결하여 관련 사업을 추진하고 있다. GE Wind Energy, MPSA(미쓰비시), Siemens, Enercon, Vestas, Suzlon, Acciona, JSW(Japan Steel Works) 등의 해외 유수의 거래처와 두산중공업, 현대중공업, 삼성물산, 삼성중공업 등의 국내 거래처를 확보하고 있다.

윈드타워(Wind Tower)는 지상 80~90m 상공에서 회전하는 풍력발전기의 터빈을 지지해 주는 역할을 하는 최장 110m의 풍력발전설비로 품질, 납기, 보안 등이 요구된다. 특히 세계 풍력발전시장이 그 동안 EU 중심에서 벗어나 북미(미국, 캐나다)와 중국, 인도, 일본 등의 아시아시장으로 크게 확대될 것으로 전망되어 미국과 일본지역을 중심으로 판매하고 있는 동국S&C의 수혜폭이 클 것으로 전망되고 있다, 다만 현재까지는 미국풍력시장이 치열한 출혈경쟁과 세제혜택과 관련한 미국정책의 불확실성으로 실적이 아직까지는 부진한 것으로 나타난다.

한편 압력용기와 보일러 제작 사업을 위한 미국기계학회 인증 획득에 이어 해상풍력용 5mW급 타워와 Monopile, Tripod, Jacket 등의 구조물분야에도 진출, 해상풍력용 구조물 제작을 위한 DNV의 DIN 18800-7 공장 인증을 획득함으로써 유럽시장으로의 수출지역 다변화와 함께 향후 수주 추이가 주목된다. 노르웨이 선급협회인 DNV(Det Norske Veritas)는 영국 로이드선급(LR), 미국선급협회(ABS)와 함께 세계 3대 인증기관 중 하나다.

매출구성은 강판외 43.46%, WIND TOWER 39.49%, 건설 15.63%, 제품기타

1.42%로 구성된다.

최근에는 동국S&C는 SK디앤디와 울진 현종산 풍력발전단지 건설공사 계약을 체결했다. 또한 미국과 유럽에서 풍력산업이 활발하게 돌아가면서 동국 지멘스나 베스타스에 납품을 하는 동국S&C에 수혜가 갈 것이다.

3) 씨에스윈드

시가총액	2조 8,719억
설립일	2006년 8월 16일
상장일	2014년 11월 27일
매출액	7,993억 9,072만 (2019.12. IFRS 연결)

표 45 씨에스윈드 기업정보

씨에스윈드는 2006년 8월에 설립된 중산풍력(주)을 모태로 하는 회사로 현재 주력사업은 풍력발전기를 높은 곳에 설치할 수 있도록 해주는 풍력발전 타워, 풍력발전 타워용 알루미늄 플랫폼의 생산이다. 매출액의 99%는 풍력타워용 제품으로 원통형 철구조물인 타워를 전문으로 제조하고 있다. 지난 2003년 베트남에 설립된 이후 중국, 캐나다 등에 글로벌 생산체계를 갖추고, 이를 통해 연간 2,100여기 이상의 풍력타워 생산이 가능한 세계최대 풍력타워 생산능력을 확보한 바 있다. 현재 놀라운 수주를 기록 중이며 2018년 들어 공급계약 체결공시를 통해 발표한 수주액만 2915억원이다.

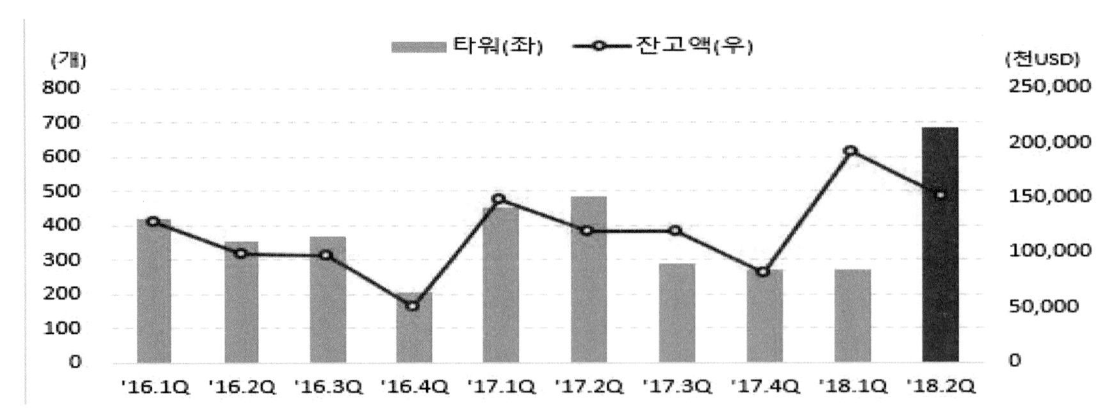

그림 54 씨에스윈드 분기 말 수주잔고(타워, 금액)
214)

214) 자료: 아이투자, 씨에스윈드

씨에스윈드는 1989년 회사 설립 이후 2017년 최대 규모의 영업 손실을 낸 바 있다. 경험이 전무했던 해상 풍력발전 구조물 사업에 뛰어들었다가 납기 지연과 원가 상승으로 200억 원 손실을 본 것이다. 하지만 2018년 들어 씨에스 윈드의 상반기 영업이익은 175억 원을, 영업이익률은 11.75%를 나타냈다. 이와 같은 반전은 계기는 힘든 시기에 과감히 단행한 인수합병(M&A)으로 각각 1파운드와 35억 원에 인수한 영국과 말레이시아법인에서 실적을 냈다. 정부는 그린뉴딜 정책을 내세우며 친환경 에너지 산업을 육성하고 있는 상황에서, 씨에스윈드도 풍력에너지 관련주로 주목받으며 앞으로 계속해서 발전이 기대된다.

4) 스페코[215][216]

시가총액	1,422억
설립일	1979년 2월 7일
상장일	1997년 11월 3일
매출액	747억 831만 (2019.12. IFRS 연결)

표 46 스페코 기업정보

스페코는 1979년 2월 7일에 설립되어 1997년 11월 3일에 한국거래소 코스닥시장에 상장하였으며, 창사 이후 도로 건설 분야의 핵심 설비인 아스팔트 플랜트 등을 제조, 생산, 수출해 오고 있다. 끊임없는 연구개발을 기반으로 국내 도로 건설 현장뿐 아니라 해외 주요 건설사에 수출하여 전 세계 Infrastructure 프로젝트에 동참하며, 세계 도로 건설 발전에 기여하고 있다.

아스팔트 플랜트 사업을 시작으로 콘크리트 플랜트, 크러셔 등의 건설장비 사업과 더불어 풍력 및 방산 설비 사업을 병행하고 있다. 또한, 당사는 4차 산업혁명으로 인한 산업 변화에 대응하기 위해 Smart Factory 구축 등으로 변화와 혁신을 선도하고 있다. 스페코는 우수한 품질의 플랜트를 공급함으로써 전 세계 2,500여 개의 고객사들로부터 세계적 일류 기업으로 인정받아 오고 있다. 각종 설비 전문 제작이 가능하도록 최신식 제조 생산 라인 및 전문 인력을 보유하고 있으며, 국내 생산 거점(충북 음성) 뿐 아니라, 풍력 설비의 경우 멕시코 Monclova 공장을 통해 세계 각

215) 12월 10일의 기업분석 Letter-스페코, 블로거_James Lee, 2020.12.10
216) 스페코 홈페이지

지로 수출하고 있다.

주요제품으로는 아스팔트믹싱플랜트, 콘크리트배쳐플랜트, 풍력타워가 있으며 구체적 용도는 플랜트이다. 관련원재료의 경우 내수구매로 이루어졌으며, 주요사업부문은 플랜트 사업부, 풍력부문, 방산설비 부문으로 구성되어있다. 총 2957만 불을 투자하여 스페인 Gamesa에 플랜트 10대를 납품하였으며, 멕시코의 3,000MW규모시장과 북미시장의 선점을 위해 2MW급 1일 1기 생산을 원칙으로 매출 증가 모습을 보이고 있다.

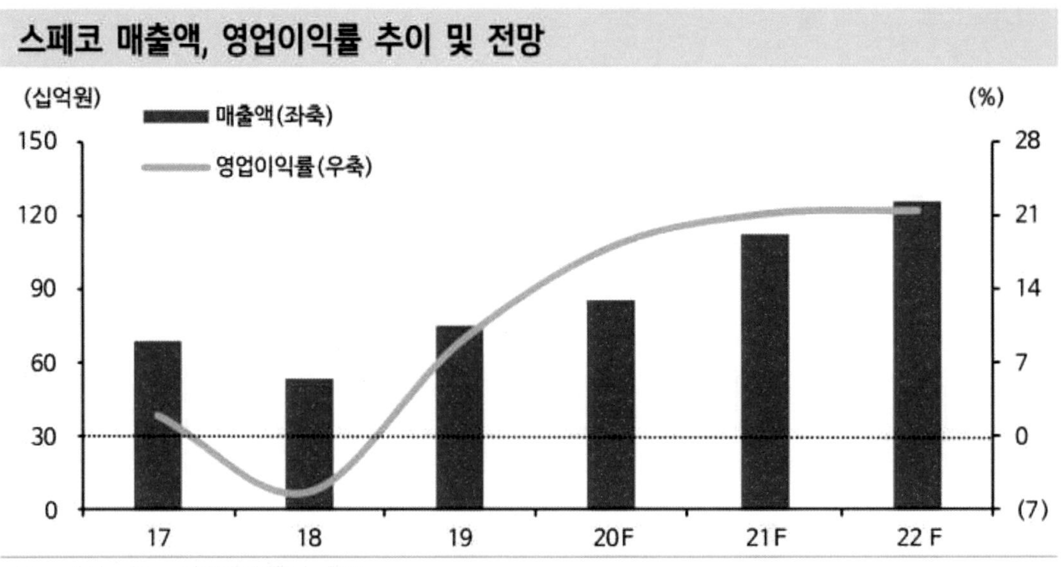

자료: 회사 자료, 신한금융투자 추정

최근 친환경 에너지 관련테마가 주목받으며, 풍력발전에 대한 관심이 뜨겁다. 풍력타워 사업부문의 고성장으로 주가가 크게 상승한 스페코도 2019년부터 턴어라운드를 보여주면서 가파른 실적 성장이 진행중이다. 스페코의 경우에는 멕시코 공장을 통해 멕시코와 텍사스의 장기적인 풍력 산업 성장 수혜를 누릴 수 있다는 점에서 성장이 한동안 지속될 것으로 예상된다.

다. 수소연료전지

1) 두산 퓨얼셀BG

대표자	유수경	설립일	2019년 10월 01일
기업규모	대기업	기업형태	코스피
매출액	2,212억 (2019.12)	영업이익	195억 (2019.12)
상세업종	전동기 및 발전기 제조업	신용등급	양호 (2020.07)

[217]

[표 47] 기업 기본정보

정부가 발전용 수소연료전지 의무 공급을 추진하기로 하면서 연 평균 약 3~4조원에 이르는 신규 발주 물량을 두산퓨얼셀이 대부분 흡수할 것으로 예상된다. 정부는 2040년까지 수소연료전지 보급량을 8GW까지 늘린다는 계획으로, 앞으로 50~70조원의 물량이 쏟아져 나올 전망이다. 두산퓨얼셀은 정부의 공급계획에 발맞춰 생산설비 확충에 나섰다.

두산퓨얼셀의 연료전지 증설계획을 보면 2019년 기준 63MW인 생산량을 2021년 260MW까지 확대하고 장기적으로 620MW까지 늘리기로 했다. HPS 도입에 따른 수소연료전지 생산 물량을 모두 감당할 수 있는 수준이다. 두산퓨얼셀이 최근 2023년 매출 목표를 1조원에서 1조5000억원으로 50% 상향 조정한 것도 정부 정책의 기대치를 반영한 결과다. 두산퓨얼셀의 국내 수소연료전지 시장 점유율 78%로, 지금도 독보적인 지위를 확보하고 있다.

두산퓨얼셀은 차세대 수소연료전지로 꼽히는 '한국형 고효율 발전용 고체산화물 연료전지(SOFC) 개발에도 나선다. 이는 800℃ 이상 고온에서 작동하는 SOFC는 다른 연료전지 타입에 비해 전력 효율이 높은 연료전지 발전 시스템 가운데 하나다. 전력효율이 높아 열을 제외하고 전력만 필요한 발전 환경에 필요하다. 두산퓨얼셀은 발전용 SOFC 셀·스택 제조라인과 SOFC시스템 조립라인 구축에 2023년 말까지 724억원을 투자할 계획이다.[218]

최근 발전용 연료전지 사업을 주력으로 삼아온 두산퓨얼셀이 글로벌 선사인 나빅

---

217) catch.co.kr
218) 두산퓨얼셀, 50조 연료전지시장 '싹쓸이' 전망..두산그룹 효자로, 서영욱, 뉴스핌, 2020.10.22

8(Navig8)과 손잡고 친환경 선박용 연료전지 개발에 뛰어들었다. 140여 척의 석유화학제품 및 원유 운반선을 보유한 나빅8은 싱가포르에 본사를 두고 있는 글로벌 해운회사로, 두산퓨얼셀은 현재 개발 중인 한국형 고효율 고체산화물 연료전지(SOFC)를 나빅8이 발주할 5만톤급 석유화학제품선에탑재하고, 추진동력 및 선박 내 전원으로서의 실증을 진행할 계획이다.

국제해사기구(IMO)는 2050년까지 2007년 대비 선박 온실가스 배출량을 50% 감축하는 강력한 구제를 발표한 바 있다. 이에 따라 해운업계는 저유황유 사용과 탈황장치 부착을 비롯해 암모니아, 수소 등 친환경 에너지원 발굴에 나서고 있는 상황이다.[219]

(단위: 억원)

주요재무정보[220]	연간			
	2019.12	2020.12(E)	2021.12(E)	2022.12(E)
매 출 액	2,212	4,640	7,230	10,013
영업이익	195	303	501	753
당기순이익	119	228	388	585
자산총계	4,958	8,130	10,358	12,572
부채총계	3,290	4,544	5,624	7,308
자본총계	1,668	3,585	4,734	5,264

[표 48] 두산 퓨얼셀 BG 재무제표

219) 두산퓨얼셀, 선박용 연료전지 개발 나서, 이종수, 월간수소경제, 2020.11.10
220) 네이버금융

2) 현대중공업

대표자	한영석	설립일	2019년 06월 03일
기업규모	대기업	기업형태	외감
매출액	8조 3,120억 982만 (2020.12.)	영업이익	1,295억 (2019.12)
상세업종	기타 선박 건조업	신용등급	우수 (2020.06)

[표 49] 기업 기본정보

221)

현대중공업그룹의 한국조선해양과 현대미포조선은 한국선급(KR)과 선박 등록기관인 라이베리아 기국으로부터 2만입방미터(㎥)급 액화수소운반선에 대한 기본인증(AIP)을 받았다고 밝혔다. 현대중공업그룹에 따르면 선박이 대량의 수소를 운송하기 위해선 부피를 800분의 1로 줄이고, 안전성을 높이는 액화 공정이 필수적이다.

특히 수소는 LNG(액화천연가스)보다 더 낮은 영하 253도에서 액화하기 때문에 액화수소운반선은 이를 위한 기술이 필요하다. 이에 한국조선해양과 현대미포조선은 현대글로비스 등과 손잡고 상업적으로 실제 운항이 가능한 세계 최초의 액화수소운반선을 개발했다. 한국조선해양은 액화 수소 화물 처리시스템과 연료전지를 활용한 수소 증발 가스 처리시스템을 개발했고, 현대미포조선은 선박의 기본설계를 진행했다.

현대글로비스와 지마린서비스는 액화 수소의 저장과 운송 과정에서의 경제성과 안전성을 분석했다. 이를 통해 개발된 선박은 이중구조의 진공 단열식 탱크를 적용해 단열성을 높여 운항 중 발생하는 수소 증발 가스(BOG)를 최소화한 것이 특징이다. 또 전기추진 방식을 채택해 향후 수소 증발 가스를 연료전지 연료로도 활용할 수 있다.[222)]

현대중공업그룹은 계열사별 수소 관련 산업을 추진하고 있다. 현대오일뱅크는 수소생산을 늘리고 있으며 운영 중인 주유소는 수소충전소로의 전환을 준비하고 있다. 한국조선해양은 정부와 협의해 부유식 해상풍력발전단지를 조성하는 프로젝트를 검토 중이다. 현대건설기계는 현대자동차그룹과 수소연료전지를 사용하는 지게차와 굴삭기

221) catch.co.kr
222) 현대중공업그룹, 세계 최초로 상업용 액화수소운반선 인증받았다, 김보경, 연합뉴스, 2020.10.22

를 개발한다. 세계 최고 수준의 수소연료전지 기술을 갖춘 현대차와 협력하는 만큼 미국, 유럽, 중국, 인도, 브라질, 인도네시아 등 전세계 기계시장에서 수소에너지를 활용한 중장비 시장을 선점할 것으로 기대했다.[223]

(단위: 억원)

주요재무정보[224]	연간			
	2016.12	2017.12	2018.12	2019.12
매 출 액	-	142,995	272,566	266,203
영업이익	-	8,430	8,614	6,666
당기순이익	-	10,130	2,840	1,153
자산총계	-	208,886	233,478	257,155
부채총계	-	107,867	127,937	138,308
자본총계	-	101,019	105,543	118,847

[표 50] 현대중공업 재무제표

223) [특징주] 현대건설기계, 현대중공업 수소 육성 대표선수 "현대차와 글로벌 시장 개척", 파이낸셜뉴스, 2020.09.15

224) 네이버증권

3) 에스아이에스(주)

대표자	신인승	설립일	2004년 10월 25일
기업규모	중소기업	기업형태	외감
매출액	211억 (2019.12)	영업이익	16억 (2019.12)
상세업종	산업 처리공정 제어장비 제조업	신용등급	미흡 (2020.07)

[표 51] 기업 기본정보

225)

에스아이에스는 수소연료전지로 움직이는 무인운반차를 개발해 실증을 진행할 예정이다. 에스아이에스 관계자는 현재는 설계가 다 끝나고 무인운반차 제작 단계에 있다며 자율주행 기술끼지 적용돼 운전자가 없어도 하루 종일 수소연료전지를 이용해 운반 업무를 수행할 수 있다고 강조했다.[226]

[그림 154] 에스아이에스 공장 전경

225) catch.co.kr
226) 수소로 가는 선박 띄우고 사업화…'또 다른 고래' 찾는 울산, 박호현, 서울경제, 2020.09.22

(단위: 억원)

주요재무정보[227]	연간			
	2016.12	2017.12	2018.12	2019.12
매 출 액	200	218	197	211
영업이익	14	26	-42	15
당기순이익	20	-15	-58	8
자산총계	382	381	357	379
부채총계	310	324	282	296
자본총계	72	57	75	83

[표 52] 에스아이에스 재무제표

227) http://dart.fss.or.kr/

4) 일진복합소재(주)

대표자	김기현	설립일	2012년 11월 02일
기업규모	중견기업	기업형태	외감
매출액	885억 (2019.12)	영업이익	120억 (2019.12)
상세업종	금속 탱크 및 저장 용기 제조업	신용등급	양호 (2020.04)

[표 53] 기업 기본정보

228)

일진복합소재는 일진다이아몬드의 자회사로 국내에서 유일하게 수소차량용 연료탱크를 양산하고 있다. 일진복합소재는 수소연료탱크 세계 1위 양산 업체로, JR(동일본 여객철도)이 일본 도요타자동차, 히타치와 공동 개발하는 하이브리드 열차에 수소연료탱크를 공급했다고 밝혔다. 이 열차는 수소연료전지와 축전지를 주요 전기 공급원으로 하는 하이브리드 방식을 채택했다.

테스트 열차에는 도요타자동차가 수소전기차 '미라이'와 수소전기버스 '소라'에 탑재한 수소연료전지와 히타치가 개발한 하이브리드 드라이브 시스템이 적용되며 개발 중인 열차에는 일진복합소재가 개발한 700bar 용기가 공급된다. JR은 2021년까지 개발을 완료하고 2022년 시험운행을 거쳐 2024년 실제 노선에 투입할 방침이다.

일진복합소재는 2014년 현대자동차가 세계 최초로 상용화한 '투싼' 수소전기차를 시작으로 차세대 수소전기차 '넥쏘'와 시내버스에 수소연료탱크를 공급하고 있으며 2020년 8월에는 경찰버스와 중장거리 광역버스용 물량도 잇달아 수주했다.[229]

최근 일진복합소재는 늘어나는 현대자동차의 수요에 맞춰 생산 인프라 증설을 결정했다. 수소탱크 제조를 전담하는 2공장과 관련 기술을 개발하는 연구센터를 2021년 중에 완공할 예정이다. 외형 확장에 맞춰 중장기 매출액 목표도 2027년 1조원 달성으로 늘려 잡았다.[230]

228) catch.co.kr
229) 일진복합소재, 일본에 수소연료탱크 공급, 윤예슬, 투데이에너지, 2020.11.03
230) 일진복합소재, 정부 수소차 로드맵 최대 수혜주 되나, 강철, 더벨, 2020.09.24

또한 일진복합소재는 2021년 증시 입성을 목표로 기업공개(IPO)를 본격 추진하고 있는데, 특히 일진복합소재는 수소 전기차의 핵심 부품인 타입4(TYPE 4) 연료탱크를 양산한다. 타입4 수소탱크를 양산하는 곳은 일진복합소재와 토요타 두 회사만 존재하는 상황이며, 2018년부터 현대자동차 넥쏘(Nexo)에 들어가는 연료탱크를 독점으로 납품하면서 이 시점을 기점으로 실적이 빠르게 증가하고 있다.[231]

(단위: 억원)

주요재무정보[232]	연간			
	2016.12	2017.12	2018.12	2019.12
매 출 액	187	203	285	885
영업이익	3	-9	5	120
당기순이익	1	-14	2	89
자산총계	227	228	282	769
부채총계	178	205	196	396
자본총계	48	83	85	372

[표 54] 일진복합소재 재무제표

231) 일진복합소재, 내년 상장 목표…수소탱크 키운다, 구경민, 머니투데이, 2020.10.25
232) http://dart.fss.or.kr/

5) ㈜코멤텍

대표자	김성철	설립일	2007년 1월 4일
기업규모	중소기업	기업형태	-
매출액	25억 8,508만원(2019)	영업이익	3억 2,423만원 (2019)
상세업종	합성섬유 제조업	신용등급	-

233)

[표 55] 기업 기본정보

코멤텍은 2007년 설립된 기업으로 지난 2016년 6월 부지 2000평, 크린룸 설비를 갖춘 700평 규모의 제1공장으로 본사를 이전했다. 코멤텍의 주요 생산품목은 '수소연료복합막'와 '2차 전지용 테프론 불소수지(PTFE·폴리테트라플루오르에틸렌)분리막'이다. 이 기술은 미국과 일본에 이어 세계 세번째로 양산했다는 데 의미가 크다. 이 기술은 미국 GORE사가 1973년 최초 개발 된 이후 40여 년간 독점 돼 온 기술이다. 수소연료전지 뿐 아니라 국내시장규모 3조원대에 이르는 공기필터의 핵심 소재로 미세먼지를 99.9%를 걸러낼 수있어 친환경 소재로 각광받고 있다.

PTFE 멤브레인은 시중에 고어텍스(GORETEX)로 널리 알려진 기능성 의류의 핵심을 이룬다. 이 소재를 산업용 필터, 기능성 의류, 2차전지 분리막, 연료전지 분리막 등에 적용한다. 코로나19로 인한 마스크 생산과 화력발전소와 산업 공장 등에서 미세먼지 배출을 줄일 대안으로 주목받고 있다.

현재 ㈜코멤텍은 NEP 및 성능인증을 획득하여 한국전력 화력발전소에 필터를 독점 공급하고 있으며, 2020년 4월 산업통상자원부 소재부품R&D개발과제에 총괄 주관기업으로 선정되어 5년간 128억원의 개발비를 지원받아 반도체 클린룸용 고성능 필터인 HEPA, ULPA필터의 개발을 한국캠브리지 필터㈜, ㈜성창오토텍 등과 진행해 나갈 예정이다.

2020년 3분기 코멤텍은 'Trania'라는 연료전지 분리막 자체 브랜드로 홈페이지를 구축해 국내외 바이어들을 대상으로 판매에 나설 예정이다.[234]

코멤텍은 PTFE 멤브레인 복합막의 본격적인 양산을 위해 전남 영광 대마산업단지에 위치한 본사 제1공장 바로 옆에 35억원을 투자해 2019년 상반기 연료전지 전용 제2공장을 완공하고 제품 양산에 관한 제반 설비를 구축했다. 연료전지 전용 공장은 'PTFE ULPA 크린룸'을 갖추고 있는데, 이는 코멤텍이 직접 설계하고 회사의 제품인 'PTFE ULPA 필터'를 적용해

233) 사람인
234) 창사특집> 수소연료전지·2차 전지용 테프론불소수지 분리막 개발 '관심', 전북일보, 2020.07.16

1,000class수준의 크린룸 설비를 구축한 것이다.

제2공장에는 PTFE 멤브레인을 최대 유효 폭 800mm로 생산할 수 있는 전용 생산 라인을 구축한 것이 가장 큰 특징이다. 이전의 280mm에서 약 3배가 늘어난 것으로 이를 통해 아이노머 소모량을 줄이고 대량생산이 가능해 단가를 낮출수 있게 되었다.

미국 고어사는 아직 상용 수소전기차 연료전지에 대응할 수 있는 PTFE 멤브레인 생산라인을 갖추지 않아 이 시장을 선점하겠다는 것이 코멤텍의 목표다.[235]

(단위: 억원)

주요재무정보[236]	연간			
	2016.12	2017.12	2018.12	2019.12
매 출 액	21	16	20	25
영업이익	2	-2	1	3
당기순이익	4	0.9	0.1	1.1
자산총계	-	-	-	-
부채총계	-	-	-	-
자본총계	3.8	3.8	4.9	4.9

[표 56] 코멤텍 재무제표

235) <연속기획> 수소경제 주목되는 기술·제품 - ⑦ 코멤텍의 'PTFE멤브레인 복합막', 월간수소경제, 2019.08.04

236) 네이버금융

6) ㈜윈테크

대표자	김봉준	설립일	2009년 06월 25일
기업규모	중소기업	기업형태	외감
매출액	265억 (2019.12)	영업이익	5억 (2019.12)
상세업종	그 외 기타 특수 목적용 기계 제조업	신용등급	보통 (2020.07)

237)

[표 57] 기업 기본정보

윈테크는 2009년 설립된 석유 화학, 분체, 환경, 가스, 에너지 분야의 플랜트 업체로서 각 분야의 전문 엔지니어링을 제공하는 회사다. 윈테크의 사업분야는 크게 화학플랜트, 분체플랜트, 환경플랜트, 가스 플랜트, Pilot설비, 2차전지플랜트로 나눌 수 있다.

2차전지 플랜트는 사양 검토 후 설계, 제작, 납품, 설치, 유지보수까지 Turn-Key base 방식으로 수행되고 있다. 먼저, 제조하고자하는 물질의 화학적 성분에 맞추어 각각의 원료물질들을 평량하고 균일하게 혼합한 후 하소(calcination)하게 되며, 하소된 물질을 분쇄한 후 분급하여 포장하여 양극재 제품을 완성하게 된다. 이렇게 생산된 2차전지는 충전해서 반영구적으로 사용하는 전지이며, 친환경 부품으로 주목받고 있다. 니켈-카드뮴, 리튬이온, 니켈-수소, 리튬폴리머 등 다양한 종류가 있다.[238]

(단위: 억원)

주요재무정보[239]	연간			
	2016.12	2017.12	2018.12	2019.12
매 출 액	100	127	251	265
영업이익	112	141	51	46
당기순이익	13	16	58	-1
자산총계	135	153	239	260
부채총계	86	85	112	135
자본총계	49	67	126	124

[표 58] 윈테크 재무제표

237) catch.co.kr
238) 윈테크 홈페이지
239) http://dart.fss.or.kr/

7) 세종공업(주)

대표자	박정길/김익석/김기홍	설립일	1976년 07월 01일
기업규모	중견기업	기업형태	코스피
매출액	연결 재무제표 : 1조 2,217억 별도 재무제표 : 3,842억	영업이익	연결 재무제표 : 132억 별도 재무제표 : -97억
상세업종	그 외 자동차용 신품 부품 제조업	신용등급	양호 (2020.04)

[240]

[표 59] 기업 기본정보

세종공업은 자동차 소음기, 배기가스 정화기 제조업체로 주 고객사는 현대기아차다. 세종공업의 주요제품은 소음기(머플러), 정화기, 기타 부산물 물로 구성된다. 세종공업의 원재료는 철판 (SACD), 코일 (SUS 439), 파이프 (STAC 60/60) 등이다.

세종공업은 2021년 이후 수소차 부품사업을 확대할 것으로 예상된다. 세종공업은 현재 수소전기차에 사용되는 센서류(각종 압력센서/냉각수 압력온도 센서/수위센서 등)와 핵심부품(수소압력릴리프 밸브/스택용 워터트랩/수소 누설 모니터링 시스템/수소연료배기시스템 등)을 생산중이다.

현재 수소부품 매출액은 전체 매출액 중 1%미만으로 미미한 편이다. 그러나 고객사의 수소차 생산증가와 함께 추가 아이템의 확대로 매출액이 증가할 것으로 예상된다. 특히 5월11일부로 자회사 세종이브이(지분율 100%)를 설립해 수소전기차용 연료전지 스택의 핵심부품인 금속분리판을 생산할 계획이다.

연료전지 스택은 수소와 산소를 공급받아 전기를 생산하는 장치이고, 그 중 금속분리판은 스택에 공급되는 수소/산소를 골고루 확산시켜 주고 스택에서 생산되는 물/열 등을 배출하는 통로이다.

스택 당 약 440개의 분리판세트가 들어가고, 스택 원가의 약 20% 비중을 차지한다. 세종이브이는 현대차 넥쏘를 대상으로 2021년 초부터 금속분리판을 납품할 계획인데, 2021년 약 900억원의 매출액을 기대할 수 있다. 향후 수소차 생산이 늘어남에 따라 매출액은 수년 내 2,000억원 이상으로 늘어날 전망이다.[241]

240) catch.co.kr
241) [하나금융투자] 세종공업 : 수소차 부품사업을 확장중이다, 홍진석, 한반도경제, 2020.06.08

(단위: 억원)

주요재무정보[242]	연간			
	2016.12	2017.12	2018.12	2019.12
매 출 액	11,544	10,359	10,995	12,217
영업이익	234	-67	2	132
당기순이익	138	-76	-194	19
자산총계	9,525	9,006	8,710	9,960
부채총계	5,531	5,197	5,096	6,148
자본총계	3,994	3,808	3,614	3,812

[표 60] 세종공업 재무제표

242) 네이버금융

초판 1쇄 인쇄 2021년 4월 10일
초판 1쇄 발행 2021년 4월 26일

저자 비피기술거래 비피제이기술거래
펴낸곳 비티타임즈
발행자번호 959406
주소 전북 전주시 서신동 780-2 3층
대표전화 063 277 3557
팩스 063 277 3558
이메일 bpj3558@naver.com
ISBN 979-11-6345-259-1(93550)

이 도서의 국립중앙도서관 출판예정도서목록(CIP)은 서지정보유통지원시스템홈페이지 (http://seoji.nl.go.kr)와국가자료공동목록시스템 (http://www.nl.go.kr/kolisnet)에서 이용하실 수 있습니다.